ISBN 978-0-428-56552-7
PIBN 11244782

HORATIUS FLACCUS

FÜR DEN SCHULGEBRAUCH

ERKLÄRT

VON

DR. EMIL ROSENBERG,

[illegible]

AUFLAGE.

FRIEDRICH AN[illegible] PERTHES.

DIE

ODEN UND EPODEN

DES

Q. HORATIUS FLACCUS.

FÜR DEN SCHULGEBRAUCH

ERKLÄRT

VON

DR. EMIL ROSENBERG,

KÖNIGL. GYMNASIAL-PROREKTOR UND PROFESSOR IN HIRSCHBERG IN SCHL.

DRITTE AUFLAGE

GOTHA.

FRIEDRICH ANDREAS PERTHES.

1898.

VORWORT
zur ersten Auflage.

Dem Texte dieser nach den Grundsätzen der „Bibliotheca Gothana“ gearbeiteten Ausgabe ist die von Vahlen (Leipzig, Hirzel) bearbeitete Rezension des Horaz zugrunde gelegt, weil ich dieselbe nach eingehender Prüfung als die konsequenteste und des Dichters würdigste erkannte. Aber doch ist die Zahl der Stellen, an denen ich abweichen zu müssen glaubte, keine geringe. Man vgl. I, 3, 6; 11, 7; **12, 46**; **13, 2**; 15, 19; **16, 8**; 19, 10; **20, 1**; 23, 4; **23, 5** u. **6**; 24, 11; **25, 20**; **31, 9**; **32, 15**; **34, 5**; 35, 15. II, 3, 23; 4, 15; 12, 27; **12, 28**; **13, 15**; **20, 6**; **20, 13.** III, 4, 9; **4, 10**; **4, 38**; **4, 43**; **4, 47**; **5, 15**; **5, 17**; **7, 4**; 9, 23; 10, 16; **14, 11**; 16, 12; 16, 27; **17, 4**; **19, 12**; 19, 27; 23, 4; **24, 4**; **24, 60**; **25, 9**; 26, 10; **27, 5**; **27, 60**; 28, 16; 29, 5; 29, 52. IV, **1, 22**; **2, 41**; **2, 49**; 4, 72; **8, 12**; **8, 14—17**; **8, 28**; **8, 33**; **10, 5**; 11, 14; 12, 18; 14, 13; 15, 4; Epod. **1, 5**; **1, 21**; 2, 22; **2, 25**; 2, 65; 4, 16; **5, 28**; **7, 12**; **9, 17**; **9, 25**; **10, 22**; **13, 3**; **13, 13**; 16, 16; **16, 61**; 17, 35. Über die Prinzipien, denen ich dabei gefolgt bin, ist hier weder der Ort zu sprechen, noch sind sie dem Kenner des Horaz verborgen. Die Rücksicht darauf, dafs Schülern ein verständlicher Text geboten werden mufs, hat mich I, 20, 1; 32, 15; III, 4, 10 Konjekturen aufnehmen lassen, die ich selbst nur für Notbehelfe ansehe.

Was die Erklärung betrifft, so habe ich den Ausgaben von Keller und Holder, Schütz, Hirschfelder, Düntzer, namentlich aber der von Nauck, viel zu danken, und war es nicht immer möglich, dieses besonders zu bezeichnen. Es gilt aber von meinen Noten, wie vom Texte, dafs sie Neues und Eignes enthalten, und manche Studie, welche bisher unverwertet war (z. B. von Bücheler, Reifferscheidt und Plüfs) für die Erklärung berücksichtigen. Wenn hier und da mehr gegeben ist, als man nach den bekannten und richtigen Grundsätzen der „Bibliotheca Gothana“ erwarten sollte, so möge man in Betracht ziehen, dafs eine Schulausgabe des Horaz doch auch eine Lebensausgabe sein mufs, dafs mancher Wink auf eine spätere, erneuerte Lektüre des Dichters berechnet sein mufs. Denn bei diesem Schriftsteller brauchen wir nicht zu hoffen, sondern wissen es längst, dafs er anch nach der Schulzeit noch gewürdigt und gelesen wird.

Je mehr ich die Gedichte des Horaz zum Gegenstande eingehender Beschäftigung gemacht habe, um so mehr bin ich zu der Ansicht gekommen, dafs zahlreiche Rätsel der Erklärung noch harren, dafs keine Leistung beanspruchen darf, auf längere Zeit hinaus als mafsgebend oder abschliefsend betrachtet zu werden. Eine genauere Kenntnis der Personen, Sachen, Auffassungen, Studien jener Zeit, aus der heraus Horaz dichtete, wird immer von neuem die bisherigen Ansichten ändern und bessern.

Hirschberg, den 12. Juni 1883.

VORWORT
zur zweiten Auflage.

Seit 1883 hat die Horazforschuug bedeutende Fortschritte gemacht. Die Fülle des Gebotenen ist so grofs, dafs ich von einer namentlichen Aufführung der von mir benutzten Schriften absehen mufs. Jedenfalls glaube ich versichern zu können, dafs ich, wenn nicht alles, so doch das meiste gelesen und, wo es mir nötig schien, danach den Text und Kommentar geändert habe. Nicht minder brachten die zahlreichen Rezensionen der ersten Auflage von Meistern wie Hirschfelder, Krah, Mewes, Gebhardi, Curschmann u. a., sowie die mir brieflich zugesandten Bemerkungen von Gansz, Ziemer, Nauck, Wagener, Winckler, Leuchtenberger, Stier manche Verbesserungen, für die ich an dieser Stelle allen diesen Herren meinen wärmsten Dank ausspreche. Ich bitte alle Horazfreunde auch für die Zukunft um ihre Ratschläge. Wir haben sehr gute Horazausgaben — die von Nauck, Schütz, Hirschfelder, Kieſsling — aber, wie ich glaube, noch keine, von der man sagen könnte, daſs der Text und Kommentar des Dichters in allen Stücken würdig wäre, in dem selbstbewuſstes Römertum so herrlich durch feinsinnige und gründliche Erfassung des Hellenismus geläutert und geadelt wurde. Keiner weiſs besser als ich, wie weit meine Ausgabe von diesem Ideal entfernt ist; aber auch sie wird dem wohlwollenden Richter eine Lücke in dem Bilde des Dichters, soweit es die erwähnten Ausgaben zeichnen, auszufüllen scheinen. Ich betrachtete als meine Aufgabe, durch Anleitung zu einer Übersetzung, die weder zu frei noch zu prosaisch sein sollte, und dabei eine rhythmische Wortstellung ermöglicht, durch Hindeutung auf ähnliche Phantasiegebilde in deutschen Dichtern, durch Erklärung der Stimmungen des Dichters aus dem Geiste und den Ereignissen seiner Zeit den Schülern die Unterlage zu verschaffen, auf der vom Lehrer zu einer volleren Würdigung des klassischen Dichters weiter gearbeitet werden könnte.

Hinzugefügt ist dieser, wie ich hoffe, sehr verbesserten Auflage im besonderen eine Einteilung der Oden nach Kategorieen mit Angabe der denselben etwa zu gebenden Überschriften.

Hirschberg, im November 1890.

VORWORT
zur dritten Auflage.

Auch diese Auflage zeigt eine gründliche Revision der früheren, ja eine gründlichere, nicht blofs in der Einleitung, bei der ich mehr als früher an die jetzigen Anforderungen im Abiturientenexamen dachte, sondern auch im Kommentar, wo ich bei den am meisten gelesenen Gedichten die Hilfen vermehrte. Denn ich überzeugte mich mehr und mehr, dafs die Kenntnisse der Schüler immer lückenhafter werden. Mehr aber noch, als ich selbst, haben andere an dieser Auflage gearbeitet. Ich glaube alle Schriften über Horaz gelesen und, wo ich dazu eine Veranlassung sah, sie auch benutzt zu haben. Namentlich aber konnten die neuen Ausgaben des Horaz: die zuverlässige von G. Müller, die an unendlich vielen Stellen völlig selbständige und an Anregungen reiche von Küster, die neue Auflage des Nauckschen Horaz von Weifsenfels, die neuesten Ausgaben von Röhl und Schimmelpfeng nicht ohne Nutzen für diese Auflage bleiben. Die „Realien" von Gemoll sind nicht minder eine Fundgrube schöner Bemerkungen. Köpkes „Lyrische Versmafse des H." habe ich gewissenhaft benutzt. Schaunsland, Höhn, Henke, Gebhardt, Leuchtenberger, Schneidewin, Cauer, Hertz, Frigell, Veit, Menge, Duncker, Teuber, Hirchfelder, Wartenberg, K. P. Schulze, Friedrich, Fritsch, Altenburg, L. Müller, Simon, Sellin, Raiz, Aly, Christ, Crusius, Charisius und besonders Häufsner u. a. sind berücksichtigt worden.

Hirschberg, September 1897.

Dr. **Emil Rosenberg.**

EINLEITUNG.

1. Q. Horatius Flaccus ist zu Venusia am Aufidus, einer römischen Kolonie in Apulien (an der Grenze Lukaniens), im J. 65 v. Chr. (am 8. Dezember) als Sohn eines Freigelassenen, der das Geschäft eines *coactor* (eines Auktionsboten oder Zollerhebers der Generalpächter) besorgte, geboren. Die Elemente des Wissens lernte er in seiner Heimatstadt bei Flavius und besuchte dann zu Rom die Schule des plagosus Orbilius, wo er Homers Ilias und die lateinische Odyssee des Livius Andronicus las. Als er darauf in Athen seine Ausbildung durch philosophische Studien beendigen wollte, brachen nach Ermordung Cäsars im J. 44 die Wirren zwischen Brutus und Cassius auf der einen und den Triumvirn Octavianus, Antonius und Lepidus auf der anderen Seite aus. Horaz schloſs sich der Sache der republikanischen Freiheit an. Er lernte als Kriegsmann unter Brutus Kleinasien und Thrakien kennen, Länder, die infolge dessen oft und bezeichnend in seinen Werken erwähnt werden. Die Schlacht von Philippi im J. 42 v. Chr. machte seiner militärischen Laufbahn, in welcher er es bis zur Würde eines Militärtribunen gebracht hatte, ein schnelles Ende. Nachdem er aus dem Gemetzel glücklich entkommen war und die angebotene Verzeihung des Octavian angenommen hatte, kehrte er nach Rom zurück, wo er das Amt eines *scriba quaestorius* (Sekretär beim Schatzamt) — ein unbedeutendes, aber ehrenhaftes Amt — kaufte. Seine gedrückte Lage — Epist. II, 2, 51: „inopemque paterni et Laris et fundi paupertas impulit audax, ut uersus facerem" — lieſs ihn die dichterische Ader, durch die er früher nur sich selbst und seine Freunde hatte erfreuen wollen, zum Erwerbe benutzen und Gedichte veröffentlichen, und zwar zunächst von 42—30 v. Chr. Satiren *(saturae)* und Epoden *(epodi)*. In ersteren folgte er den Spuren des römischen Dichters C. Lucilius

aus Campanien, eines Freundes des Scipio Africanus minor und des Laelius, nur daſs er alle politischen Anspielungen unterlieſs und nur gesellschaftliche und litterarische Fragen teils erzählend teils spottend behandelte. Diese Gedichte erregten die Aufmerksamkeit Virgils und des Dichters Varius Rufus, später auch die des C. Cilnius Maecenas, des einfluſsreichen und mächtigen Beraters Octavians. Im J. 38 v. Chr. trat er in den engsten Freundeskreis des Maecenas und blieb dessen bester Freund. Erst der Tod Mäcens (im J. 8 v. Chr.) löste die Freundschaft. Im J. 33 hatte Maecenas dem Freunde ein Landgut im Sabinerlande *(Sabini* zu ergänzen: *fundi)* nördlich von Tibur (zwischen Varia und Mandela am Bache Digentia [Licenza], welcher sich oberhalb Varia in den Anio [Aniene oder Teverone] ergieſst; es liegt an dem Hang, der unter dem felsgetragenen Dorfe Licenza bis zum Thalboden absteigt, nicht auf der Höhe hinter dem Dorfe Rocca Giovane) geschenkt, um ihn von äuſseren Sorgen zu befreien und ihm mehr Muſse zum Dichten zu verschaffen. Bald darauf entstanden denn auch die Oden und schlieſslich die Episteln (Plaudereien über die verschiedenartigsten namentlich philosophischen und ästhetischen Stoffe). Auch suchte Maecenas zwischen dem Dichter und dem Kaiser Augustus ein engeres Verhältnis zu begründen. Doch hielt sich Horaz, wie sehr er auch im Laufe der Zeit die Verdienste des Kaisers um den Frieden der Welt schätzen gelernt hatte, vom Hofe und vom Staatsleben fern, um seine Freiheit nicht aufgeben oder beschränken zu müssen. Darum lehnte er auch eine Geheimsekretärstelle, welche Augustus ihm anbieten lieſs, so einträglich und ehrenvoll sie war, ab. Als ihn aber der Kaiser 17 v. Chr. auffordern lieſs, das Festgedicht zu den Säkularspielen als Dolmetsch des ganzen Volkes zu verfassen, willfahrte er ihm hierin gern. — Horaz lebte ehelos, aber in engem Verkehr mit Freunden, abwechselnd zu Rom, Tibur (wo er aber ein eigenes Haus nicht besessen, sondern nur eine Wohnung gehabt zu haben scheint, von der noch Reste im Garten des Klosters St. Antonio, das auf dem rechten Ufer des Aniene jenen Überbleibseln gerade gegenüber liegt, vorhanden sind), auf seinem Sabinum, und zuweilen auch in süditalischen Seebädern, in welchen er seine Nerven zu kräftigen suchte. Er starb am 27. November im J. 8 v. Chr. Seine Asche wurde auf dem mons Esquilinus neben dem Grabhügel des Maecenas beigesetzt. Für seine Lebensgeschichte kommen besonders folgende Äufserungen von ihm selbst in Betracht: Epist. II, 2, 41—57. Sat. I, 4, 105—108; I, 6, 76—89; I, 6, 45—64. Od. II, 7, 9—12; III, 1, 47; II, 18, 9—14; II, 16, 37—40; I, 16, 22. Seine äufsere Erscheinung hat er selbst Epist. I, 20 beschrieben (Augustus in einem Briefe: „sed tibi statura deest, corpusculum non deest").

2. Was Horaz seit seiner Amnestierung gedichtet, ist sämtlich erhalten. Es sind dies

a) die zwei Bücher Satiren,
b) ein Buch Epoden,
c) vier Bücher Oden mit dem Carmen saeculare (und zwar die drei ersten Bücher von 30—23, das vierte Buch auf Wunsch des Kaisers zur Verherrlichung der Siege des Tiberius und Drusus 13, und dazwischen das Carmen saeculare 17 v. Chr. verfafst),
d) zwei Bücher Episteln (30 bis zum Tode).

Alle diese Werke hatten einen aufserordentlichen Erfolg, besonders die Oden. Wenn er auch zuerst mit Neid und litterarischer Gegnerschaft zu kämpfen hatte, so fand er doch noch während seines Lebens volle Anerkennung. Fast alle Schriftsteller der Folgezeit zeigen Kenntnis seiner Werke. Ja, schon bald nach seinem Tode wurden seine Werke in den Schulen gelesen. Von gröfster Bedeutung war sein Einflufs auf die moderne Litteratur. Bei den Franzosen war es Boileau (unter Ludwig XIV.), welcher die Satiren und Episteln nachahmte. Die Dichter der ersten Schlesischen Dichterschule, vor allem Opitz, verehrten Horaz so, dafs „Venusinischer Schwan" zu heifsen oder überhaupt der deutsche Horaz genannt zu werden das höchste, ihres Strebens würdige Ziel war. Lessing „rettete" den Horaz vor dem Vorwurf der Feigheit und vor schlechten Übersetzungen, Herder besprach ihn in seinen „Kritischen Wäldern", Wieland übersetzte mit horazischem Geiste seine Satiren und Episteln, die Mitglieder der Hallischen Dichterschule, Hagedorn, Uz, Ramler, lebten von Motiven aus Horaz, Klopstock sah Horaz die Formen der lyrischen Poesie ab, um sie dann weiter zu bilden, der Göttinger Hainbund, Bürger, Hölty, Vofs, dann Hölderlin und Platen zeigen das fleifsigste Studium des Horaz in Entlehnungen von Bildern, Übersetzungen und Nachbildungen. Von modernen Dichtern hat besonders Geibel in seinem

„klassischen Liederbuch" den Manen unseres Dichters geopfert. Schiller („Über naive und sentimentale Dichtung") sagt über Horaz: „H., der Dichter eines kultivierten und verdorbenen Weltalters, preist die ruhige Glückseligkeit in seinem Tibur, und ihn könnte man als den wahren Stifter dieser sentimentalischen Dichtungsart nennen, sowie er auch in derselben ein noch nicht übertroffenes Muster ist."

3. Unter dem Namen „Epoden" werden gewöhnlich Gedichte verstanden, in denen ein kleiner Vers, der ἐπῳδός, einem gröſseren folgt. Aber nicht alle Epoden zeigen diese epodische Form. Horaz selbst nannte sie *„iambi"*. Sie haben die Tendenz, einzelne verruchte Menschen in der Weise des Archilochos aus Paros (7. Jahrh.) und des Hipponax aus Ephesus (6. Jahrh.) zu verspotten; doch ist ein Teil derselben ohne solche Absicht und nichts weiter als Ausdruck dichterischer Gefühle bei den verschiedensten Anlässen. Sie sind zum gröſsten Teil früheren Ursprungs und darum lebhafter, jugendlicher, aber auch maſsloser als die darauf folgenden Oden, von denen einige (I, 4, 7. 28; II, 18; IV, 7) metrisch zu den Epoden gerechnet werden dürfen.

4. Die „Oden" des Horaz sind nicht alle das, was wir unter „Oden" verstehen, entsprechen auch nicht durchgängig unserem „Lieder". Nur der allgemeine Begriff „Gedichte" würde die Verschiedenheit derselben in Form, Inhalt und Behandlung am besten ausdrücken. Ein „Lied" ist z. B. I, 5. 23; eine Ode I, 3; ein Hymnus I, 2, 12; III, 3. 4; IV, 4. 14; eine Elegie I, 1 u. a. Seine Vorbilder und Muster in der Dichtkunst sind Alkäus und Sappho, während Homer für die Einkleidung der Gedanken und Anakreon nur für kleine Liedchen (I, 38), zuweilen auch der gröſste Lyriker der Griechen, Pindar (I, 12; IV, 4), benutzt wird. Alkäus und Sappho sind die Häupter der äolischen (lesbischen) Poesie, welche um das Ende des 7. und die 1. Hälfte des 6. Jahrh. v. Chr. blühte und einer politisch durch Kämpfe mit Tyrannen aufgeregten Zeit entströmt. Sie bedienten sich dabei eines wechselvolleren, bewegteren Metrums, als es der Hexameter war, nämlich der von einem Saiteninstrument begleiteten Strophe. Die Lieder des Alkäus (ἐρωτικά, συμποτικά, στασιωτικά) spiegeln sein unruhiges, um die Freiheit seiner Vaterstadt Mitylene auf Lesbos kämpfendes Leben, das er meistens in der Verbannung, einmal auch in der Gefangenschaft des groſsmütigen Tyrannen Pittakus,

der ihn bald wieder frei liefs, zubrachte. — Sappho, die zehnte Muse der Griechen, ebenfalls aus Mitylene, wohin sie auch am Ende ihres Lebens, als Witwe zurückkehrte, um die Mädchen ihrer Heimat in den musischen Künsten zu unterrichten, ist mit Unrecht später der Liebe zu dem weit jüngeren Phaon und anderer Unziemlichkeiten von den Dichtern der attischen Komödie beschuldigt worden. — Anlehnungen des Horaz an Alkäus enthält Ode I, 9. 10. 14. 18 u. 37; III, 12; an Sappho III, 12; an Anakreon (fr. 51) I, 23; (fr. 63) I, 27; (fr. 75) III, 11 und (fr. 6) Epode 13.

5. Die Epoche strenger Nachbildung griechischer Metra beginnt mit Ennius aus Rudiä in Kalabrien (IV, 8), der in seinen Annalen zuerst den griechischen Hexameter und auch das elegische Distichon auf römischen Boden verpflanzte. In der Cäsarischen Zeit fand auch die griechische Lyrik Pflege, besonders durch C. Valerius Catullus, der schon die sapphische Strophe und asklepiadeische Verse anwandte. Im ganzen aber hatte sich Catull mit seinen Freunden der Alexandrinischen Poesie angeschlossen, welche erst im 4. Jahrhundert, als es mit der Freiheit der Griechen zu Ende war und Gelehrsamkeit das Ziel des Strebens bildete, blühte und in Hexametern, Distichen, jambischen, trochäischen Versen, auch in Choliamben und Hendekasyllaben dichtete. Diesem Dichterkreise gegenüber betont Horaz die äolische Herkunft seines Liedes.

6. Wir verehren Horaz ebenso sehr als Menschen wie als Dichter. Nachdem er zum Manne gereift war, wurde er weder zum Schmeichler des allmächtigen und gegen ihn so gütigen Augustus, noch blieb er ein halsstarriger, verstimmter Anhänger einer veralteten Staatsform. Er bemühte sich, seine Mitbürger zur Religion und Pflege der alten Römertugenden zurückzuführen, liebte die Freuden des Lebens, die Freundschaft und das Schöne und verfolgte das Mafslose und Schlechte. In ihm hat sich hellenische Bildung mit praktischem Römertum harmonisch verschwistert. Seine Lebensauffassung läfst sich in die Goetheschen Worte zusammenfassen:

„Willst du dir ein hübsch Leben zimmern,
Mufst dich ums Vergangene nicht bekümmern;
Das Wenigste mufs dich verdriefsen,
Mufst stets die Gegenwart geniefsen,
Besonders keinen Menschen hassen
Und die Zukunft Gott überlassen.“

Dazu vgl. (nach Weifsenfels) besonders Od. I, 3, 25. 37; 24, 19; II, 10, 11; III, 2, 13. 31; 4, 65; IV, 4, 29. 33; 12, 27. Sat. I, 1, 106; 2, 24. 108; 3, 26. 37. 67. 75; 9, 60; II, 1, 27; 2, 38. 136; 3, 14; 6, 97. Epist. I, 1, 32. 39. 60; 2, 14. 40. 46. 54. 62. 69; 6, 1; 7, 44. 98; 10, 25; 14, 11; H, 3, 63. 335; I, 11, 27; 16, 52. 67; 17, 35; 18, 68. 76; 19, 17; II, 1, 12; 2, 77. 213. — Als Dichter hatte Horaz die ausgesprochene Absicht, im *genus tenue*, d. h. im schlichten Stil, von Wein, Natur und Liebe zu singen, und darin hat er es zur Meisterschaft gebracht. Aber auch in dem *genus grande*, d. h. dem Stil der Begeisterung, und in dem *genus medium*, dem Stil der bildergeschmückten Betrachtung, hat er seiner Zeit Genüge gethan und uns gelehrt, wie gröfsere Ganze übersichtlich und schön zu gliedern sind, wie Grofsartiges und Erhabenes würdig und doch ohne Dunkelheit dargestellt werden kann. Seine reifen Gedichte zeichnet aus: Klarheit und Mäfsigung, harmonische Anordnung der Form und des Inhalts, Vielseitigkeit.

7. Die Philosophie des Horaz ist eine eklektische, d. h. sie deckt sich nicht mit einem der herrschenden Systeme, obwohl sie in der Ethik der Lehre des Aristipp (III, 29, 53) und namentlich der des Epikurus am ähnlichsten ist (II, 11, 4 u. 5 u. s. w.). Aber auch stoische Gedanken sind verwertet (I, 13, 15; II, 2, 9. 21; III, 2, 17; 3, 1; 4 u. s. w.). In den fünfzehn der Lebensweisheit gewidmeten Oden stellt Horaz drei Forderungen: Geniefse die Gegenwart! Beherrsche die Affekte! Sei mit deinem Lose zufrieden! Das Wesen seiner Lebensauffassung ist: „Von Heiterkeit umspielter Ernst und von Ernst getragene und gehaltene Heiterkeit.“ (Leuchtenberger).

8. Zu den häufigsten Abweichungen der Dichtersprache zur Zeit des Augustus von der Ciceronianischen Prosa, soweit sie für Horaz von Wichtigkeit sind, gehören:

I. inbezug auf das Formelle

a) der Dichter verwendet in den Oden mit Vorliebe griechische Endungen: *Helene, Crete*;

b) der Genetiv Sing. der Substantiva auf *-ius, -ium* geht auf *-i* aus;

c) griechische Eigennamen auf *-es* bilden den Genetiv oft auch auf *-ei: Ulixei,* auch auf *i: Ulixi;*

d) der Accus. Plur. der Völker- und Ländernamen hat öfters griechische Endung: *Seras, Cycladas;*

e) zuweilen wird ein Kompositum in seine Bestandteile zerlegt: *quam rem cunque*;

II. inbezug auf das Syntaktische

a) der Genetiv steht nach Analogie des Griechischen bei den Verben, die ein „Aufhören, Vergessen, Herrschen“ bedeuten: *desine querellarum. decipitur laborum. regnavit populorum*;

b) der Genetiv steht auch bei anderen Adjektiven, als den bekannten Adj. relativis, um die enge Verbindung zweier Begriffe zu bezeichnen: *integer vitae*;

c) der Dativ steht bei den Verben des „Vereinigens und Kämpfens“: *dis miscent superis. Luctantem Icariis fluctibus Africam*;

d) der Dativ steht statt des Ablativs mit *a* bei Passivis: *bella matribus detestata*;

e) der Dativ bezeichnet die Richtung wohin?: *merses profundo*;

f) der Accusativ steht bei allen Ortsbestimmungen auf die Frage wohin?;

g) der Accusativ steht beim Part. Perf. Pass. oft in medialer Bedeutung, so dafs sich ein Objektsaccusativ damit verbinden kann: *membra stratus, umeros amictus.* Ähnlich werden auch intransitive Verben und Adjektiva behandelt: *tremit artus. cetera fulvus. nec Mauris animum mitior anguibus.* In der Regel ist der Accusativ die Bezeichnung eines Körperteils;

h) der Accusativ des Neutrums des Adjektivs steht oft bei Verben statt des Adverbs: *dulce ridentem, lucidum fulgentes* (Accus. des Inhalts);

i) der Ablativ steht ohne *a* bei Partizipien, die eine Abstammung bezeichnen: *atavis edite regibus*;

k) der Ablativ kann ohne *a* bei den Verbis der Trennung stehen: *secernunt populo*;

l) der Ablativ ohne *in* steht bei allen Ortsbestimmungen auf die Frage wo?: *sinistra ripa. olivetis*;

m) der Infinitiv Perf. steht in der Bedeutung des Aorists, besonders nach Verben, welche eine Beziehung auf die Zukunft enthalten: *fratresque tendentes imposuisse* (III, 4, 52). *(curo, laboro)*;

n) der Infinitiv kann statt der Konstr. mit *ut* nach allen Verben des Strebens folgen: *certat tollere* (I, 1, 8). Solche Verba sind *dolere* (IV, 4, 62), *amare* (I, 2, 49), *gestire, urgere, furere, invidere* (I, 37, 30) u. a.;

o) der Infinitiv bezeichnet den Zweck: *egit visere* (I, 2, 7) III, 8, 11;

p) der Infinitiv steht nach Adjektiven, um den Bereich anzugeben, in welchem die Bedeutung des Adjektivs seine Geltung hat: *callidum condere* = *ad c. gerund.*;

III. in belebteren Wendungen des sprachlichen Ausdrucks

a) Figuren: Anaphora *(terruit urbem, terruit gentes)*; Ellipse; Ausruf: *eheu, quantus adest sudor*; Emphase: *nam si quid in Flacco viri est*; Apostrophe: *pia testa, descende*; Polysyndeton: *bellique causas et vitia et modos ludumque ... gravesque*;

b) Tropen: Personifikation: *fundus mendax. livida obliuio*; Metapher: *pacatum volitant per mare navitae*; Vergleich: *dirus Afer ceu flamma per taedas*; Gleichnis: *ut mater iuvenem*; Allegorie: *tum me biremis praesidio scaphae aura feret geminusque Pollux*; Synekdoche: *metaque fervidis evitata rotis. illi robur et aes triplex erat*; Metonymie: *prisci Catonis, uirtus caluisse narratur. nec Laestryonia Bacchus in amphora languescit*; Symbol: *palmaque nobilis*; Hyperbel: *purae rivus aquae silvaque iugerum paucorum* etc.; Ironie: *Dis carus ipsis* I, 31, 13. Dazu treten noch die rhetorischen Figuren: Kontrast: *Lacaenae adulterae*; Oxymoron: *an me ludit amabilis insania?*; Paradoxon: *regnum et diadema tutum deferens uni* II, 2, 21. — Unter den Tropen tritt besonders die Enallage (Hypallage) des Adjektivs hervor. Bei einem zusammengesetzten Begriff wird das Adjektiv auf den scheinbar weniger passenden Begriff bezogen: „Laſs mir den besten Becher Weines reichen! Der Lieder süſsen Mund. Des Pilgers armer Rock.“ *purpurarum sidere clarior usus* etc. — Ein Kunstmittel des H. ist auch die Variation, mit der er die Wiederholung derselben Epitheta meidet.

Diese Änderungen des bei Cicero gewöhnlichen Sprachgebrauchs sind wesentlich durch das Bestreben bewirkt, Präpositionen und Konjunktionen möglichst zu meiden, weil sie der Einbildungskraft zu wenig Anregung geben, aber auch durch den Einfluſs des Griechischen und durch Erinnerung an freiere Konstruktionen des Altlateins.

9. Die **hauptsächlichsten** politischen Ereignisse, auf die der Dichter anspielt, sind aufser den erwähnten:

53. Crassus' Niederlage bei Carrhae gegen die Parther (III, 5).
44. Cäsar † (I, 2).
42. Schlacht bei Philippi (II, 7).
40. Pacŏrus, Sohn des Partherkönigs Orodes, besiegt die Römer (III, 6).
38. Ventidius schlägt in Syrien Pacŏrus (III, 6).
37. Maecenas Vermittler zwischen Octavian und Antonius in Brundisium (Sat. I, 5).
36. Antonius kämpft unglücklich gegen die Parther unter Monaeses (III, 6). — Octavian besiegt Sext. Pompejus bei Mylae und Naulochus (I, 6).
31. Schlacht bei Actium (2. September).
30. Cleopatra stirbt. — Fall Alexandreas I. (I, 37). — Cotiso, König der Daker, der mit Antonius verbündet war, wird besiegt, 30—28 (III, 8)
29. Der Janustempel wird geschlossen.
28. Der Tempel Apollos auf dem mons Palatinus wird geweiht (I, 31). — Octavian princeps senatus (I, 2).
27. Octavian erhält den Namen Augustus (I, 2).
26/25. Augustus will gegen die Britanner ziehen, bekriegt aber die Cantabrer in Spanien.
25. Tiridates, zum zweitenmal von Phrahates vertrieben, flieht zum Augustus nach Spanien (I, 26). — Der Janustempel wird zum zweitenmal geschlossen. — Julia, die Tochter des Augustus, vermählt sich mit Marcellus (I, 12).
24. Aelius Gallus zieht gegen die Bewohner des glücklichen Arabiens zu Felde (I, 29).
23. Verschwörung des Licinius Murena (Bruders des Proculejus) gegen das Leben des Augustus (II, 2. 10). — Marcellus stirbt.
20. Die Parther schicken die Crassus geraubten Feldzeichen den Augustus nach Samos.
18. leges Iuliae de adulteriis, de maritandis ordinibus (IV, 5).
16. Lollius wird von den Sygambrern geschlagen (IV, 2).
15. Drusus und Tiberius kämpfen gegen Räter und Vindeliker (IV, 4 u. 14).

13. Augustus kehrt aus Spanien und Gallien nach Rom zurück. Zu den von Horaz erwähnten Kriegsthaten bietet die Vatikanische Statue des Augustus mit dem Brustpanzer eine passende Illustration.

10. Von Horazens Freunden wird keiner öfters genannt als Maecēnas. C. Cilnius Maecenas leitete seinen Ursprung von einer uralten etrurischen Königsfamilie zu Arretium ab, war ritterlichen Standes und bekleidete keine eigentlichen Staatsämter. Als Freund Octavians war er 37 v. Chr. zu Brundisium Friedensvermittler zwischen diesem und Antonius und übernahm 36 und 31 v. Chr. die Sorge für die Stadt und Italien, wobei er stets nach Kräften die Pläne des Fürsten zur Milde lenkte. Selbst Gelehrter und Dichter, unterstützte er Künstler und Dichter, unter letzteren besonders Virgil, Horaz, Properz; der Dichter Tibullus gehörte einem anderen litterarischen Kreise, dem des Messalla, an.

Verzeichnis der Metra.

1. In den Oden kommen folgende Metra vor:

I. Alkäische Strophe (sie findet sich in 37 Oden):

⏒ | –″ ⏑ –′ – ‖ –″ ⏑ ⏑ –′ ⏑ ≚′ ⋏ pentapod. logaoed. cat. c. anacr.

⏒ | –″ ⏑ –′ – ‖ –″ ⏑ ⏑ –′ ⏑ ≚′ ⋏ idem versus.

⏒ | –″ ⏑ –′ – –″ ⏑ –′ ⏒ dimet. troch. acat. c. anacr.

–″ ⏑ ⏑ –′ ⏑ ⏑ –′ ⏑ –′ ⏒ tetrap. logaoed. acat.

Diese Strophe findet sich: I, 9. 16. 17. 26. 27. 29. 31. 34. 35. 37. II, 1. 3. 5. 7. 9. 11. 13. 14. 15. 17. 19. 20. III, 1. 2. 3. 4. 5. 6. 17. 21. 23. 26. 29. IV, 4. 9. 14. 15.

II. Kleinere sapphische Strophe:

–″ ⏑ –′ – –″ ‖ ⏑ | ⏑ – ⏑ – ⏒ pentap. logaoed. acat.

–″ ⏑ –′ – –″ ‖ ⏑ | ⏑ – ⏑ – ⏒ idem v.

–″ ⏑ –′ – –″ ‖ ⏑ | ⏑ – ⏑ – ⏒ idem v.

–″ ⏑ ⏑ –′ ⏒ Adonius s. dipodia logaoed.

Diese Strophe findet sich teilweise mit weiblicher Cäsur (diese besonders im IV. Buche der Oden, aber auch I, 10): I, 2. 10. 12. 20. 22. 25. 30. 32. 38. II, 2. 4. 6. 8. 10. 16. III, 8. 11. 14. 18. 20. 22. 27. IV, 2. 6. 11. Carmen saeculare.

III. Erste asklepiadeische Strophe:

–̋ – | –́ ⏑ ⏑ –́ ⏑ ⏓́ glycon. sive tetrap. logaoed. cat.

–̋ – | –́ ⏑ ⏑ –́ || –̋ ⏑ ⏑ –́ ⏑ ⏓́ asclep. minor ortus ex compositione pherecr. II et. I.

–̋ – | –́ ⏑ ⏑ –́ ⏑ ⏓́ glyconeus.

–̋ – | –́ ⏑ ⏑ –́ || –̋ ⏑ ⏑ –́ ⏑ ⏓́ asclep. minor.

Sie kommt vor: I, 3. 13. 19. 36. III, 9. 15. 19. 24. 25. 28. IV, 1. 3.

IV. Zweite asklepiadeische Strophe:

–̋ – | –́ ⏑ ⏑ –́ || –̋ ⏑ ⏑ –́ ⏑ ⏓́ asclep. minor.

–̋ – | –́ ⏑ ⏑ –́ || –̋ ⏑ ⏑ –́ ⏑ ⏓́ idem.

–̋ – | –́ ⏑ ⏑ –́ || –̋ ⏑ ⏑ –́ ⏑ ⏓́ idem.

–̋ – | –́ ⏑ ⏑ –́ ⏑ ⏓́ glyconeus.

Diese Strophe sehen wir: I, 6. 15. 24. 33. II, 12. III, 10. 16. IV, 5. 12.

V. Dritte asklepiadeische Strophe:

–̋ – | –́ ⏑ ⏑ –́ || –̋ ⏑ ⏑ –́ ⏑ ⏓́ asclep. minor.

–̋ – | –́ ⏑ ⏑ –́ || –̋ ⏑ ⏑ –́ ⏑ ⏓́ idem.

–̋ – | –́ ⏑ ⏑ –́ ⏓ pherecr. II sive tripod. logaoed. acat.

–̋ – | –́ ⏑ ⏑ –́ ⏑ ⏓́ glyconeus.

Sie ist angewandt: I, 5. 14. 21. 25. III, 7. 13. IV, 13.

VI. Kleineres asklepiadeisches System:

–̋ – | –́ ⏑ ⏑ –́ || –̋ ⏑ ⏑ –́ ⏑ ⏓́ asclep. minor semper repetitus.

Dieses System finden wir: I, 1. III, 30. IV, 8.

VII. Gröfseres asklepiadeisches System:

–̋ – | –́ ⏑ ⏑ –́ | –̋ ⏑ ⏑ –́ | –̋ ⏑ ⏑ – ⏑ ⏓́ asclep. maior semp. repet.

Wir lernen es kennen aus: I, 11. 18. IV, 10.

VIII. Gröfsere sapphische Strophe (einmal gebraucht [I, 8]):

–́ ⏑ ⏑ – ⏑ – ⏓ vers. Aristophanicus.

–́ ⏑ – – –́ | ⏑ ⏑ – | –́ ⏑ ⏑ – ⏑ – ⏑ vers. Anacreontius c. dipod. troch.

IX. Erste archilochische Strophe (einmal gebraucht [IV, 7]):

– ◡◡ – ◡◡ – | ◡◡ – ◡◡ – ◡◡ – ◡ hexam. dactyl. catal. in bisyll.

– ◡◡ – ◡◡ – trim. dactyl. cat. in syll. sive versus Archil. minor.

X. Zweite archilochische Strophe: I, 7 u. 28 (früher Alkmanische Strophe genannt):

– ◡◡ – ◡◡ – | ◡◡ – ◡◡ – ◡◡ – ◡ hexam. dactyl.

– ◡◡ – ◡◡ – ◡◡ – ◡ ∧ tetram. dactyl. cat. in bisyll.

XI. Dritte archilochische Strophe (einmal gebraucht [I, 4]):

– ◡◡ – ◡◡ – | ◡◡ – ◡◡ | – ◡ – ◡ – ◡ tetr. dactyl. et ithyphallicus sive Archil. maior.

◡ – ◡ – ◡ | – ◡ – ◡ – ◡ trim. iamb. catal.

XII. Trochäische (Hipponakteische) Strophe (einmal gebraucht [II, 18]):

– ◡ – ◡ – ◡ – dimet. troch. catal.

◡ – ◡ – ◡ | – ◡ – ◡ – ◡ trim. iamb. catal.

XIII. Ionici a minori (einmal gebraucht [III, 12]):

◡◡ – – ◡◡ – – ◡◡ – – ◡◡ – –

◡◡ – – ◡◡ – – ◡◡ – – ◡◡ – –

◡◡ – – ◡◡ – –

2. In den Epoden kommen noch folgende Metra vor:

I. Jambisches System (Ep. 1—10):

◡ – ◡ – ◡ | – ◡ – ◡ – ◡ – trim. iamb. acat.

◡ – ◡ – ◡ – ◡ – dim. iamb. acat.

II. Erstes archilochisches System (11):

◡ – ◡ – ◡ | – ◡ – ◡ – ◡ –

– ◡◡ – ◡◡ – | ◡ – ◡ – ◡ – ◡ –

III. Erstes pythiambisches System (14 u. 15):

– ◡◡ – ◡◡ – | ◡◡ – ◡◡ – ◡◡ – ◡

◡ – ◡ – ◡ – ◡ –

IV. Zweites pythiambisches System (16):

–́ ⏕ –́ ⏕ –́ | ⏕ –́ ⏕ –́ ◡ ◡ –́ ◡
◡ –́ ◡ – ◡ –́ ◡ – ◡ –́ ◡ –

V. Zweites archilochisches System (13):

–́ ⏕ –́ ⏕ –́ | ⏕ –́ ⏕ –́ ⏕ –́ ⏓
⏓ –́ ◡ –́ ⏓ –́ ◡ –́ | –́ ◡ ◡ –́ ◡ ◡ ⏓

VI. Drittes archilochisches System (12):

–́ ⏕ –́ ⏕ –́ | ⏕ –́ ⏕ –́ ◡ ◡ –́ ◡
–́ ⏕ –́ ⏕ –́ ◡ ◡ –́ ◡

VII. Jambischer Trimeter (17):

⏓ –́ ◡ – ⏓ –́ ◡ – ⏓ –́ ◡ –

In der Ausgabe „Horatii Flacci Carmina Selecta“ von Huemer, welche in den österreichischen Gymnasien eingeführt ist, sind ausgeschieden: I, 5. 8. 9. 13. 16. 19. 23. 25. 27. 30. 33. 36; II, 4. 5. 8. 11. 12; III, 7. 10. 11. 12. 14. 15. 17. 19. 20. 22. 26. 27. 28; IV, 1. 10. 11. 13. Von den Epoden sind dort nur aufgenommen: 1. 2. 7. 9. 13.

Ordnung der Gedichte nach dem Inhalt.

I. Der Dichter und sein Beruf (Litterarische Gedichte).

I, 1: Maecenas atavis: Welt und Dichter.
I, 6: Scriberis Vario: Epiker und Lyriker.
I, 17: Velox amoenum: Der Dichter — ein Schützling der Götter.
I, 22: Integer vitae: Die Liebe — ein Talisman.
I, 31: Quid dedicatum poscit: Ein sangesfrohes Alter!
I, 32: Poscimur. Auf! zu Gröfserem!
II, 12: Nolis longa ferae: Der Liebe Kämpfe sind mein Sang.
II, 13: Ille et nefasto te posuit die: Macht des Gesanges.
II, 20: Non usitata nec tenui ferar: Unsterblichkeitstraum.
III, 25: Quo me, Bacche, rapis tui: Die Zeit verlangt höhere Lieder.
III, 30: Exegi monumentum aere perennius: Mein Verdienst.

IV, 2: Pindarum quisquis: Schwan und Biene. „Die Grenzen und das Wesen meiner Kunst."
IV, 3: Quem tu, Melpomene, semel: Beruf und Anerkennung.
IV, 6: Dive quem proles: Bitte um Erfolg.
IV, 8: Donarem pateras: Des Dichters Kraft.
IV, 9: Ne forte credas: Der heilige Sänger.
(Dazu Sat. I, 4. 6. 9. Ep. I, 20.)

II. Der Dichter als Bürger und Patriot (Politische Lieder).

I, 2: Iam satis terris: Dem Retter des Reichs!
I, 12: Quem virum aut heroa: Festgesang auf Rom!
I, 14: O navis, referent in mare?: Politisches Erwachen.
I, 35: O diva, gratum quae regis: Augustus im Kampf mit den Feinden Roms. — Die neue Zeit.
I, 37: Nunc est bibendum: Ein grofses Weib!
(I, 15: Pastor cum traheret: Gerechte Strafe.)
II, 1: Motum ex Metello consule civico: Die Bürgerkriege.
II, 15: Iam pauca aratro iugera regiae: Das alte und das neue Rom.
III, 1—6: Die für das wiedergeborene Römerreich notwendigen Bürgertugenden:
a) Odi profanum vulgus: Genügsamkeit.
b) Angustam amice pauperiem pati: Bürgersinn.
c) Iustum et tenacem propositi uirum: Sittliches Heldentum.
d) Descende caelo et dic age tibia: Segen der Bildung. — Apollo auf Erden. — Im Banne der Musen.
e) Caelo tonantem credidimus Iovem: Mannesehre.
f) Delicta maiorum immeritus lues: Religion. Es entsprechen sich: a u. d, b u. e, c u. f.
III, 14: Herculis ritu modo dictus, o plebs: Des Cäsar Heimkehr.
III, 24: Intactis opulentior: Was uns not thut.
IV, 4: Qualem ministrum fulminis alitem: Rom und die Neronen.
IV, 5: Divis orte bonis, optime Romule: Liebling des Volks! — „Schön ist der Friede".
IV, 14: Quis cura patrum, quaeve Quiritium: Der Kaiser im Kriege. — Des Kaisers Kriegsjubiläum.
IV, 15: Phoebus volentem proelia me loqui: Friede unter Augustus.
(Carmen saeculare. Ep. 7. 16.)

III. Der Dichter als Priester.

I, 3: Sic te diva potens Cypri: Des Menschen Titanennatur.
I, 10: Mercuri, facunde nepos Atlantis: Merkur, der Liebling aller.
I, 21: Dianam tenerae dicite virgines: Den Latoiden.
I, 30: O Venus, regina Cnidi Paphique: Liebesfeier.
I, 34: Parcus deorum cultor et infrequens: Rückkehr zur Religion.
II, 19: Bacchum in remotis carmina rupibus: Euhoe Bacche (Henke).
III, 18: Faune, nympharum fugientum amator: Das Faunusfest.
III, 21: O nata mecum consule Manlio: An den Weinkrug.
III, 22: Montium custos nemorumque virgo: Weihespruch.
III, 23: Caelo supinas si tuleris manus: Das rechte Opfer.

IV. Des Dichters Lebensanschauung (Philosophische Lieder)

a) im allgemeinen.

I, 7: Laudabunt alii claram Rhodon: Nicht am Orte hänget das Glück.
I, 9: Vides, ut alta stet nive candidum: Nur das Heute ist unser.
I, 11: Tu ne quaesieris, scire, nefas, ...: Genieſse die Stunde!
I, 18: Nullam, Vare, sacra vite prius severis arborem: Maſs im Genuſs!
I, 24: Quis desiderio sit pudor aut modus: „Menschenlos“. — „Leichter trägt, was er trägt, | Wer Geduld zur Bürde legt.“ (Leuchtenberger.)
I, 28: Te maris et terrae numeroque carentis arenae: „Vergiſs der Toten nicht!“
I, 29: Icci, beatis nunc Arabum invides: Philosoph und Kriegsmann.
II, 2: Nullus argento color est avaris: Geld und Glück.
II, 3: Aequam memento rebus in arduis: Gleichmut!
II, 9: Non semper imbres nubibus hispidos: Ermanne dich!
II, 10: Rectius vives, Licini, neque altum: Das goldene Maſs!
II, 11: Quid bellicosus Cantaber et Scythes: Das Recht des Augenblicks!
II, 14: Eheu fugaces, Postume, Postume: Die Lehre des Todes! — Frustra!
II, 16: Otium divos rogat in patenti: Die Reise zum Glück.
II, 18: Non ebur neque aureum: Erwerben und Sterben!
III, 8: Martiis caelebs quid agam Calendis: Die Freuden der Stunde.

III, 16: Inclusam Danaen turris aenea: Ohnmacht des Geldes. — Geld macht nicht glücklich.
III, 29: Tyrrhena regum progenies tibi: Mensch und Schicksal. — Πῶς βιωτέον;

b) Gedichte mit vorherrschend landschaftlichem Charakter.

I, 4: Solvitur acris hiems grata vice veris et Favoni: Frühlingsschauer.
I, 38: Persicos odi, puer, apparatus: Herbstgedanken.
II, 6: Septimi, Gadis aditure mecum et: Der schönste Erdenwinkel.
III, 13: O fons Bandusiae, splendidior vitro: Mein Born!
IV, 7: Diffugere nives, redeunt iam gramina campis: Natur und Menschenleben.

c) Gedichte des Weins und der Freundschaft.

I, 20: Vile potabis modicis Sabinis: Meine Weine.
I, 26: Musis amicus tristitiam et metus: Dem Freunde! — Dichterglück.
I, 36: Et ture et fidibus iuvat: Die Heimkehr des Freundes.
II, 7: O saepe mecum tempus in ultimum: Wiedersehen!
II, 17: Cur me querellis exanimas tuis?: Treue Freundschaft bis zum Tode!
III, 17: Aeli vetusto nobilis ab Lamo: Ich komme morgen zum Geburtstagsschmause.
III, 19: Quantum distet ab Inacho: Heute lafst uns lustig sein!
III, 28: Festo quid potius die —: Zum Fest Neptuns.
IV, 11: Est mihi nonum superantis annum: Geburtstag!
IV, 12: Iam veris comites, quae mare temperant: Das Frühlingsfest.

d) Liebeslieder.

I, 5: Quis multa gracilis te puer in rosa: Die Sirene.
I, 8: Lydia, dic, per omnis: Was hast du mit Sybaris vor?
I, 13: Cum tu, Lydia, Telephi: „Falsche und echte Liebe.“ (Leuchtenberg.)
I, 16: O matre pulchra filia pulchrior: Sei wieder gut!
I, 19: Mater saeva cupidinum: Neue Liebe.
I, 23: Vitas inuleo me similis, Chloe,: Das Rehkälbchen.
I, 25: Parcius iunctas quatiunt fenestras: So kommt's!

I, 27: Natis in usum laetitiae scyphis: Bruder, deine Schönste heifst?
I, 33: Albi, ne doleas plus nimio memor: Recht in der Liebe?
II, 4: Ne sit ancillae tibi amor pudori: Deine Maid!
II, 5: Nondum subacta ferre iugum valet: Noch zu jung!
II, 8: Ulla si iuris tibi peierati: Die Gefährliche.
III, 7: Quid fles, Asterie, quem tibi candidi: Sei treu!
III, 9: Donec gratus eram tibi: Schmollen und Versöhnen. — Wie wärs?
III, 10: Extremum Tanain si biberes, Lyce,: Ständchen.
III, 11: Mercuri (nam te docilis magistro): Eine Danaide!
III, 12: Miserarum est neque amori: Beklagenswerte!
III, 15: Uxor pauperis Ibyci: Zu alt!
III, 20: Non vides, quanto moveas periclo: Heifser Kampf um ein Nichts!
III, 26: Vixi puellis nuper idoneus: Schelmenlied.
III, 27: Impios parrae recinentis omen: Glückliche Reise!
IV, 1: Intermissa, Venus, diu: „So wird die Liebe nimmer kalt, | Und wird der Dichter nimmer alt.“ (Leuchtenberger.)
IV, 10: O crudelis adhuc et Veneris muneribus potens: Nur nicht zu spröd!
IV, 13: Audivere Lyce, di mea vota; di: Vergangene Pracht.

Q. HORATII FLACCI
C A R M I N U M
LIBER PRIMUS.

I.

M a e c e n a s atavis edite regibus,
o et praesidium et dulce decus meum,
s u n t q u o s curriculo pulverem Olympicum
collegisse iuvat, metaque fervidis

Carm. I, 1. An Mäcen. I, 3—18 *(Sunt quos)*: Von den Menschen suchen die einen äufsere Güter a) Ehre und Reichtum (3—8); b) Landbesitz (9—14); c) kaufmännischen Gewinn (15—18). — II. 19—34 *(Est qui)*: Die anderen folgen ihren Neigungen, freilich oft recht wunderlichen. Da sind zuerst a) die Lebemänner (19—22); b) die Krieger und Jäger (23—28); c) die Dichter, unter ihnen ich selbst (29—34). Und wenn du, Mäcen, dem ich so viel danke, (1—2), dieses mein Streben für berechtigt und erfolgreich erklärst, dann kenne ich keine gröfsere Wonne (35—36).

2 6 6 4 4 6 6 2

1—2. 1. *atavis*] Abl. ohne *a*, vgl. Einl. § 8 i. — *regibus*] Apposition fürs Attribut = *regiis*. — 2. *o et*] Die Interjektion wird nicht elidiert. — *praesidium*] ähnelt dem Homerischen *μέγα κῦδος* in der Anrede! — *dulce decus*] weiche und empfundene Allitteration. Horaz' Freundschaftsverhältnis zu Mäcen hat eine gewisse Ähnlichkeit mit dem Goethes zum Herzog Karl August von Weimar.

3—18. 3. *curriculo*] „Rennwagen“. Schon die Wahl des Deminutivs ist für die Ansicht des Dichters über den Wert dieser Beschäftigung bezeichnend. — *Olympicum*] statt *Olympiae*. Dichter setzen statt adverbialer Bestimmungen lieber Adjectiva, welche in einer engeren Verbindung mit dem Ganzen stehen und das zugehörige Substantivum plastischer färben. — 4. *collegisse*] Vgl. zum Inf. Perf. III, 18, 5: „gaudet pepulisse“. Der Inf. Perf. hebt die Freude über eine schon ausgeführte Handlung hervor. *colligere* hier wie

5 evitata rotis palmaque nobilis
terrarum dominos evehit ad deos;
hunc, si mobilium turba Quiritium
certat tergeminis tollere honoribus;
illum, si proprio condidit horreo,
10 quidquid de Libycis verritur areis.
gaudentem patrios findere sarculo
agros Attalicis condicionibus
numquam demoveas, ut trabe Cypria
Myrtoum pavidus nauta secet mare.

---

in *gratiam colligere, dignitatem, famam coll.:* „sich in Staub hüllen“ nicht „aufwirbeln“. — *iuvat*] Der Indikativ giebt der Behauptung gröfsere Bestimmtheit. — 5. *evitata meta*] „Das Umfahren des Ziels mit den erglühenden Rädern.“ Der Satz enthält eine lose angeknüpfte plastische Ausmalung des begonnenen Bildes nach seinen Haupterscheinungen. — *palma*] Ein Palmzweig ehrte den Sieger. — *nobilis*] „adelnd“. — 6. *terrarum dominos*] Apposition zu *deos; dei terrarum domini* bezeichnet die Mächtigen auf der Welt. So hiefsen auch die Kaiser. — 7. *hunc*] ergänze *iuvat!* — *mobilium*] ist betont (der Mob); aber auch Quiritium steht betont den vorher erwähnten griech. Verhältnissen gegenüber. — 8. *certat*] mit dem Inf., vgl. Einl. § 8. — *tergeminis honoribus*] Abl instr. „zu erheben streitet durch (Übertragung von)“ = zu. Gemeint sind Prätur, Konsulat und Censur (Gemoll). Vgl. Sallust. Iug. c. 3: „uerum ex eis magistratus et imperia, postremo omnis cura rerum publicarum minime mihi hac tempestate cupiunda uidentur“. — 9. *horreo*] „Scheuer“, Abl. *proprio* ist humoristisch und stark betont. — 10. *Libycis*] Libyen war eine Kornkammer Roms; dort lagen besonders viele grofse Herrschaften *(latifundia)* reicher Römer. Überhaupt lieben die römischen Dichter zu allgemeinen Begriffen Adjectiva von Völker- und Ländernamen zum Zwecke der Individualisierung hinzuzusetzen. *areae Libycae* wird so gewissermafsen zum Superlativ von *areae.* — *verritur*] „geworfelt“ wird (mit Geringschätzung).

11—18. 11. *patrios*] „ererbt“. — *sarculo*] „Karst“, *sarculo findere* und *gaudentem* in beabsichtigter Gegenüberstellung. — 12. *Attalicis* „selbst durch ein A“. Attalus III. vermachte den Römern 133 v. C. sein pergamenisches Reich mit den dort befindlichen grofsen Kunstschätzen (der sterbende Gallier u. a.). — 13. *demoveas*] „davon abbringen“. — *ut*] epexegetisch „dafs er etwa“. — *trabs*] Teil für das Ganze (Trabakel). — *Cypria*] Vgl. *Libycis*; so viel als „auf stolzem Schiffe“. — 14. *Myrtoum*] Man achte auf die kunstvolle Stellung des *Myrtoum mare* im Verse! Der „zage“ Schiffer sieht überall nur Meer. Das Myrtoische Meer im eigentlichen Sinne ist der von der Insel Myrtos benannte südl. Teil des Ägäischen Meeres. — *pavidus nauta*] Apposition: „ein“. — *secet*] „furche“. τέμνειν.

15 luctantem Icariis fluctibus Africum
mercator metuens otium et oppidi
laudat rura sui: mox reficit rates
quassas, indocilis pauperiem pati.
est qui nec veteris pocula Massici
20 nec partem solido demere de die

Man denke an Schillers bekanntes Rätsel! — 15. *Icariis fluctibus*] Vgl. Einl. 8. Damit ist eigentlich der südöstl. Teil des Ägäischen Meeres bezeichnet. — *Africum*] Die Winde werden oft von Hor. erwähnt, aber nicht immer mit so festbestimmter Bedeutung, daſs nicht vielfach auch ein anderer Windname dafür eingesetzt werden könnte. Für Horaz ergiebt sich folgende Windrose:

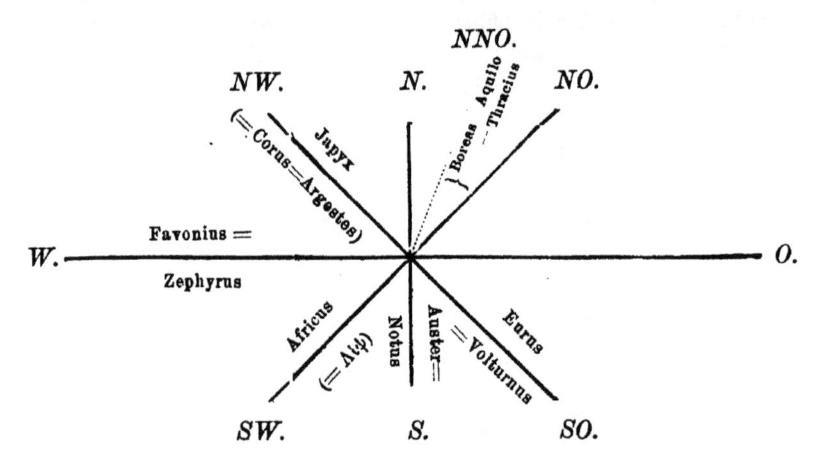

16. *mercator*] Der Rheder geht im Altertum mit auf Reisen. — *metuens*] „bangend“. — *otium et oppidi rura sui oppidi*] *oppidi* gehört zu beiden Begriffen gemeinsam. *otium* bezeichnet die Ruhe nach dem Sturme, *rura* „seine Felder“ in der Nähe der Stadt. Das Kolon vor *mox* bezeichnet ein konzessives Satzverhältnis. — 17. *rates*] „Kahn“, eigentlich „Floſs“. In der Synekdoche wird stets das Eigenartige, Ursprüngliche, Besondere hervorgehoben. Der Gewalt des Meeres gegenüber sind die *naves* nur Flöſse und Kähne. — 18. *indocilis*] kausal zum Verbum. — *pauperiem*] „knappes Los“ bezeichnet den Zustand, in dem man auskömmlich zu leben hat. Nicht die *pauperes*, sondern die *egentes* sind die „Armen“.

19—32. 19. *Est qui*] entsprechend dem früheren *sunt qui*] — 19. *Massici*] ein Berg auf der Grenze von Latium und Campanien. Auſser diesem werden folgende Weinsorten gepriesen: Falerner, Calener, Formianer und Cäcuber. — 20. *nec spernit*] „und nicht ungern“. — *solidus dies*] „Werktag“. Er währte bis 3 Uhr Nachmittag. Diese Klasse Menschen verschwendet

spernit, nunc viridi membra sub arbuto
stratus, nunc ad aquae lene caput sacrae.
multos castra iuvant et lituo tubae
permixtus sonitus bellaque matribus
25 detestata. manet sub Iove frigido
venator tenerae coniugis immemor,
seu visa est catulis cerva fidelibus,
seu rupit teretes Marsus aper plagas.
me doctarum hederae praemia frontium
30 dis miscent superis, me gelidum nemus
nympharumque leves cum satyris chori

Wein und Zeit. — 21. *membra stratus*] Siehe Einl. 8. Wir „Die Glieder gestreckt“. — *sub arbuto*] Dem heifsen Süden sind die blumenreichen Wiesen des Nordens und die grünen Matten der Hochalpen versagt: ihre Stelle vertritt die immergrüne Strauchvegetation. *arbutus* hat den Erdbeeren ähnliche, erst grüne, dann gelb und rot sich färbende Früchte. — 22. *lene caput*] „linde Quelle“. Vgl. Hom. Od. V, 102: *ἐπὶ κρατὸς λιμένος*. — 23. *castra*] „Lagerleben, Kriegsbandwerk“. — 24. Konstr.: *sonitus* (Schmettern) *tubae permixtus lituo.* Kurzer Ausdruck für *sonitus tubae permixtus sonitu litui.* Das Eintönige dieser Musik wird durch die Worte gemalt. — 25. *detestata*] passivisch. — *matribus* s. Einl. 8. — *manet*] „hauset“; *maison* wurde aus *mansio.* — *sub Iove frigido*] dieselbe Metonymie in Schillers: „lacht der unbewölkte Zeus“. — 26. *venator*] Die deutsche Dichtersprache bewahrt die Worte auf „-mann“: „Jägersmann, Weidmann, Schiffsmann“ u. s. w. *tenerae* des Gegensatzes wegen mit Absicht neben *venator* gestellt = *κουριδίης*. — 27. *catuli* „Rüden“. — 28. *teretes*] „gedreht“, doch besser in der Übers. ein Substantiv. Man bedenke, dafs die Tiere aus ihrem Lager aufgescheucht in die Netze getrieben und dort getötet werden. Die Jagd war damals weniger eine Schule des Muts als heute. — 28. *Marsus*] Subst. statt Adjektiv. Sie wohnen um den Fucinersee. — *aper*] „Keiler“.

29—34. 29. Konstr.: *hederae* (der Plural ist meist durch ein Kompositum, hier etwa Epheuranken, zu übers.) *praemia doctarum frontium me miscent.* Epheukränze tragen die Dichter als Diener des Bacchus. — *docti*] sind zu allen Zeiten die Dichter gewesen, waren es aber besonders zu Horazens Zeit; denn ein römischer Dichter hatte durch die Individualisierungen und mythologischen Exkurse, vor allem aber durch seine metrische Fertigkeit seine Gelehrsamkeit zu bezeugen. — 30. *miscent*] „gesellen“. Der Gedanke erinnert an Schillers „Teilung der Welt“: „Willst du in meinem Himmel mit mir leben, So oft du kommst, er soll dir offen sein.“ — 31. *chori*] „Reigen“. Der Dichters glaubt im Haine Bacchus' Gefolge zu begegnen; nach unserer Anschauung: dem Weben, Wispern und Leben in der Natur. — *leves*] „leicht-

secernunt populo, si neque tibias
Euterpe cohibet nec Polyhymnia
Lesboum refugit tendere barbiton.
35 quodsi me lyricis vatibus inseres,
sublimi feriam sidera vertice.

---

beschwingt" Nymphen und Satyre gegensätzlich. — 32. *secernunt*] „entrücken". — *populo*] = *vulgus*. „Der Kunstpöbel, der Philister, die Einsamkeit ist des Dichters Braut" (Kinkel). — *si*] Der Satz mit *si* drückt in bescheidener Weise das Thatsächliche aus. Besonders in Gebeten an die Götter ist diese Bedingungsform herkömmlich. Man vergleiche zu dem Gedanken: „Was ich ohne dich (die Muse) wäre, ich weiſs es nicht — aber mir grauet, Seh' ich, was ohne dich Hundert und Tausende sind" (Schiller). — *tibias*] Plural, weil Doppelflöte gemeint ist. — 33. *Euterpe* und *Polyhymnia*] sind Musen. Die „zunftmäſsige" Zuweisung der einzelnen Musen an bestimmte Gebiete oder Richtungen der dichterischen Thätigkeit war zwar schon erfolgt, aber Horaz kehrt sich nicht immer daran; seine Lieblingsmuse scheint Melpomene. Zuweilen steht *Musa* metonymisch für „Gesang". — 34. *Lesboum tendere barbiton*] („spannen"); s. Einl. § 7. — *barbiton*] eine siebensaitige Leier, wie man sie auf Vasenbildern vorzugsweise in der Hand des Alcäus und der Sappho erblickt. Die Ausdrücke für dichten, singen und musizieren sind, weil in alter Zeit der Dichter zugleich Sänger und Komponist war, von Horaz in ihrem Gebrauche selten geschieden, obwohl zu seiner Zeit diese Einheit nicht mehr bestand und seine Gedichte mit wenigen Ausnahmen für bloſse Recitation bestimmt waren. Auch die modernen Dichter entlehnen die Bezeichnungen ihrer Thätigkeit mit Vorliebe der Musik. Vgl. Geibel: „Oft lieſs ich auch die Laut' am Aste hangen, da kam der Lenz und harfte mit den Winden ein Stück dazwischen."

35 u. 36. 35. *quodsi*] „und wenn nun du". — *vatibus*] Es heiſst der Dichter als von Gott erfüllter Prophet: *vates* („Wut"). Im vierten Buche gebraucht der Dichter von sich lieber *poeta* (ὁ ποιητής). — *inseres*] Zu alexandrinischer Zeit hatte man einen Kanon von Dichtern der verschiedenen Gattungen aufgestellt (9 lyrische Dichter). — 36. *sublimi* etc.] „erhoben, erhaben", enthusiastisch für „so ist mein höchstes Streben erreicht". — *feriam*] „rühren an".

Widmung und Vorwort zugleich. Durch die ergötzliche Schilderung der Lebensbilder hat der Dichter schon bewiesen, daſs er auf einem höheren Standpunkte steht als die gewöhnlichen Menschen. Die darin etwa zu findende Überhebung ist durch die komisch-ernste Natur dieses satirenhaften Gedichtes gemildert.

Carm. I, 2. An Cäsar Oktavianus. Schneestürme, Überschwemmung und Bürgerkriege muſsten wir als Strafe für den Mord C. Iulius Cäsars erleben (1—24). Wer von den Göttern wird uns in dieser Not Helfer sein? (25—28).

II.

Iam satis terris nivis atque dirae
grandinis misit pater et rubente
dextera sacras iaculatus arces
terruit urbem,

5 terruit gentes, grave ne rediret
saeculum Pyrrhae nova monstra questae,
omne cum Proteus pecus egit altos
visere montes,

piscium et summa genus haesit ulmo,
10 nota quae sedes fuerat columbis,
et superiecto pavidae natarunt
aequore dammae.

vidimus flavum Tiberim retortis
litore Etrusco violenter undis

Unter allen Göttern ist es nur Merkur in der Gestalt Oktavians. Möge er sein Werk vollenden! (29—52). Die Veranlassung zu diesem Gedichte scheint der Versuch Oktavians gegeben zu haben, seine Ämter niederzulegen (27 v. C.). 12. 12 4. 12. 12

1—24. 1. *satis terris nivis*] Lautmalerei, um das ewige Einerlei zu malen. — *dirus*] „gräfslich“, weil Unglück bedeutend. — 2. *Pater*] Juppiter.— *rubente dextra*] „aus feuriger Faust“. 3. *iaculatus sacras arcis*] „schleudernd auf“ (Blitze). *sacr. arces:* Doppelgipfel des kapitolinischen Hügels mit der *arx* und dem Tempel des Juppiter Optimus Maximus. — 4. *terruit . . . terruit*] malende Anaphora. *terruit* prägnant für: *ita terruit, ut timerent, ne.* — 5. *grave ne rediret*] „wiederkehren könnte (ohne „dafs“). — 6. *nova monstra questae*] „Der verwundert über die seltsamen Erscheinungen stutzenden“. — 7. *omne cum*] Der Dichter verweilt bei der Schilderung der Deukalionischen Flut länger, als wir es erwarten. Diese mythischen Erzählungen beschäftigten gerade damals die Dichter in besonderem Mafse und gewährten ihnen gewünschte Gelegenheit, ihre epische Kunst zu zeigen. — *pecus*] „Herde“. — 8. *visere*] Infin. abhängig von *egit.* Vgl. Einl. 8. — 9. *piscium et*] Wir erwarten: *et piscium.* Solche Umstellungen der Partikeln sind besonders in den Gedichten der Sapphischen Strophe nicht selten. — 10. *nota quae sedes*] „dem Horste der Tauben“. — 11. *superiecto*] nämlich terris (Dativ) „überwallend“. — *pavidae*] adverbiell zu übersetzen! — 13. *uidimus*] „Erleben mufsten wir, wie . . .“. — *flavus*] hier nicht Epitheton perpetuum: sondern „schlammreich“. Platen nennt ihn „weltschuttführend“. — 14. *undis*] Abl. instr. 13 *retortis (a) litore Etrusco*] Der Flufs ergofs sich von der rechten,

15 ire deiectum monumenta regis
templaque Vestae,
Iliae dum se nimium querenti
iactat ultorem, vagus et sinistra
labitur ripa Iove non probante u-
20 xorius amnis.
audiet cives acuisse ferrum,
quo graves Persae melius perirent,
audiet pugnas vitio parentum
rara iuventus.
25 quem vocet divum populus ruentis
imperi rebus? prece qua fatigent
virgines sanctae minus audientem
carmina Vestam?

---

der etruskischen Seite der ripa Veientana, auf die linke niedriger gelegene und überschwemmte das Forum. *litus* statt *ripa,* wie bei deutschen Dichtern „an der Saale hellem Strande". — 15. *deiectum*] Supinum, abhängig von *ire.* — *monumenta regis*] Gemeint ist die Königsburg Numas, welche das *atrium* des Tempels der Vesta bildet. — 17. *Iliae nimium querenti*] *Ilia* oder *Rea Silvia,* Gemahlin des Tiberinus, klagt über die Ermordung Julius Cäsars, der zu ihren Nachkommen gezählt wurde. Ilia ist bei Horaz Äneas Tochter und Iulus' Schwester. Die Tradition Virgils von den Königen zu Alba Longa ist späteren Ursprungs. — *nimium*] ohne Vergleichung: „gewaltig". — 18. *vagus et*] Subjekt ist auch hier Tiberis. — *sinistra ripa*] Abl. loci. Auf diesem lag und liegt der gröfste Teil Roms. — 20. *uxorius amnis*] Hier kommt die satirische Laune des Dichters wieder zum Vorschein: „der Weiberklave". Die Wortbrechung malt die Überschwemmung! — 21. *audiet . . . audiet*] Subjekt ist zu beiden *iuventus.* — *cives acuisse ferrum*] Bürger sollen nie das Schwert schärfen, denn daraus kann nur ein Bürgerkrieg werden. Kämpfen sie gegen Fremde, so sind sie nicht *cives,* sondern *milites.* Er spielt auf Antonius an, der lieber die Parther mit diesem Schwerte hätte besiegen sollen. — 22. *Persae*] für *Parthi,* wofür sonst auch *Medi* steht. Die Partherkönige nämlich hielten sich für Abkömmlinge des persischen Königsgeschlechts. — 24. *rara*] „gelichtet". — 23. *vitio parentum*] Im J. 71 v. C. wird die Zahl der Bewohner Roms auf 683000 angegeben (die Sklaven mit gerechnet); bei Beginn der christlichen Ära waren es nur noch 450000.

25—28. Vermittlung und Thema. — 25. *divum*] Genet. partit. — *ruentis*] für *corruentis.* — 26. *rebus*] für uns unnötig. — *prece qua*] Ändere die Frageform: „Sollen mit Bitten noch?" — 27. *minus*] Schiebe „leider" ein! — 28. *carmina*] „Sprüche, Formeln".

cui dabit partes s c e l u s e x p i a n d i
30 Iuppiter? tandem venias precamur
nube candentes umeros amictus,
augur Apollo;

sive tu mavis, Erycina ridens,
quam Iocus circum volat et Cupido:
35 sive neglectum genus et nepotes
respicis, auctor

heu nimis longo satiate ludo,
quem iuvat clamor galeaeque leves
acer et Marsi peditis cruentum
40 voltus in hostem;

sive mutata iuvenem figura
ales in terris imitaris almae

29—52. 29. *partes*] = *munus*. — *scelus*] die Ermordung Cäsars. — Konstr.: *amictus umeros candentes* (Akkus. als Objekt des medial gedachten Passivs amictus; nachdem er sich die Schultern umhüllt hat). „Den Glanz der Schulter hüllend in Wolkennacht“. — 31. *nube*] vgl. Hom. *E*, 186. *amictus* gehört zu *venias*. Prosaisch: Komme in Menschengestalt! — *augur*] steht bedeutungsvoll voran, damit der „Seher“ aus dem Wirrsal helfe. — *Apollo*] Oktavian galt später nach seinem eigenen Wunsch für einen Sohn Apollos. — 33. *mavis*] *vel si mavis (venire)*. — *Erycina*] ist Venus, die Stammmutter der *gens Iulia*, welche ihren Ursprung von Äneas herleitete. Durch die Erinnerung an seine Fahrten ist auch die Benennung Erycina veranlafst. — *ridens*] *φιλομμειδής*. — *quam Iocus* etc.] bezieht sich auf die Prägung einiger Münzen Julius Cäsars, auf denen Venus von zwei Liebesgöttern umflattert wurde. — 35. *genus et nepotes*] Hendiadyoin = Geschlecht der Enkel. — 36. *respicis*] schon ein Blick der Götter bringt Hilfe. Cic. ad Att. I, 16, 6: „Rei publicae statum, nisi quis deus nos respexerit, elapsum scito.“ — *auctor*] „Ahn“. — 37. *satiate*] Den leider nur langes Waffenspiel sättigen konnte. Er ist nämlich *ἆτος πολέμοιο*. — *ludo*] eigentlich nicht „Waffenspiel“, sondern „wechselvoller Kampf ohne endgültige Entscheidung“. Dem Dichter schwebt Hom. *P*, 396—399 vor. — 38. *clamor*] gr. *ἀλαλά*. — Konstr.: 39. *acer vultus peditis Marsi in cruentum hostem*. Die Marser bilden das Kernheer Roms. Es gab ein Sprichwort: *οὔτε κατὰ Μάρσων οὔτε ἄνευ Μάρσων γενέσθαι θρίαμβον*. Sie sind alle *pedites*. Der Blick kündet dem blutbespritzten Feinde Verderben. — 41. *iuvenem imitaris*] „auf Erden als Mann wandelst“. Oktavian, der damals 35 J. zählte, wurde thatsächlich als Merkur verehrt. Der Ursprung der Apotheose Cäsars und seiner Nachfolger knüpft an die mit priesterlichem Kult verbunden gewesene

filius Maiae, patiens vocari
Caesaris ultor:
45 serus in caelum redeas diuque
laetus intersis populo Quirini,
neve te nostris vitiis iniquum
ocior aura
tollat. hic magnos potius triumphos,
50 hic ames dici pater atque princeps,
neu sinas Medos equitare inultos
te duce, Caesar.

III.

Sic te diva potens Cypri,
sic fratres Helenae, lucida sidera,

Vergötterung des Titus Tatius und des Romulus an: Erneuerung einer alten Tradition, begünstigt durch politische Ähnlichkeiten. — 43. *filius*] statt des erwarteten Vokativs, weil der Dichter einen Gegensatz beabsichtigt: du, der du zwar der Sohn Majas bist, aber dennoch es duldest ... — *Maiae*] *almae*; sie ist also hier nicht als Tochter des Atlas, sondern als befruchtende Naturgöttin gedacht. — *patiens*] „zufrieden". — 44. *Caesaris ultor*] So war der Rechtstitel, dessen sich Oktavian zur Eroberung des Reiches bediente. Auch gründete er später einen Tempel dem Mars ultor, den er in der Schl. bei Philippi gelobt hatte. — 46. *intersis*] „weile". — 47. *nostris vitiis iniquum*] „zürnend ob". — 48. *ocior aura*] wie einst den Quirinus. — 49. *hic*] Adverb. — 50. *ames*] ist doppelt konstruiert; zuerst mit einem Objekt, dann als Hilfsverbum mit einem Inf. = „sich gefallen lassen". — *princeps*] Diesen Titel führte er seit 28 v. C. — 51. *equitare*] „stürmen" von feindlichen Einfällen. — *inultos*] Die Niederlage von Karrhae ist noch ungerächt. — 52. *Caesar*] schliefst betont das ganze Gedicht, ist die Antwort auf die Frage des Themas nach dem Nothelfer.

Cicero sagt De imperio Cn. Pomp. von Pompejus: „natus quasi divino quodam consilio ad omnia bella bene conficienda". Mehr sagt auch der Dichter hier im Grunde nicht von dem zum Gott erklärten und als Merkur thatsächlich verehrten Oktavian.

Carm. I, 3. An den Dichter Virgil. Lande glücklich! (1—8). Auch du wagst die Bahnen zu ziehn, welche die Kühnheit des Menschengeschlechts eröffnete (9—20). Was der kühne Forschergeist des Menschen vermag — er fürchtet nicht Tod, Meer, Feuer, Luft und Unterwelt —, ist erhebend anzuschauen, doch macht sich der Mensch nie ungestraft zum Gotte! (21—40.) 20. 20.

1—8. 1. *Sic*] mit dem Coni. opt. enthält die Bedingungen für den mit

ventorumque regat pater
obstrictis aliis praeter Iapyga,
5 navis, quae tibi creditum
debes Vergilium: finibus Atticis
reddas incolumem precor
et serves animae dimidium meae.

illi robur et aes triplex
10 circa pectus erat, qui fragilem truci
commisit pelago ratem
primus, nec timuit praecipitem Africum

decertantem aquilonibus,
nec tristes hyadas, nec rabiem noti,
15 quo non arbiter Hadriae
maior, tollere seu ponere volt freta.

Navis beginnenden Wunsch und Nachsatz: „Nur dann soll dich (auf allen deinen späten Fahrten) . . . , wenn du, mein Schiff": doch ist statt des Satzes mit *ut*, welches vor *finibus* stehen müfste, in lebhafterer Weise der Wunsch unabhängig mit *precor* ausgesprochen. — *potens Cypri*] *Κύπρου μεδέουσα.* Hier liegen die Kultstätten Amathus, Paphos, Idalia. Venus wurde dort besonders als *εὐπλοία* (Schutzgöttin der Seefahrer) verehrt. — 3. *Ventorumque pater*] Äolus. — 4. *Iapyga*] Japyx ist der von Apulien (Japygia) nach Griechenland wehende Westwind. — 5. *creditum* („Pfand") *debes, reddas*] sind gewählt, weil der Dichter mit dem Schiff wie ein Kaufmann feilscht. — 7. *reddas*] nicht „zurückgeben"; die Präposition *re—* ist gesetzt, weil das Schiff dort seiner Verpflichtung ledig wird.

8. *animae*] *anima* dient oft zur Umschreibung der Person: „Leben". — 9. *illi*] „dem". *ille* hatte seine ursprünglich starke Bedeutung schon eingebüfst. — *robur et aes triplex erat circa pectus*] „war mit Eiche und dreifacher Erzschicht gepanzert das Herz". — *fragilem truci*] Diese entgegengesetzten Begriffe sind mit Absicht aneinandergerückt, wie v. 11 *pelago ratem*, um die Kühnheit auch augenfällig zu schildern. — 12. *primus*] steht an betonter Stelle. — *nec timuit*] ordne unter! — *praecipitem*] *λάβρον ἐπαιγίζοντα* „jäh daherfahrend". *Africus* ist der „Südwest". — 13. *decertantem* „um den Sieg ringend". Dem Dichter sind die Winde „Raufbolde". — 14. *tristes*] trübe, weil „trübend". — *Hyadas*] von *ὕειν* gebildet, weil zur Zeit ihres Aufganges im Mai Regenwetter einzutreten pflegt. — 15. *quo non arbiter Hadriae maior (est) (seu) tollere seu ponere volt freta.* Die Heftigkeit der Winde hat die Adria stets in Verruf gebracht. — 16. *tollere*] „heben", *ponere* „ebnen". Od. X, 22: „*ἠμὲν παυέμεναι ἠδ᾽ ὀρνύμεν ὅν κ᾽ ἐθέ-*

quem mortis timuit gradum,
qui siccis oculis monstra natantia,
qui vidit mare turbidum et
20 infames scopulos Acroceraunia?
nequiquam deus abscidit
prudens Oceano dissociabili
terras, si tamen impiae
non tangenda rates transiliunt vada.
25 audax omnia perpeti
gens humana ruit per vetitum nefas.
audax Iapeti genus
ignem fraude mala gentibus intulit:
post ignem aetheria domo
30 subductum macies et nova febrium
terris incubuit cohors,
semotique prius tarda necessitas
leti corripuit gradum.
expertus vacuum Daedalus aera

ληστιν". — 17. *quem gradum*] Ändere die Frageform! — *gradum Mortis*] ein militärisches Bild: den „Taktschritt". — 18. *siccis oculis*] wie es Odysseus that und wir es gern von Äneas gethan wünschten. Doch schämten sich die Helden des Altertums nicht der Zähren. — *siccis oculis* „trockenen Augs". — 20. *scopulos*] Die Pluralia giebt man in der gewählteren deutschen Sprache vielfach mit Kompositionen mit „ge" („Geklipp", Geäst") wieder. — *Acroceraunia*] Gemeint sind die keraunischen Höhen in Epirus, welche für den nach Griechenland in den Hafen Oricum fahrenden Römer oft verhängnisvoll wurden.

21—40. „So war es also umsonst, dafs". — 22. *prudens*] betonte Stellung: „in weiser Sorge". — *dissociabili*] „ungesellig", mit dem sich keine Gemeinschaft anknüpfen läfst. Oceano ist Ablat. der Trennung. — *impiae*] übers. adverbial. — 24. *transiliunt*] In dem Springen liegt das Übermütige angedeutet; die vielen *a* des Verses malen unabsichtlich das leichtfertige Hüpfen. — 25. *omnia perpeti*] giebt den Umfang der *audacia* an. — 26. *vetitum*] trotz des Verbotes, ... verschärft das Vergehen. — 27. *Iapeti genus*] Prometheus. Es folgen drei Beispiele, wie Horaz es liebt. — *fraude mala*] „in verhängnisvollem Truge". — 30. *nova*] gehört auch zu *macies*. — 31. *cohors incubuit*] des militärischen Bildes wegen „machte Quartier"; so auch im folgenden *corripuit gradum*, „eilte im Laufschritt". — 32. *tarda*] „träge". — *prius*] gehört ebenso zu *semoti* wie zu *tarda*. Die Menschen der Urzeit lebten länger. — 34. *expertus*] ohne *est*. „es

35 pennis non homini datis;
perrupit Acheronta Herculeus labor.
nil mortalibus arduist:
caelum ipsum petimus stultitia, neque
per nostrum patimur scelus
40 iracunda Iovem ponere fulmina.

IV.

Solvitur acris hiems grata vice veris et Favoni
trahuntque siccas machinae carinas,

---

wagte sich in". — *vacuum aera*] den öden Luftraum. — *Daedalus*] δαιδάλλων der Künstler, um dem Reiche des Minos zu entfliehen. — 36. *perrupit Acheronta*] Die Silbe *it* ist durch die Arsis gelängt. Der ganze Vers malt die unwiderstehlich ringende Kraft des Herkules (des Menschen). Schiller (Die Ideale): „Bis an des Äthers bleichste Sterne Erhob ihn der Entwürfe Flug; Nichts war so hoch und nichts so ferne, Wohin ihr Flügel ihn nicht trug." — 37. *Nil mortalibus*] Das ist der Schlufs, zu dem der Dichter durch die Beispiele hindurch gelangt: „Ja, nichts." mit Absicht *mortalibus* (obwohl sie sterblich sind). — 38. *stultitia*] nicht gerade tadelnd, ebenso wenig wie das Homerische νηπιέη (Kurzsichtigkeit). — 39. *per*] bei *patimur* wie in Prosa bei *licet*. — 40. *iracunda*] Enall. des Adiect., wir ziehen es in Prosa zu *Iovem*: „die Blitze seines Zornes". Die Enallage gehört auch bei deutschen Dichtern zu den häufigsten, beliebtesten Figuren, z. B. des Mondes volle Pracht, der Thränen weibliche Gewalt, des Pilgers armer Rock. Sie verschönt den Ausdruck und schafft ein neues Bild.

Das Gedicht ist des Adressaten würdig, weil es den dichterischen Gedanken von der ringenden und dadurch ihr Los nur verschlimmernden Menschheit, den Titanen, in Beziehung zu dem gewaltigen Unternehmen des Freundes setzt, nämlich der Äneis. Ähnliche Gedanken finden sich nicht blofs in dem Sophokleischen Chorgesang: πολλὰ τὰ δεινά in der Antigone, sondern auch in dem Gedicht von Geibel: „Junge Zeit", und Schillers „Ideale".

Die drei ersten Gedichte scheinen wegen der Bedeutung der Adressaten den übrigen mit Absicht vorangestellt. Die Reise selbst hat Virgil erst viele Jahre später wirklich ausgeführt (im J. 20 v. C.).

Carm. I, 4. An Sestius. Es ist Frühling (1—8). Lafst uns seine Wonnen geniefsen (9—12). Das Leben ist ja so kurz (13—20). Einleitung, Thema, Begründung. 8. 4. 8.

1—8. 1. *solvitur*] übers. medial! — *vice veris et Favoni*] eine die Weichheit der Lüfte des Lenzes malende Allitteration. „im willkommenen Wechsel des Frühlingswehens". — *veris et Favoni*] prosaisch: welchen (den Wechsel) die Lüfte des Lenzes bewirken. — *Favoni* (Föhn, Faunus — Wind) Cic. Verr. 5, 27: „cum autem uer esse coe-

ac neque iam stabulis gaudet pecus aut arator igni
nec prata canis albicant pruinis.
5 iam Cytherea choros ducit Venus imminente luna,
iunctaeque nymphis gratiae decentes
alterno terram quatiunt pede, dum graves cyclopum
Volcanus ardens urit officinas.

nunc decet aut viridi nitidum caput impedire myrto,
10 aut flore, terrae quem ferunt solutae;
nunc et in umbrosis Fauno decet immolare lucis,
seu poscat agna sive malit haedo.

---

perat, cuius initium iste non a Favonio neque ab aliquo astro notabat, sed cum rosam uiderat" etc. — 2. *trahuntque*] Auffälligerweise ist die erste Silbe kurz. — *machinae*] „Walzen". Die Schiffe der Alten standen im Winter am Gestade. — *siccas*] ist hier nicht Epitheton ornans. — 3. *stabulis*] Abl. causae „am". — *igni*] „Herdfeuer". — 4. *prata*] „Auen". — *canis albicant pruinis*] „grauen im Silberreif" (Nauck). — 5. *Cytherea*] So heiſst Venus als Reigenführerin auch Hom. Od. 6, 193: *οἵῳ περ εὐστέφανος Κυθέρεια Χρίεται, εὖτ' ἂν ἴῃ χαρίτων χορὸν ἱμερόεντα.* Sie zog beim Beginn des Frühlings (der April war ihr heilig) in das Thal Tempe. — *imminente Luna*] frei „im Glanze des Mondes". — 6. *Nymphis*] „mit den Nymphen zu Reigen geeint". — 7. *alterno pede*] „im Takt". — *quatiunt*] Es geht im Frühling eine mächtige Bewegung durch die Natur; doch können wir vom Tanze der Nymphen nur sagen: „schweben über". — Es folgt launig der Gegensatz zu dem zarten Frühlingsweben in der Beschreibung der Thätigkeit des Gatten der Venus. Auch der Rhythmus malt den Gegensatz des Zarten und Plumpen. — *dum*] „wann". — *graves*] nämlich *officinas* „die Riesenwerkstätten" (auf Hiera). — 8. *ardens*] „im Feuer", *σπεύδων, ποιπνύων,* wie das zum Wesen des Homerischen Gottes der Esse gehört. — *urit*] „in Flammen setzt". Schiller: „Zuckt vom Himmel nicht der Funken, der den Herd in Flammen setzt".

9—12. Das betonte Wort *(nunc)* bildet die Anaphora. *decet*: „So steht es auch uns jetzt an". — 9. *impedire*] „verstricken". — *nitidum*] „duftend" — *aut flore terrae*] An dem röm. Allerseelenfeste, den Feralien, welche wahrscheinlich auf den 21. Februar fielen, konnten die alten Römer schon den Manen Veilchen opfern, deren Blütezeit in den März fällt. — 10. *ferunt*] „sprieſsen lassen". — 11. *umbrosis*] Denn in diesen Gegenden ist auch im Winter Vegetation vorhanden. — *lucis*] (altd.: „lohe") unterscheide stets in der Übersetzung von *nemus!* — 12. *agna*] Ergänze *immolari (immolare alicui aliqua re)*, ebenso zu *haedo.*

13—20. 13. *aequo pede*] Des Todes gleichmachende Thätigkeit zeigt sich auch in seinem Klopfen und Pochen auf das Dach oder den Giebel des Hauses. Der Tod ist geflügelt gedacht. Vgl. II, 17, 24. sat. II, 1, 58. — *pul-*

pallida Mors aequo pulsat pede pauperum tabernas
regumque turres. o beate Sesti,
15 vitae summa brevis spem nos vetat incohare longam
iam te premet nox fabulaeque manes
et domus exilis Plutonia: quo simul mearis,
nec regna vini sortiere talis
nec tenerum Lycidan mirabere, quo calet iuventus
20 nunc omnis et mox virgines tepebunt.

V.

Quis multa gracilis te puer in rosa
perfusus liquidis urguet odoribus

---

sat pede pauperum] Eine das Pochen malende Allitteration (Nauck). — *tabernas*] Dazu folgt in *turres* der Gegensatz: „Buden und Schlösser". — 14. *regum*] Auch die Reichen werden *reges* genannt. — *beate*] wohl = reich. Vgl. Cic. Catil. 2, 20: „Hi dum aedificant tamquam beati." *uxor beata* = reiche Frau. — 15. *brevis* ist mit *summa*, nicht mit *vitae* zu verbinden. — *incohare*] „spinnen". Rückert: „Doch die bange Sicht der Lebenskürzen wehrt uns lange Hoffnungen zu schürzen." — *premet*] „umfangen". — 16. *fabulae*] Apposition zu *manes*. „Sagengebilde" = „gespenstisch". — 17. *exilis*] „Dürftige". Man denke an Achilles' bekannten Ausspruch über das Leben in der Unterwelt. Es bildet mit Plutonia ein sarkastisches Oxymoron. — *quo simul*] *simulatque eo* ... Es folgt eine plastische Umschreibung des Gedankens: „Aus ist es dann mit Wein und Liebe." *regna vini*] Man bestimmte durch Würfel, wer Trinkkönig sein sollte. — 19. *Lycidan*] Die in Beschreibung von Liebesverhältnissen vorkommenden Namen sind erdichtete, griechisch gebildete. Auch die Verhältnisse selbst sind zumeist bloſse Phantasiegebilde. Sie gehören zur supellex poetica. — *calet*] „entbrennen". — 20. *tepebunt*] dem Bilde nach: „erglühen", sonst „schwärmen".

Horazens Waffengenosse unter Brutus, Sestius, der später (23 v. C.) von Augustus zum Zeichen der Versöhnung die Würde eines Konsuls (suff.) erhielt, scheint beim Empfange dieses Gedichtes sich durch ein heiteres Leben die politischen Sorgen verringert zu haben, und Horaz wuſste ihm damals auch aus eigener Erfahrung nichts Besseres anzuraten.

Carm. I, 5. An Pyrrha. Wer ist dein neuer Liebhaber? (1—5.) Er wird deine Untreue, wie ich, zu beklagen haben (5—12). Ich habe mich glücklich aus diesem Schiffbruch gerettet (12—16). 4. 8. 4.

1—5. Konstr.: *quis gracilis puer* („Bursch") *perfusus liquidis odoribus urguet te, Pyrrha, multa in rosa* (etwa „auf schwellendem Rosenpfühl"). — *gracilis*] So hatte der Nebenbuhler

grato, Pyrrha, sub antro?
cui flavam religas comam,
5 simplex munditiis? heu quotiens fidem
mutatosque deos flebit et aspera
nigris aequora ventis
emirabitur insolens,

qui nunc te fruitur credulus aurea,
10 qui semper vacuam, semper amabilem
sperat, nescius aurae
fallacis. miseri, quibus

intemptata nites: me tabula sacer
votiva paries indicat uvida
15 suspendisse potenti
vestimenta maris deo.

---

das, was des Dichters Gestalt fehlte. — 2. *urguet*] wie *premit*, ein Lieblingswort des Dichters, hier = „bemüht sich um" oder „kost dich". — 3. *sub*] „tief in". — *antro*] „Grotte". — *cui*] Dat. commodi: „Wem zu Liebe". — 4. *religas*] Ergänze: *in nodum*. — 5. *simplex munditiis*] schlicht inbezug auf den Putz, „in schlichter Schöne". Gefühlter Gegensatz: *multiplex animi*. So ist also des Dichters Auge noch nicht blind für ihre Schönheit.

5—12½. 5. *fidem*] Dazu gehört aus dem Folgenden *mutatos*. — 6. Konstr.: *emirabitur aequora aspera* (aufgewühlt) *nigris ventis*. — Die Launen *(aura)* der Geliebten erscheinen dem Dichter wie Stürme, und der, welcher von ihnen sein Wohl oder Wehe zu erhoffen hat, gleicht dem Schiffer, der auf ein unruhiges Meer fährt. — 7. *nigris*] Proleptischer Gebrauch des Adjektivs! — 8. *emirabitur*] Ein von Horaz gefundenes Kompositum: „anstaunen". — *insolens*] begründend, „dessen ganz ungewohnt". — 9. *credulus*] „in naiver Bethörtheit". — *aurea*] gehört als Apposition zu *te*. Zunächst wegen ihres Haares, dann von ihrem ganzen Charakter. Goethe spricht in einem Gedichte inbezug auf eine Geliebte: „Mein Goldchen". — 10. Konstr.: *qui (te) sperat semper (sibi) vacuam, semper amabilem*. Mit *vacuam* ist hier „treu" gemeint. — 11. *nescius aurae fallacis*] kehrt zum Bilde vom Meere zurück und gab vielleicht zu diesem Veranlassung. Auch scheint ein Wortspiel zwischen *aurea* und *aura* (dem launenhaften „Goldchen") beabsichtigt.

12½—16. 13. *nites*] Hier wird Pyrrha mit einem bösen Gestirn verglichen, welches die „ahnungslosen" Schiffer verlockt. (Ähnlich ist die Heinesche „Lorelei".) — Konstr.: *paries sacer indicat tabula votiva me suspendisse* ... Schiffbrüchige pflegten die geretteten Kleider an der Wand eines Neptuntempels aufzuhängen und dabei eine Votivtafel zu befestigen. — 15. *deo*

VI.

Scriberis Vario fortis et hostium
victor Maeonii carminis alite,
quam rem cumque ferox navibus aut equis
miles te duce gesserit.
5 nos, Agrippa, neque haec dicere, nec gravem
Pelidae stomachum cedere nescii,
nec cursus duplicis per mare Ulixei,
nec saevam Pelopis domum

---

potenti maris] „dem Herrn des Meeres“.

Das Undinenthema hat auch unserem Dichter von Herzen kommende Töne entlockt, die nicht bloſses Spiel der Phantasie gewesen zu sein scheinen.

Carm. I, 6. An Agrippa. Einleitung: Deine Thaten wird Varius besingen (1—4). Thema: Epische Stoffe, d. h. Schlachten und Staatsaktionen wähle ich nicht (5—8), weil ich ein Lyriker bin (9—12). Ausführung: Darum würde ich schlecht von Helden singen (13—16) und bleibe bei meinen lyrischen Tändeleien (17—20). 4. 8. 8.

1—4. Agrippa war der berühmteste Feldherr des Augustus und sein Schwiegersohn. 1. *scriberis*] „Ein Sang wirst du dem Varius sein“. — *Vario, alite Maeonii carminis*] *alite* „Schwan“. Abl. instr. für *a Vario,* weil es sich hier weniger um Varius' Person handelt als um seine Dichtung: „ein Varius“, wie in Cic. Arch.: „hoc homine delector“. — Varius, Freund und Herausgeber der Gedichte Virgils, war später Epiker und Dramatiker. Nachher wird auf seine Tragödie „Thyestes“ angespielt. — 2. *Maeonium carmen*] heiſst das Epos, weil Homer für einen Mäonier (Lyder) aus Smyrna galt. — 1. *fortis*] „Held“. — 3. *quam rem cumque*] Tmesis für: *quamcumque rem.* — Aus dem vorhergehenden *scriberis* ist hierzu *scribetur* zu ergänzen. — *navibus*] Er denkt besonders an Agrippas Siege über Sex. Pompejus und Antonius; „voll Vertrauen auf Schiffe und Rosse“. — *miles*] „Kriegsvolk“.

5—12. *Nos* = Unser Eins. — 5. *neque ... nec*] dem Sinne nach: „ebenso wenig ... als“. — *haec dicere*] „solche Thaten singen“. — 6. *stomachum*] scherzend, wie das ganze Gedicht übermütig geschrieben ist, für *μῆνιν*, gewissermaſsen um zu zeigen, wie wenig er solchen Stoffen gerecht werden könne. — *cedere nescii*] *ἀμείλιχος*] Griechen und Deutsche fassen beide Begriffe in die Einheit eines Kompositums zusammen! — 7. *cursus per mare duplicis* (*πολύτροπος*) *Ulixei*] Inhalt der Odyssee, wie vorher der der Ilias angegeben war. — 8. *saevam*] „grause“. Dieses Epitheton bezeichnet schon, daſs der Stoff sich nur für die höhere Poesie eignet. — *domum Pelopis*] Atreus, Thyestes, Agamemnon, Ägisthos, Orestes. Hiermit giebt er ein Beispiel für die „Tragödie“ über-

conamur tenues grandia, dum pudor
10 inbellisque lyrae musa potens vetat
laudes egregii Caesaris et tuas
culpa deterere ingeni.

quis Martem tunica tectum adamantina
digne scripserit, aut pulvere Troico
15 nigrum Merionen, aut ope Palladis
Tydiden superis parem?

nos convivia, nos proelia virginum
sectis in iuvenes unguibus acrium
cantamus vacui, sive quid urimur,
20 non praeter solitum leves.

---

haupt. — 9. *tenues grandia*] *tenues* Apposition zu *nos, grandia* Apposition zu *stomachum, cursus, domum;* „wir Zwerge nichts Riesiges". — *dum*] fast = „weil". — *pudor*] Takt. *musa* ist die Erkenntnis der Gesetze der Lyrik. — 10. *Musa potens lyrae inbellis*] „die M., welche gebeut". — *vetat (me) deterere laudes egregii Caesaris et tuas (laudes) culpa* („Mangel") *ingeni.* — 12. *deterere laudes*] *deterere* steht von der Abnutzung des Metalls. Man bewahre das Bild!

13—20. 13. *quis*] begründend zum Vorhergehenden. „Wie sollte ich angemessen besingen können?" Vgl. Soph. Antig. 1440: *τίς ἄν σε οὐκ καταστένοι;* — *Martem*] „einen Mars". — *tunica tectum adamantina*] nach dem Homerischen *χαλκοχίτων* „im Stahlhemde" gebildet. — 15. *Merionen*] Wir wissen nicht, warum er den Wagenlenker des Idomeneus, welcher allerdings mehrmals *θεῷ ἀτάλαντος Ἄρηϊ* heifst, hier nennt. Möglich ist es, dafs der choriambische Tonfall des Wortes den Dichter anzog. — Man antworte auf die Frage nicht: Varius oder „keiner" aufser Varius, sondern überhaupt: keiner der Jetztlebenden. Die Erwähnung des Varius war nur nebensächlich für den Zweck des Gedichtes. — *ope Palladis*] nicht ohne humoristische Anspielung auf Diomedes: *τρεῖν μ' οὐκ ἐᾷ Παλλὰς Ἀθήνη.* — 17. Konstr.: *proelia virginum in iuvenes acrium* (sich streitbar erhebend). — 18. *sectis unguibus*] ebensowohl konzessiv als instrumental. Sie haben Waffen, aber ungefährliche. — 19. *vacui*] nämlich *sive vacui (sumus) amore.* — *quid*] adverbiell, irgendwie entbrannt sind. — 20. *non praeter solitum*] Litotes, prosaisch: stets. — *leves*] „tändelnd" von dem Stoffe des Lyrikers und seiner Behandlung.

Es kam dem Dichter nicht darauf an, alle „Stoffe" der Lyrik zu nennen, auch nicht, sich ernsthaft bei Agrippa zu entschuldigen, weil er ihn nicht besinge, mehr darauf, diesem durch ehrenvolle Vergleichung ein schmeichelhaft-scherzhaftes Kompliment zu machen.

Das Gedicht ist ein poetischer sermo

VII.

Laudabunt alii claram Rhodon aut Mitylenen
aut Epheson bimarisve Corinthi
moenia vel Baccho Thebas vel Apolline Delphos
insignes aut Thessala Tempe;
5 sunt quibus unum opus est intactae Palladis urbem
carmine perpetuo celebrare et
undique decerptam fronti praeponere olivam;
plurimus in Iunonis honorem
aptum dicet equis Argos ditesque Mycenas:
10 me neque tam patiens Lacedaemon

---

figuratus. Es versagt eine Bitte und erfüllt sie doch.

Carm. I, 7. An Munatius Plancus. Kein Ort auf der Welt mir besser gefällt als Tibur. Dort will ich leben und singen (1—14). So solltest auch du die politischen Sorgen in behaglichem Leben vergessen. Verzweifeln solltest du so wenig als Teuker es that (15 bis 32). 16. 16.

Der Adressat gehörte jedenfalls zu der Zeit, wo er dies Gedicht erhielt, zu den Verstimmten und Verzweifelnden, wie der Dichter selbst. Vielleicht hatte Munatius in seiner trüben Stimmung sich mit Teuker verglichen, da er bei den Proskriptionen des J. 42, obwohl Konsul, seinen Bruder dennoch nicht gerettet hatte, wie ja auch Teuker ohne seinen Bruder Ajax von Iliŏn in die Heimat zurückkehren mufste.

1—14. 1. *claram*] wegen seiner Lage, deren Schönheit auch die übrigen genannten Städte zu beliebten Aufenthaltsorten politisch Unzufriedener machte. Vgl. Cic. fam. XI, 1: „dandus est locus fortunae: cedendum ex Italia, migrandum Rhodum aut aliquo terrarum arbitror.“ — 2. *bimarisue*] „meerumschlungen“. — 3. *vel Thebas Baccho insignes vel Delphis Apoll. ins.*] Der Abl. instr. ist ohne Anstofs, da mehr der Kult dieser Gottheiten als diese selbst gemeint sind. Man bilde aus Abl. und Adjekt. Composita! — 5. *sunt quibus*] entspricht dem *alii*. Der Indikativ steht in dem Relativsatze, weil der Dichter bestimmte Schriftsteller im Sinne hat. — *opus*] „Aufgabe“. — *intactae*] ἀδμής. Wir weniger derb: „jungfräulich“. — 6. *carmine perpetuo*] gemeint ist ein episches Gedicht, vgl. Ovid., Metam. 1, 4. — 7. *undique decerptam fr. pr. ol.*] ein bildlicher Ausdruck für „aus allen möglichen Gründen den Ruhm Athens zu singen“. Die Verbindung mit *undique* gebraucht H. stets mit tadelndem Nebensinn. Für den Dichter Athens ziemt es sich, die Stirn mit der Olive zu kränzen. — 8. *plurimus*] kann nach *alii, sunt quibus* nur „gar mancher“ heifsen und Subjekt zu *dicet* sein. — 9. *aptum equis*] ἱππόβοτος. — *ditesque*] πολύχρυσος. *Mycenae* ist mit *Argi* formelhaft verbunden, es existierte schon lange nicht mehr. — 10. *patiens*]

nec tam Larisae percussit campus opimae
quam domus Albuneae resonantis
et praeceps Anio ac Tiburni lucus et uda
mobilibus pomaria rivis.
15 albus ut obscuro deterget nubila caelo
saepe Notus neque parturit imbres
perpetuo, sic tu sapiens finire memento
tristitiam vitaeque labores
molli, Plance, mero, seu te fulgentia signis
20 castra tenent seu densa tenebit
Tiburis umbra tui. Teucer Salamina patremque
cum fugeret, tamen uda Lyaeo
tempora populea fertur vinxisse corona,
sic tristes adfatus amicos:

„jäh". — 11. *opimae*] ἐριβῶλαξ. Die Prosa würde *opimus* sagen: „Marschland". — 12. *domus Albuneae resonantis*] Enallage des Adjektivs. — 13. *praeceps Anio*] bildet bei Tibur Kaskaden. — *Tiburni*] Tiburnus, Enkel des argivischen Sehers Amphiaraus, soll mit seinen Brüdern Catillus und Coras Tibur gegründet haben. — 14. *mobilibus rivis*] Abl. instr. zu *uda; pomaria* „Obstgelände".

15—32. Der zweite Teil steht im Verhältnis der Folge zum Vorhergehenden: Und so solltest auch du ... — 15. *albus*] „klärend", S. zu *nigris* in Ged. 5. — 16. *neque parturit*] negativer Parallelismus. — *perpetuo*] an betonter Versstelle. — Konstr.: 17. *sic tu memento finire trist. vitaeque lab. molli mero sapiens* „als ein Weiser". — 18. *tristitia*] besonders von polit. Verstimmung. — *vitaeque labores*] hier von polit. Thätigkeit. — 19. *molli*] die Sorgen auflösend, „stillend". — *Plance*] Auf besondere Vertrautheit läſst die Anrede mit dem Familiennamen nicht schlieſsen, wohl aber ist ein Wortwitz beabsichtigt. Plancus zu plangere „klagen", wie auf „Odysseus" als „Grollmann" angespielt wird. — *fulgentia signis*] „adlerglänzend". — 20. *tenebit*] Das Futur scheint Wunsch und Erwartung zu bezeichnen, „festhalten will". — 21. *tui*] Plancus soll aus Tibur stammen. — Teukers Rede ist ein Beweis für die beruhigende Macht des Weines. Cicero citiert aus Pacuvius: itaque ad omnem rationem Teucri vox accommodari potest: patria est, ubicumque est bene. Tusc. V, 108. — *Teucro*] Der Name mit Emphase eingesetzt; die Wiederholung zeigt Energie: wo alles von Teuker abhängt; bis dahin hatte Telamon das Recht der Auspizien gehabt. — *patremque cum fugeret*] Hom. Od. 15, 288: δὴ τότε γ' ἄλλον δῆμον ἀφίκετο, πατρίδα φεύγων Νηλέα τε μεγάθυμον, ἀγαυότατον ζωόντων. — 22. *uda Lyaeo* (Λυαῖος metonym. für *vinum*) *tempora*] Enallage Adiect. — 23. *populea*] weil er sich dem Schutze des

25 „quo nos cumque feret melior fortuna parente,
ibimus, o socii comitesque!
nil desperandum Teucro duce et auspice Teucro:
certus enim promisit Apollo
ambiguam tellure nova Salamina futuram.
30 o fortes peioraque passi
mecum saepe viri, nunc vino pellite curas:
cras ingens iterabimus aequor."

VIII.

Lydia, dic, per omnes
te deos oro, Sybarin cur properes amando
perdere, cur apricum
oderit campum, patiens pulveris atque solis.

Herkules Viator übergiebt. — 24. *adfatus*] Part. Impf. Das Particip enthält die Hauptsache. — 25. *quo nos cumque*] Tmesis für *quocumque nos*. — *melior*] „milder". — 27. *duce et auspice*] Ein specifisch römischer Pleonasmus. — 28. *certus*] νημερτής. — 29. *ambiguam*] „doppeldeutig", wie die Orakelsprache ja dunkel ist. — 30. *peioraque passi*] Denke an Homers: τέτλαθι δή, κραδίη, καὶ κύντερον ἄλλο ποτ' ἔτλης, und an Virgil: „forsan et haec olim meminisse iuabit" (Aen. I, 203). — *fortes*] (von ferro), darum que, wir: Helden, die ihr auch Schlimmeres. — 32. *iterabimus*] „Die Fahrt erneuern". prägnant für: *iterando navigabimus*. — *ingens aequor*] mit Beibehaltung der Grundbedeutung: „auf die ungeheure (gleichmäſsige) Fläche".

Der die beiden Teile des Gedichtes zusammenhaltende Gedanke ist: „Der Ort kann das Glück nicht geben; in dir muſs es sich erzeugen." Darum bietet das Gedicht Vergleichungspunkte mit Epist. II, 11 und zu Epod. 2 und Ep. 13.

Carm. I, 8. An die Lydia. Warum? so fragt der Dichter Lydia, als er Sybaris in seinem ganzen Wesen so verändert sieht. Aber Dein Bemühen, ihn mit Liebe zu umstricken, ist nutzlos (1—12). Denke an Achilles! (13—16). — Das Ganze scheint des pointierten Schlusses wegen da. — Vergleiche zum Sachlichen Marius' Rede in Sallusts Jug., Kap. 85.

1—12. 2. *te*] zu *oro*. — *amando perdere*] *perdere* ist ein ebenso starker Ausdruck wie unser „sterblich verliebt sein". Übers.: „mit Liebe zu umstricken". — 3. *apricum* etc.] enthält zwei Sätze: warum ist ihm zu sonnig, so daſs er ... — 4. *oderit*] nicht „hassen", sondern „meiden". — *Campus*] „das Feld" ist der *Campus Martius*. — *patiens pulveris atque*

5 cur neque militares
inter aequales equitat, Gallica nec lupatis
temperat ora frenis?
cur timet flavum Tiberim tangere? cur olivum

sanguine viperino
10 cautius vitat neque iam livida gestat armis
bracchia, saepe disco,
saepe trans finem iaculo nobilis expedito?

quid latet, ut marinae
filium dicunt Thetidis sub lacrimosa Troiae
15 funera, ne virilis
cultus in caedem et Lycias proriperet catervas?

IX.

Vides ut alta stet nive candidum
Soracte nec iam sustineant onus

---

solis] konzessiv. — 5. *militares*] zu *aequales*. — 8. *timet*] „bangt" ist schimpflich. — *flavum*] hier Epitheton perpet. — 9. *sanguine viperino*] Abl. comp. — 10. *armis*] Abl. causae zu *livida*. „Durch die Waffenübung". — 11. *saepe*] zu *disco expedito*. — 12. *nobilis*] er, der so berühmt war, weil ...

13—16. 13. *Quid latet?*] „Er ist wohl versteckt?" — 14. *sub lacrimosa funera*] „zur Zeit des thränenreichen Unterganges" (was allerdings besser auf Neoptolemos, Thetis' Enkel, passen würde). — 15. *cultus virilis*] „Mannestracht", wozu auch die Waffen gehören. Man denke an das Homerische ἐφέλκεται ἄνδρα σίδηρος. — 16. *Lycias catervas*] für „troische Scharen". Ergänze dann *in* „gegen" aus *in caedem!* Es fällt die Allitteration mit *c* im letzten Verse auf.

Die Antwort auf die Frage ist also: „Vergeblich! Er bleibt nicht ewig ein Sybaris."

Carm. I, 9. Draufsen ist's Winter, und innerlich nagen die Sorgen um die Zukunft. Lafst sie uns bannen durch Wein und den Göttern überlassen, worin sie allein mächtig sind (1—12). Jetzt sind die Tage der Jugend! Sie laden zum Genufs (13—24). 12 (8. 4) 12. (4. 8).

1—12. Eine bange Pause bei einem Gelage unterbricht der Dichter mit der folgenden Betrachtung und Aufforderung. — 1. *ut*] nach *vides*, weil es sich um das wirksamere, körperliche Sehen handelt. — *stet*] „starrt". — 2. *Soracte*] Der Dichter konnte recht gut das Gelage als auf

silvae laborantes geluque
flumina constiterint acuto.
5 dissolve frigus ligna super foco
large reponens atque benignius
deprome quadrimum Sabina,
o Thaliarche, merum diota.

permitte divis cetera; qui simul
10 stravere ventos aequore fervido
deproeliantes, nec cupressi
nec veteres agitantur orni.

quid sit futurum cras, fuge quaerere et
quem sors dierum cumque dabit lucro
15 adpone, nec dulces amores
sperne puer neque tu choreas,

---

einem Punkte stattfindend fingieren, von wo dieser Berg sichtbar war. Soracte: Monte S. Oreste bei Falerii, 5 Meilen von Rom. — 3. *laborantes*] „ächzend". — 4. *flumina const.*] Diese Gegensätze sind mit Absicht nebeneinandergerückt. An den Tiber kann der Dichter kaum dabei denken, da ein völliges Zufrieren desselben bei seiner starken Strömung (1 Meter in der Sekunde) kaum denkbar ist. Freilich waren die Winter im Altertum in Italien weit kälter als in der Neuzeit. — 5. *dissolve*] setze ein: „darum". *diss.* schliefst sich eng an den Tropus in *acuto,* vielleicht „tauen". — *foco*] „Kamin". — 7. *deprome*] Dazu der Abl. *diota Sabina.* — 8. *diota*] Krug mit zwei Henkeln (ὦτα). *Sabina* ist nicht blofs der Krug, sondern auch der Wein. — *Thaliarche*] Ein bekannter griechischer, für diese Situation besonders passend gewählter Name für den römischen, dem Dichter befreundeten *rex bibendi.* — 9. *permitte divis cetera*] leider nicht vom eigentlichen Gottvertrauen zu verstehen, sondern Phrase für den Gedanken, dafs wir uns keine Sorge über die Zukunft machen sollen. — *qui simul*] = *simulatque ei* (näml. *divi*). — 10. *stravere*] „zu Boden werfen". — *aequore fervido*] Abl. modi, „unter dem Gebrause des Meeres". — 11. *deproeliantes*] „um die Entscheidung ringend", wodurch der Wirbelwind entsteht, wie in 3. — *nec . . . nec*] Bilder statt des prosaischen „dann ist ringsum Grabesstille". Vgl. übrigens Ilias *N,* 27.

13—24. 13. *fuge quaerere*] fast gleich dem negierten Imperativ. „Über das ‚Morgen' lasse das Sorgen!" — 14. Konstr.: *quemcumque dierum sors dabit.* — 15. *adpone lucro*] Tropus aus dem Geschäftsleben. Pros.: schreibe ins Gewinnconto. — *dulces amores*] „Liebesgetändel". — 16. *puer* (Apposition) und *tu* gehören zu beiden Gliedern; *puer* bezeichnet kein bestimmtes Lebensalter, sondern den sehr dehnbaren Begriff der „Jugend". —

donec virenti canities abest
morosa. nunc et campus et areae
lenesque sub noctem susurri
20 composita repetantur hora,

nunc et latentis proditor intimo
gratus puellae risus ab angulo
pignusque dereptum lacertis
aut digito male pertinaci.

X.

Mercuri, facunde nepos Atlantis,
qui feros cultus hominum recentum
voce formasti catus et decorae
more palaestrae,

---

17. *virenti*] Schiller: „wem die Locken noch jugendlich grünen“. — *donec*] ist betont. Dieses „so lange“ enthält die Pointe. — *canities morosa*] „grämliches Grau“. — 18. *nunc*] nicht etwa auf die Situation im Anfang des Gedichtes zu beziehen; es geht auf die Zeit der Jugend. Man betone auch *campus* (Martius); also auch das Turnen und die Körperübung wird eingeschärft. — 19. *susurri*] Auch wir haben für das leise Liebes- und Dämmerungsgeflüster onomatopoetische Worte. — *noctem*] unsere „Dämmerstunde“. — 20. *repetantur*] ist allen früheren und späteren Subjekten gemeinsames Prädikat. „gebührend *(re)* besucht oder beachtet werden“. — 21. Konstr.: *risus gratus* („willkommen“) *puellae latentis ab intimo angulo proditor (qui eam prodit),* Versteckspiel auch in Worten. — *risus*] „Kichern“. — *angulo*] im *uestibulum*. — 23. *pignus*] Damit ist ein Armband gemeint. — 24. *lacertis*] Ablativ. — 25. *male pertinaci*] *male* mindert den Begriff des dabei stehenden Adjektivs oft bis zur Negation: „dem nur schwach widerstrebenden“.

Im Anfange des Gedichtes herrscht Winter und Starrheit, am Ende Frühling und lebendige Lust. Vgl. Epode 13.

Bis hierher hatte der Dichter bei jedem Gedichte ein neues Versmafs gewählt. Das beruhte gewifs auf der Absicht, seine πολυμετρία zu zeigen.

Carm. I, 10. An Merkur. Dich will ich preisen, Merkur, wegen deiner Vorzüge, besonders aber wegen deiner Klugheit.

1—4. 2. *cultus*] „Treiben, Leben“. — *recentum*] „eben entstanden“. — 3. *voce* (Sprache) *et more*] Abl. instr. zu *formasti*. — *catus*] „ein Kluger“. — *more*] „durch den Brauch“. — *decorae*] „den Schönheitssinn bildend“.

5 te canam, magni Iovis et deorum
nuntium curvaeque lyrae parentem,
callidum quidquid placuit iocoso
condere furto.

te, boves olim nisi reddidisses
10 per dolum amotas, puerum minaci
voce dum terret, viduus pharetra
risit Apollo.

quin et Atridas duce te superbos
Ilio dives Priamus relicto
15 Thessalosque ignes et iniqua Troiae
castra fefellit.

tu pias laetis animas reponis
sedibus virgaque levem coerces
aurea turbam, superis deorum
20 gratus et imis.

5—16. 5. *canam*] Wir setzen statt des Futur. „will ich!“ — *et deorum*] verstehe, doch übersetze nicht: „und überhaupt“. — 6. *nuntium*] διάκτορος. — *curvae lyrae*] Er schuf die Leyer aus der Schildkröte. — 7. *callidum*] Apposition zu *te*. — *iocoso*] beziehen wir besser auf die Person „scherzend“. — 8. *condere furto*] „im Raube zu stehlen“, abhängig von *callidum*. — Konstr. diesen in Form einer historischen Periode gebauten und noch absichtlich (um die Verwirrung zu malen) verschränkten Satz (9—11) so: *Olim Apollo viduus pharetrâ risit, dum terret te puerum minaci voce, nisi reddidisses boves per dol. amotas.* Als Apollo die ihm geraubten Rinder von dem Kinde Merkur zurückforderte, ward er während des Gesprächs von diesem auch noch des Köchers beraubt. — 9. *reddidisses*] Das Plqpf. statt des Impf. bezeichnet die Forderung der Zurückgabe als einer sofortigen. — 12. *risit*] „mufste lachen“. — 13. *quin et*] „wufste ja auch“. — *Atridas*] Die beiden Brüder werden auch bei Homer oft da zusammen genannt, wo doch nur Agamemnon gemeint ist. — 14. *dives*] Er trug noch den Rest seines Reichtums mit sich, um den Körper Hektors zu lösen. — 15. *Thessalos ignes*] Gemeint sind die Wachtfeuer der Myrmidonen. — *et iniqua* „und das ganze“.

17—20. 17. *reponis*] *re-* bezeichnet: „geleitet zu den gebührenden“. — 18. *levem turbam*] ἀμένηνα κάρηνα καμόντων. — 19. *virga aurea*] als χρυσόῤῥαπις. — 20. *gratus*] etwa „Liebling“. Der Schlufs bildet den Höhepunkt des Liedes. Die Beziehung auf Augustus, der für Merkur galt, (I, 2) liegt nicht so fern.

XI.

Tu ne quaesieris (scire nefas) quem mihi, quem tibi
finem di dederint, Leuconoe, nec Babylonios
temptaris numeros. ut melius, quidquid erit, pati!
seu plures hiemes seu tribuit Iuppiter ultimam,
5 quae nunc oppositis debilitat pumicibus mare
Tyrrhenum: sapias, vina liques et spatio brevi
spem longam reseces. dum loquimur, fugerit invida
aetas: carpe diem, quam minimum credula postero.

Die Scheu Betender, den Gott durch Nichtnennen einer seiner Thätigkeiten zu verletzen, führte zur πολυωνυμία; vgl. Horaz. I, 29. Soph. Antig. 1115. Ἑρμῆς λόγιος, ἀγώνιος, διάκτορος, μουσικός, κλέπτης, ἐριούνιος, ψυχοπομπός Metrisch hat das Lied seine Besonderheiten.

Carm. I, 11. An Leukonoe. Besser ist es, die Zukunft nicht zu wissen! Komme was komme! Geniefse das „Jetzt"!

1. *scire nefas*] Begründende Parenthese zum Folgenden. *nefas:* „nicht gottgewollt", „versagt" — 2. *finem*] „Lebensende". — *dederint*] Dem Sinne nach = zugedacht haben. — *Leuconoe*] Der Name ist dem Metrum zuliebe gewählt. (Närrchen.) — *nec*] führt das *ne quaes.* näher aus: indem du nicht mehr; so erklärt sich *nec* statt *neve*; doch übersetze nicht so! — *numeros*] für die Stellung des Horoskops. — 3. *ut melius*] Ein Ausruf, ergänze: *est.* — 4. Konstr.: *seu Iuppiter tribuit plures hiemes seu ultimam*] *tribuit* ist Perfekt. — 5. *quae nunc* etc.] Das Gedicht ist also aus einer winterlichen Situation am Gestade des Meeres gedacht und gedichtet. — *oppositis pumicibus*] Abl. instr. zu *debilitat* (zerschellt) an den Wänden des ... — Das Meer scheint, weil es trotz seines Wütens nichts ausrichtet, seine Kraft zu zerreiben. — 6. *vina liques*] durch den *saccus nivarius* und das *colum.* — *spatio brevi*] Abl. abs., begründend zu *reseces.* — 7. *reseces*] Auch wir sprechen vom „Hoffnungsfaden. — *dum loquimur*] sprichwörtlich. „Im Nu." — *loqui*] „schwatzen". Auch um diesen Augenblick ist es schade. — *fugerit*] Fut. exact. — 8. *carpe diem*] „Pflücke die Rose des Tages." Die knappste Form für die Aufforderung zum Genufs der Gegenwart. — *quam min. credula*] Dem Sinne nach: vertröste dich nicht auf. Vgl. Bürger: „Trau nicht auf morgen, dein ist das Heut' | Eh' sie dahin flieht, Nütze die Zeit", und das Anakreonteum: τὸ σήμερον μέλει μοι, τὸ δ' αὔριον τίς οἶδεν;

Der Dichter schaut offenbar noch recht schwarz in die Zukunft. Auch weifs er für sich jetzt noch keinen besseren Rat, als den, die Stunde recht auszunutzen; vgl. I, 4. 7. Ep. 13.

XII.

Quem virum aut heroa lyra vel acri
tibia sumis celebrare, Clio?
quem deum? cuius recinet iocosa
nomen imago

5 aut in umbrosis Heliconis oris,
aut super Pindo, gelidove in Haemo,
unde vocalem temere insecutae
Orphea silvae,

arte materna rapidos morantem
10 fluminum lapsus celeresque ventos,

Carm. I, 12. An Octavianus. Welchen Helden, Halbgott oder Gott soll ich jetzt, wo meine Brust von hohen Gefühlen der Begeisterung geschwellt ist, besingen? Sag es mir, Muse! (1—12). Von den Göttern gedenke ich dankbar des Juppiter, der Pallas, des Liber, der Artemis und des Phöbus (13—24). Unter den Heroen feiere ich Herakles und die Dioskuren. Unter den Helden gilt mein Lied jetzt nicht den politischen Gröfsen, sondern denjenigen Römern, welche Sittenstrenge auszeichnet (25—36). Doch alle überstrahlt der Iulier Caesar Octavian (37 bis 48). Segne seine gerechte Herrschaft auf Erden, Juppiter! (49—60). (12. 36. 12).

A. 1—12. 1. *lyra*] Auch vor *lyra* ist *vel* zu ergänzen; *lyra* ist Abl. instr.: als ob die Töne der Leier oder Flöte schon verständliche Worte gäben. Wir übersetzen „zur". Es ist hier kein Unterschied zwischen der Musik der Leier und dem Tönen der Flöte erkennbar, während sonst die Lieder zur Flöte auf gröfsere Erregung schliefsen lassen, als die zur Leier. — *acri*] „schrill". — 2. *sumis celebrare*] In Prosa: *suscipis celebrandum*. — *Clio*] Muse der Geschichte, s. zu 1, 33 *Euterpe*. — 3. *quem deum?*] In der Ausführung folgen die Beispiele in chiastischer Ordnung, was psychologisch leicht erklärlich ist. — *cuius*] gehört zu *nomen*. — 3/4. *iocosa imago*] „neckender Nachhall". Umschreibung für „Echo". Das Ganze ist eine im Altertum geläufige und beliebte Wendung für: „welches Lied wird den in mir wogenden Gefühlen der Begeisterung entsprechen, wird der Nachhall des inneren Wortes sein?" Der Dichter versetzt sich selbst auf den Helikon und läfst sich von der Muse gewissermafsen das Thema sagen. — 5. *aut*] „sei es". — *Helicon, Pindus, Haemus*] Musenberge in Böotien, Thessalien und Thrakien, welche in umgekehrter Reihenfolge die Stationen angeben, auf denen der Kult der Musen zu den Griechen gelangt ist. — *oris*] „Säumen". — 6. *gelidove*] = kühl, weil „schneebedeckt". — 7. *temere*] „besinnungslos". — 8. *silvae*] „der Wald". — 9. *arte materna*] Seine Mutter hiefs *Καλλιόπη*. — *rapidos*

blandum et auritas fidibus canoris
ducere quercus.

quid prius dicam solitis parentis
laudibus, qui res hominum ac deorum,
15 qui mare ac terras variisque mundum
temperat horis,

unde nil maius generatur ipso
nec viget quicquam simile aut secundum:
proximos illi tamen occupabit
20 Pallas honores,

proeliis audax. neque te silebo,
Liber, et saevis inimica virgo
beluis, nec te, metuende certa
Phoebe sagitta.

---

morantem] Die Gegensätze stehen mit Absicht nebeneinander: „das Gefälle hemmte". — 11. *blandum et*] Umstellung des *et*. Von *blandum* hängt *ducere* als Inf. des Zwecks ab. Wir: „und schmeichelnd mitzog". — *fidibus canoris*] zu *ducere*. — *auritas*] „horchend". — 12. *quercus*] Vielleicht werden die *quercus* gerade mit Absicht angeführt, weil es von allen Bäumen bei ihnen am meisten wunderbar war, da sie sonst nie aufmerksam sind, sondern immer wispern und schwatzen (*quercus: χαρχαίρω*. Etymologie von Keller). Die Verweilung *(commoratio)* von 5—12 hat den Zweck, die Anrufung der Muse durch den Hinweis auf die Macht des Orpheus, der durch ihre Kunst wirkte, zu begründen.

B. 13—48. a. 13—24. 13. *dicam*] „darf ich singen"; *omne principium a Iove*. Unter den Göttern scheint der Dichter die ausgewählt zu haben, welche im Gigantenkampf als Hüter des höchsten Willens gegen jede Art von Auflehnung besonders beteiligt waren. — 14. *res*] „Schicksal". — 15. *variisque mundum*] für *mundumque* (das „All") *variis*. — *variis horis* Abl. instr. zu *temperat* „ordnet im Wechsel der Jahreszeiten". — 17. *unde*] *a quo*. — 18. *simile*] Ergänze *ei*. Der Satz mit *nec* tritt selbständig aus dem Relativsatz heraus. — *secundum*] „annähernd gleich". — 19. *illi*] sc. *Iovi*. — *occupabit*] soll (in meinem Liede) erhalten. — 20. *honores*] „Rang". — 21. *proeliis audax*] übers. durch ein Kompositum = *πρόμαχος*. — *neque te silebo*] Die bloſse Erwähnung in einem Gedicht ist nach antiker Auffassung schon eine Verherrlichung. Das bloſse „Ich will dich besingen" mit oder ohne schmückende Epitheta ist schon ein Gedicht. — 23. *beluis*] Scheusalen wie Tityos, Orion. — *certa*] „untrüglich treffend": *κλυτότοξος*.

25 dicam et Alciden, puerosque Ledae,
hunc equis, illum superare pugnis
nobilem; quorum simul alba nautis
stella refulsit,

defluit saxis agitatus umor,
30 concidunt venti fugiuntque nubes,
et minax, quod sic voluere, ponto
unda recumbit.

Romulum post hos prius, an quietum
Pompili regnum memorem, an superbos
35 Tarquini fasces, dubito, an Catonis
nobile letum.

Regulum et Scauros animaeque magnae
prodigum Paullum superante Poeno

---

b. 25—32. 25. *Alciden*] „Herakles“. — 26. *hunc equis*] Vgl. Ilias III, 237: *Κάστορά θ' ἱππόδαμον καὶ πὺξ ἀγαθὸν Πολυδεύκεα.* — *pugnis*] nicht von *pugna.* — 27. *quorum simul*] Die relative Anknüpfung bei der Konjunktion *simul* ist bei Horaz besonders häufig. — *alba stella*] ist das St. Elmsfeuer, welches von den Alten als Stern aufgefaſst wurde (Gemoll). — 29. *defluit saxis agitatus umor*] „vom Geklipp das gepeitschte Naſs“. — 30. *concid. venti*] „sinkt das Gebraus, es fliehen die Wolken“. — 31. *minax*] „vorher so dräuende“. — *quod sic voluere*] soll die bedeutende Macht der Dioskuren hervorheben und nimmt den Satz *quorum simul ... refulsit* wieder auf. Die Natur ist auch hier der Macht der Götter gegenüber so ohnmächtig geschildert, wie 9, 10. — *ponto*] Dativ, abhängig von *recumbit,* wie der Dativ sonst bei *incumbit* steht (lagert sich nieder auf).

c. 33—48. 33. *prius*] Es handelt sich in dieser Strophe um zwei Paare: 1) Romulus und Pompilius, 2) Tarquinius und Cato. Das erste Paar umfaſst den kriegerischen und friedlichen König, das zweite den rücksichtslosen Tyrannen und den starren Republikaner. Der Dichter meint: Sie alle haben mitgewirkt zur Gröſse Roms, aber er will sie nicht feiern. — *quietum regnum*] „Friedensregiment“. — 34. *superbos fasces*] geradezu „Tyrannis“. — 35. *Tarquinius*] Es ist der kraftvolle Eroberer gemeint. — 36. *nobile*] = *notus* 2, 2, 6. 3, 11, 25 weder lobend noch tadelnd, sondern die Thatsache berichtend: „vielberufen“. — 37. *Regulum*] Es folgen im scharfen Asyndeton die Idealbilder der alten Zeit, welche auch Livius verherrlicht. — *Scauros*] Aemilius Scaurus trieb (nach dem unglücklichen Gefecht gegen die Cimbern bei der Etschklause) durch seine Strenge den eigenen Sohn in den Tod. — *animae magnae prodigum superante Poeno*] „der sein edles Blut vergoſs im

gratus insigni referam camena
40 Fabriciumque.

hunc et incomptis Curium capillis
utilem bello tulit et Camillum
saeva paupertas et avitus apto
cum lare fundus.

45 crescit occulto velut arbor aevo
fama Marcellis; micat inter omnes
Iulium sidus velut inter ignes
luna minores. —

gentis humanae pater atque custos,
50 orte Saturno, tibi cura magni
Caesaris fatis data: tu secundo
Caesare regnes.

ille seu Parthos Latio imminentes
egerit iusto domitos triumpho

Kampf mit dem obsiegenden Punier". Livius: „sedens in saxo cruore oppletus". — Ein Wortspiel zwischen *magnae* und *Paullum* ist Horaz zuzutrauen. — 39. *gratus*] „dankbar". — *insigni Camena*] „in auszeichnendem Liede", „im Hochgesang"; *Camena* ein anderer Name für Muse; hier metonymisch für „Lied". — 40. *Fabriciumque*] welcher zu einer besonderen Art der Helden der Glanzzeit hinüberleitet: den genügsamen. — 41. *incomptis capillis*] Abl. qual. „den schlichtgelockten". — 42. *tulit*] „schuf". — *utilem bello*] gehört gemeinsam zu den drei Helden. — 43. *saeva paupertas*] Wir würden sagen: „Harte Arbeit". — 44. *apto lare*] mit der (zugefügten) Hütte. Er geht zu seiner Zeit über. — 45. *occulto aevo*] Abl. qual. zu *arbor* „von grauem Alter". Der alte Stamm der Marceller (denke an den Sieger von Nola!) treibt neue Zweige in Marcellus, den Augustus im J. 23 mit seiner Tochter Julia verheiratete. — 46. *inter omnes*] Erg. „Helden!". — 47. *Iulium sidus*] Das Bild ist durch die Erinnerung an den gleich nach der Ermordung Cäsars erschienenen Kometen veranlaſst; es ist das ganze Geschlecht der Julier gemeint, dessen Repräsentanten die Reihe abschlieſsen. — *ignes*] „Lichter".

C. Das Gebet selbst. 49—60. 50. *magni Caesaris*] hängt von *cura* ab. Natürlich ist Augustus gemeint. — 51. *data*] „vertraut"; ergänze *est*. — *secundo Caesare*] Der Abl. abs. enthält den eigentlichen Wunsch und den Hauptsatz: Laſs Cäsar den zweiten nach dir im Regiment sein! Dieser Gedanke wird in den beiden folgenden Strophen ausgeführt. „Denn". — 53. *Latio imminentes*] wie römische Diplomaten allzu ängstlich übertrieben. Vgl. II, 11. — 54. *iusto*] „wahr,

55 sive subiectos Orientis orae
Seras et Indos,
te m i n o r latum reget aequus orbem;
tu gravi curru quaties Olympum,
tu parum castis inimica mittes
60 fulmina lucis.

XIII.

Cum tu, Lydia, Telephi
cervicem roseam, cerea Telephi
laudas bracchia, vae meum
fervens difficili bile tumet iecur,
5 tum nec mens mihi nec color
certa sede manet, umor et in genas
furtim labitur, arguens
quam lentis penitus macerer ignibus.
uror, seu tibi candidos
10 turparunt umeros immodicae mero

echt". — 55. *subiectus*] „grenzend". — 56. *Seras et Indos subiectos orae Orientis*] nämlich *egerit*. Gesandte der Inder und Scythen besuchten wirklich Oktavian in Tarraco im J. 24 v. C. auf. — 57. *aequus*] „mit Huld". — 58. *gravi curru*] „mit donnerndem Wagen". — 59. *inimica*] „strafende". — 90. *lucis*] „geweihte Stätten".

Ein Hymnus auf Rom und seinen Herrscher, den er vor Überhebung und dem Geschick des Antonius durch Hervorhebung der Macht Juppiters warnen will. Es ist ein Begrüfsungslied des neuen Kaisertums und wahrscheinlich bald nach der Schlacht bei Aktium gedichtet.

Carm. I, 13. Höre ich, wie dein A und O Telephus ist, so fühle ich die Qualen der Eifersucht (1—8). Aber ich liebe dich trotz alledem (9—12). Wolltest du von ihm lassen, fändest du bei mir treue Liebe (13—20). 8. 4. 8.

1—8. 1. *Telephi*] Die Wiederholung ist beabsichtigt und schön, wie die von Quintilium 1, 24 und von Teucro, 1, 7, 27. — 2. *cerea*] „wachsweifs". Wachs diente für Mädchen als Schminke. Tel. war also ein schwächlicher Geck. — 3. Konstr.: *meum iecur fervens tumet difficili bile*. Der Dichter ahmt Hom., Il. 9, 646 nach: οἰδάνεται κραδίη χόλῳ. — 6. *manet*] Ähnl. Hom. τρέπεται χρώς. — *certa sede*] nur zu *color*. — *umor et*] Umstellung des *et* „und die Zähre". — 7. *arguens*] „verratend". — 8. Konstr.: *quam penitus macerer lentis ignibus*] *ignes* die Gluten der Liebe, aber auch der Gegenstand dieser. *lenti* „zäh".

9—12. 9. *uror*] vgl. 6, 19. — *candidos*] „blendend". — 10. *immodicae mero rixae*] „durch Wein erhitztes

rixae, sive puer furens
impressit memorem dente labris notam.

non, si me satis audias,
speres perpetuum dulcia barbare
15 laedentem oscula, quae Venus
quinta parte sui nectaris imbuit.

felices ter et amplius
quos irrupta tenet copula nec malis
divolsus querimoniis
20 suprema citius solvet amor die.

XIV.

O navis, referent in mare te novi
fluctus? o quid agis? fortiter occupa
portum. nonne vides ut
nudum remigio latus
5 et malus celeri saucius Africo
antemnaeque gemant ac sine funibus

Necken". — 11. *puer*] Telephus. — *furens*] „liebestoll" prädikativ. — 12. *memorem notam*] „ein Denkzeichen".

13—20. 14. *speres perpetuum (fore) laedentem*] = *cum* oder *qui laedat.* — 16. *quinta pars*] „die Quintessenz". Bei den Pythagoreern war die πέμπτη οὐσία das Reinste, näml. der Äther. — *imbuit*] „träufelte". — 17. *felices*] μάκαρες τρισμάκαρες. — 18. *irrupta*] nach ἄρρηκτος gebildet. — Konstr.: *et quos amor non divolsus malis querimoniis* (= ein über schlimmes Gequäle erhabener Liebesbund) *non citius solvet suprema die,* nicht eher als dies der Tod thut.

Carm. I, 14. Du willst wieder hinaus ins Meer, mein Schiff, trotzdem du dem Schiffbruch nur mit Not entgangen bist? (1—10.) Mir bangt um dich. Sei vorsichtig! (11—20.) Diese Allegorie dichtete H. wahrscheinlich, als der Krieg zwischen Oktavian und Antonius auszubrechen drohte (32/31). 10. 10.

1—10. 1. *navis*] Nichts ist gewöhnlicher, als den Staat mit einem Schiffe zu vergleichen, wie es hier geschieht; vgl. Goethe (Tasso): „Zerbrochen ist das Steuer, uns kracht das Schiff an allen Seiten; berstend reifst der Boden unter meinen Füfsen auf". — 2. *agis*] „beginnst du?" — 4. *nudum*] „bar". — *latus*] „Bord". — 5. *celeri*] „ungestüm". Der Dichter wendet das Epitheton bei den Winden häufig an. — 6. *gemant*] Prädikat zu *latus, malus, antennae,* mit

vix durare carinae
possint imperiosius

aequor? non tibi sunt integra lintea,
10 non di, quos iterum pressa voces malo.
quamvis Pontica pinus,
silvae filia nobilis,

iactes et genus et nomen inutile:
nil pictis timidus navita puppibus
15 fidit; tu, nisi ventis
debes ludibrium, cave.

nuper sollicitum quae mihi taedium,
nunc desiderium curaque non levis,
interfusa nitentes
20 vites aequora Cycladas.

---

sinnlicher Belebung des Toten. — *sine funibus*] = *nisi funibus continerentur (carinae)* „ohne Gurttaue". — 7. *carinae*] „Kiel"; Plur. in dichterischer Weise statt des Singular, um an die Teile des Ganzen zu erinnern; so *puppibus* v. 14 für *puppi*. — 8. *imperiosius*] Übers. durch den Positiv. — 10. *di*] Damit mufs das Götterbild hinten am Schiff gemeint sein. — Konstr.: *quos voces iterum pressa malo*. — *iterum*] nämlich durch den Aktischen Krieg, vorher durch den sicilischen gegen Sex. Pompejus.

11—20. 11. *Pontica pinus*] Apposition zum Subjekt du. — 12. *filia silvae nobilis* (Genet.). — 13. *iactes*] „rühmend hinweisest". — 14. *timidus*] „wenn er in Furcht geraten". — *puppibus*] dem buntverzierten Spiegel. — 15. *tu*] „darum". — 16. *debes*] „bestimmt bist zum". — 17. Konstr.: *quae nuper mihi (fuisti) sollicitum taedium, (quae) nunc (es) desiderium curaque non levis, vites aequora interfusa nitentes Cycladas*. *nuper* nach der Schl. bei Philippi, *nunc:* wo er durch Mäcenas sich wieder mit den staatlichen Verhältnissen auszusöhnen beginnt. — *sollicitum taedium*] „widerwärtiges Sorgenkind". — 18. *desiderium curaque*] „ein Gegenstand liebender Sehnsucht". — 19. *interfusa*] = *fusa* (strömend) *inter*. — *nitentes*] heifsen die Cykladen wegen ihres weithin schimmernden Marmors. Ob das Aegäische Meer gemeint ist oder das Meer überhaupt, bleibt unsicher.

Dem Dichter schwebte bei Abfassung dieser Allegorie das Gedicht des Alcaeus vor: *Ἀσυνέτημι τῶν ἀνέμων στάσιν· Τὸ μὲν γὰρ ἔνθεν κῦμα κυλίνδεται, Τὸ δ᾿ ἔνθεν· ἄμμες δ᾿ ἂν τὸ μέσσον Νᾶϊ φορήμεθα σὺν μελαίνᾳ.*

Carm. I, 15. Als Paris Helena entführte, sang ihm Nereus während einer Windstille sein Schicksal (1—4): Vergeblich suchst du deinem Geschick

XV.

Pastor cum traheret per freta navibus
Idaeis Helenen perfidus hospitam,
ingrato celeres obruit otio,
ventos ut caneret fera

5 Nereus fata. „mala ducis avi domum,
quam multo repetet Graecia milite,
coniurata tuas rumpere nuptias
et regnum Priami vetus.

eheu, quantus èquis, quantus adest viris
10 sudor! quanta moves funera Dardanae
genti! iam galeam Pallas et aegida
currusque et rabiem parat.

nequiquam Veneris praesidio ferox
pectes caesariem grataque feminis

---

zu entrinnen: du wirst ein jähes Ende nehmen (5—20), zu gewaltige Helden stürzen auf dich ein. Das Geschick Trojas ist unaufhaltsam (21—36). 4. 16. 16.

1—4. 1. *Pastor navibus Idaeis*] Eine Enallage. — *traheret*] „mit sich zog", d. h. durch Überredungskünste ihr Nichtwollen besiegte. — 2. *Helenen*] In den Oden gebraucht der Dichter die griechischen Endungen. — *perfidus hospitam*] mit Absicht des Gegensatzes wegen nebeneinander gestellt: „Der treulose die gastliche", wie *tenues grandia* 6, 9. — 5. Konstr.: *Nereus, ut caneret fera fata, obruit celeres ventos ingrato otio.* — 3. *ingrato*] „unwillkommen", den Winden. *Nereus,* Vater der Thetis, steht natürlich aufseiten der Griechen; als Gott des Meeres besitzt er die Kunst, die Zukunft zu schauen.

5—20. 5. *mala avi*] „unter bösem Vorzeichen". — 6. *quam*] bezieht sich auf ein ausgelassenes *eam.* — *multo milite*] „mit vielem Kriegsvolk". — 7. *coniurata*] konstr. wie *parata.* Ein Schwur war dem Vater Helenas, Tyndareus, von ihren Freiern geleistet, den zu schützen, den er sich zum Eidam wählen würde. Dieser Schwur wurde dann in Aulis erneuert. Hier beginnt die Vision. — 9. *Eheu*] weil Nereus durch den Tod Achills betrübt wird. — *adest*] = *est* „bedeckt". Hier wie bei den folgenden Versen dieser Strophe schweben Homerische Stellen vor. — 10. *funera moves*] „Gemetzel verschuldest". — *Dardanae*] Die Dardanier werden wie Lycier und Phrygier selten von den eigentlichen Troern unterschieden. — 12. *currus*] der Plural, wie bei Homer ὄχεα. Der Streitwagen des Diomedes ist gemeint. — *rabiem*] Wir sind nicht gewohnt, solche Abstracta mit Concreta durch *et* zu verbinden. — 13. *ferox*] „pochend". — 14. *grata*] Dazu gehört *feminis* „frauenbethörend". —

15 imbelli cithara carmina divides,
nequiquam thalamo graves
hastas et calami spicula Cnosii
vitabis strepitumque et celerem sequi
Aiacem; tamen, heu serus, adulteros
20 crines pulvere collines.
non Laertiaden, exitium tuae
genti, non Pylium Nestora respicis?
urguent impavidi te Salaminius
Teucer, te Sthenelus sciens
25 pugnae, sive opus est imperitare equis,
non auriga piger. Merionen quoque
nosces. ecce furit te reperire atrox
Tydides melior patre:
quem tu, cervus uti vallis in altera
30 visum parte lupum graminis immemor,

---

15. *divides*] „auf der Zither künstlerisch darstellen", eigentlich anordnen oder verteilen. Falsch ist die Auffassung: die Lieder durch die Zither unterbrechen. *dividere* steht, weil der Gesang auf die einzelnen Saiten der Zither „verteilt" wird. — 16. *thalamo*] Abl. instr. Vorschwebt Ilias Γ, 381: ἐκάλυψε δ' ἄρ' ἠέρι πολλῇ κὰδ δ' εἷσ' ἐν θαλάμῳ κτλ. Wie anders schildert Virgil Paris in der Äneis! — 17. *Cnosii*] Auf Kreta wuchs das beste Rohr, auch hatten die Kretenser Ruf als Bogenschützen. — 18. *strepitum*] ἀυτή, ὀρυμαγδός. — *celerem sequi*] ταχύς. Gemeint ist Ajax, Oileus' Sohn. — 19. *heu*] zu *serus*. — *adulteros crines*] „buhlerische Locken"; diese besonders verschafften ihm Frauengunst. — 20. *collines pulvere*] Der Dichter denkt an das Homerische ἐν κονίῃσι μιγῆναι.

21—36. 24. *sciens pugnae*] soll wohl Homers δαΐφρων übersetzen, welches man heute richtiger erklärt. — 25. *sive*] „oder wenn"; vgl. Od. IX, 50: ἐπιστάμενοι μὲν ἀφ' ἵππων ἀνδράσι μάρνασθαι, καὶ ὅθι χρὴ πεζὸν ἐόντα. — 26. *non piger*] Litotes mit verstärkender Kraft. — 27. *reperire*] Infin. des Zwecks, von *furit* abhängig. — *atrox*] prädikativ „im Grimm". — 28. *melior patre*] nimmt Bezug auf Sthenelos' Äufserung Δ, 405: ἡμεῖς τοι πατέρων μέγ' ἀμείνονες εὐχόμεθ' εἶναι. *melior* bezieht sich oft auf kriegerische Eigenschaften. — Doch gilt das Folgende eigentlich viel mehr von den Atriden (Menelaos) als von dem Tydiden. Vgl. Hom. Il. Γ, 430. 449. Der Dichter zeigt wohl Kenntnisse Homers, aber in dieser Ode mehr tumultuarische als geordnete. — 29. *cervus*] H. denkt an νεβρός, der bei Homer den schimpflichen Ruf unseres Hasen hat. — 30. *in altera parte vallis*] gehört zu *visum*. — *graminis*] „der

sublimi fugies mollis anhelitu,
non hoc pollicitus tuae.
iracunda diem proferet Ilio
matronisque Phrygum classis Achillei;
35 post certas hiemes uret Achaicus
ignis Iliacas domos."

XVI.

O matre pulchra filia pulchrior,
quem criminosis cumque voles modum
pones iambis, sive flamma
sive mari libet Hadriano.
5 non Dindymene, non adytis quatit
mentem sacerdotum incola Pythius,

Atzung". — 31. *mollis*] „ein Weichling". — *sublimi anhelitu*] „keuchend". — 32. *tuae*] verächtlich „deiner Liebsten". — 33. *iracunda classis A.*] „Der Zorn der". Denn da der König grollt, grollt auch seine Schar. — *diem*] prägnant für *diem supremum: αἴσιμον ἦμαρ.* — 34. *matronisque*] *que* fügt zum Ganzen den hier besonders schmerzlich berührten Teil. — 35. *post*] Schiebe „doch" ein! — *certas hiemes*] bezieht sich nicht auf die Zeit vom Zorn Achills' an, sondern vom Beginn des Krieges an. — *certas*] nämlich *fato*. — *hiemes*: Die Einnahme Trojas fiel in den Sommer.

Mythologische Stoffe zu behandeln, war der herrschende Geschmack in des Dichters Zeit; doch hätte er vielleicht diese Studie (nach Bacchylides) nicht herausgegeben, wäre er nicht selbst später von der Ähnlichkeit dieser Verhältnisse mit denen des Antonius und der Kleopatra betroffen worden. Vgl. III, 3.

Carm. I, 16. Setze deinen Schmähgedichten auf mich ein Ziel (1—4). Ich that es im Zorn, dafs ich deiner Mutter Spottverse zusandte. Furchtbar ist des Zornes Kraft — und das ist nicht wunderbar bei seiner Herkunft und ist ersichtlich aus seinen Wirkungen (5—24). Ich verspreche Besserung, wenn du mir wieder gut wirst (25—29).

1—4. 1. *o matre pulchra filia pulchrior*] ist so viel als „allerschönstes Mädchen", ist aber nicht so zu übersetzen. — 3. Konstr.: *pones modum quemcumque voles criminosis iambis.* Das Futur bezeichnet den Wunsch und das Vermögen: du kannst. — *modum pones*] „ein Ziel setzen", dann „ein Ende machen". — *flamma*] Ergänze: *modum ponere libet.* — 4. *Hadriano*] individualisierend für „Meer" überhaupt.

5—24. 5. *non ... non ... non*] Dazu gehört *aeque ... adytis.* Für diese Art des Vergleichs ist das Vor-

non Liber aeque, non acuta
sic geminant corybantes aera,

tristes ut irae, quas neque Noricus
10 deterret ensis nec mare naufragum
nec saevus ignis nec tremendo
Iuppiter ipse ruens tumultu.

fertur Prometheus addere principi
limo coactus particulam undique
15 desectam et insani leonis
vim stomacho apposuisse nostro.

irae Thyesten exitio gravi
stravere et altis urbibus ultimae
stetere causae, cur perirent
20 funditus imprimeretque muris

---

bild in dem Homerischen (Il. *P*, 20): *οὔτ' οὖν παρδάλιος τόσσον μένος οὔτε λέοντος ... ὅσσον Πάνθου υἷες ... φρονέουσιν.* — *adytis*] Abl. loci. — 6. *mentem sacerdotum*] ist den Subjekten Dindym. und Pythius gemeinsam. — *mentem*] Denke an: *μάντις, μανία, mentiri* und übers.: „die verzückten Priester". — *incola Pythius*] = *Pythius*, der Bewohner oder Herr von Pytho. — 7. *non Liber aeque* (*quatit* etc.)] Man denke an die Bacchantinnen, Mänaden, Thyiaden. — 8. *Corybantes*] scheint H. als Priester Reas zu fassen und mit den Cureten zu verwechseln, da von Dindymene ja schon die Rede war. Beachte die Kürze der Endsilbe *-es*. — *geminant*] prägnant für: *geminis aeribus sonum efficiunt* „verdoppeln den Klang der scharfen Becken, schlagen die gellenden Becken aneinander". — 9. *tristes ut irae*] Ergänze als gemeinsames Prädikat aus den vier vorangegangenen Gliedern: wütet. — *irae*] ist personifiziert. Für den Relativsatz ergänzen wir in Gedanken: *iracundum*. — 10. *naufragum*] „schiffzertrümmernde". — 12. *ruens*] „wenn er daherfährt mit". Es ist kein gewöhnliches Unwetter gemeint, sondern eine Art „Weltuntergang". — 13. Konstr.: *Prometheus coactus addere particulam undique desectam principi limo* (dem Urstoff), *fertur apposuisse et (etiam) vim* (Gewaltthätigkeit) *insani leonis stomacho nostro*. Also reichte nach dieser Darstellung Horazens der Schöpferthon nicht zur Menschenbildung aus, und so mufste Prometheus Teilchen von andern Wesen zuhilfe nehmen. — 17. *irae*] Die betonte Stellung geben wir wieder mit: „Ja, Zorn war's, was". — *Thyestes*] aus jener Pelopidenfamilie, in der ein Frevel den andern gebar. — *exitio*] Abl. instr. — 18. *stravere*] etwa „zermalmt". — *altis urbibus*] „ragende St.", wie bei Homer: *αἰπεινή*. — 19. *stetere*] Subj. ist *irae*. — 20. *funditus*] = *κατ' ἄκρης*. — 21. *exer-*

hostile aratrum exercitus insolens.
compesce mentem: me quoque pectoris
temptavit in dulci iuventa
fervor et in celeres iambos
25 misit furentem. nunc ego mitibus
mutare quaero tristia, dum mihi
fias recantatis amica
opprobriis animumque reddas.

XVII.

Velox amoenum saepe Lucretilem
mutat Lycaeo Faunus et igneam
defendit aestatem capellis
usque meis pluviosque ventos.
5 impune tutum per nemus arbutos
quaerunt latentes et thyma deviae

---

citus insolens] „in seinem Übermut" nach Homerischer Anschauung, wo der Sieger ἐπεύχεται. Es bestand die Sitte, den Pflug über die eroberte Stadt zu ziehen. — 23. *in dulci iuventa*] Hat sie mich auch zu Thörichtem verleitet, so mag ich ihr doch nicht fluchen. — 24. *fervor pectoris*] „inneres Stürmen". — 25. *(me) misit furentem*] „mich fortgerissen". — *celeres*] wie Pfeile.

25—29. 27. *recantatis opprobriis*] „wo ich meine bösen Wünsche zurücknehme". — 28. *animum*] „wieder dein Herz schenkst"! *animus* „Zuneigung", wie IV, 1, 31.

Das Gedicht ist ein Produkt jugendlicher Überschwenglichkeit und sprudelnder Dichterlaune.

Carm. I, 17. An Tyndaris. Mein Gut ist des Faunus Lieblingssitz und daher ein Eden (1—14). Genieſse, Freundin, dieses Geschenk der Götter an uns Dichter und vergiſs deine kleinen Leiden in der Hauptstadt (15—28). (14. 14).

1—14. 1. *velox*] zu *Faunus*. Übers. es adverbiell. — 2. *mutat*] „eintauschen gegen". — Würden wir „vertauschen" übersetzen, so müſsten wir die Tauschobjekte umkehren. — *Lucretilem*] Berg in der Nähe der Villa des Horaz. — 2. *Lycaeo Faunus*] Pan, der Hirtengott der Griechen, welcher besonders in Arkadien verehrt und auf dem dortigen Lykaiosgebirge wohnend gedacht wurde, ist allmählich mit dem Faunus der Römer in dem Mythus verschmolzen. — *igneam aestatem*] „des Sommers Feuerhauch". — 3. *capellis*] Dativ. — 4. *usque*] jedesmal immer, entspricht dem *saepe*. — 5. *impune*] „suchen ohne Fährde". — 6. *latentes arbutos et thyma*] Objekt zu

olentis uxores mariti
nec virides metuunt colubras

nec Martiales haediliae lupos,
10 utcumque dulci, Tyndari, fistula
valles et Usticae cubantis
levia personuere saxa. —

di me tuentur, dis pietas mea
et musa cordi est. hic tibi copia
15 manabit ad plenum benigno
ruris honorum opulenta cornu.

hic in reducta valle caniculae
vitabis aestus et fide Teia
dices laborantes in uno
20 Penelopen vitreamque Circen.

---

quaerunt. V. Hehn, Italien, S. 67: „Die kletternde, knappernde Ziege bedarf nicht des saftigen, feuchten Wiesengrases, sondern nährt sich auf und abspringend von der Strauchvegetation und den harten, würzigen Kräutern, die an heifsen Bergwänden sprossen, am liebsten von dem immergrünen Arbutus, der unserem Heidekraut entspricht. Überaus malerisch hängen diese Ziegenherden weitend über den Felsabstürzen." — 7. *uxores olentis mariti*] launige Umschreibung für *capellae* nach griech. Vorbild. So heifst es Verg. Bucol. 7, 7: „vir gregis ipse caper deerraverat". — 8. *nec metuunt*] grammatisch = *non metuentes.* — 9. *Martialis*] weil dem Mars heilig. — *haediliae*] „Zicklein". — 10. *Tyndari*] wohl mit Absicht gerade hinter *dulci* eingeschoben. *Tyndaris* von *Tyndareus* gebildet, ein andrer Name für Helena. — *fistula*] die σῦριγξ Pans. — 11. *Usticae cubantis*] ἀπὸ κοινοῦ zu *vallis* und *saxa* (Gethal und Gestein). *cubans* „sanft hingestreckt" inbezug auf die Wellenlinien von Ustica. — 13. *dis cordist*] „die Götter segnen".

15—28. 14. *hic*] steht anaphorisch zu dem Folgenden. — Konstr.: *copia opulenta honorum ruris ad plenum manabit benigno cornu.* Der Begriff der „Fülle" ist mit Absicht gehäuft. — 16. *ruris honorum*] Die Zierden des Feldes sind die Feldblumen. — *cornu*] das „Segenshorn" Amaltheas. — 17. *reducta*] „Buchtung". — 18. *fide Teia*] Abl. instr. Wir „zur", vgl. 1, 12, 1. — *Teia*] weil Anakreon aus Teos stammt. — 19. *dices*] „singen von". — *laborantes*] „von dem Bangen" oder „der Pein". Vgl. Hom. Od. IX, 32: *Αἰαίη δολόεσσα, λιλαιομένη πόσιν εἶναι*; mit Rücksicht auf *δολόεσσα* wird sie dann *vitrea* „unzuverlässig" genannt. So ergiebt sich die hübsche Gegenüberstellung Penelopes, des Typus der Treue, und der unzuverlässigen Circe. —

hic innocentis pocula Lesbii
duces sub umbra, nec Semeleius
cum Marte confundet Thyoneus
proelia, nec metues protervum
25 suspecta Cyrum, ne male dispari
incontinentes iniciat manus
et scindat haerentem coronam
crinibus immeritamque vestem.

XVIII.

Nullam, Vare, sacra vite prius severis arborem
circa mite solum Tiburis et moenia Catili:
siccis omnia nam dura deus proposuit, neque
mordaces aliter diffugiunt sollicitudines.
5 quis post vina gravem militiam aut pauperiem crepat?
quis non te potius, Bacche pater, teque, decens Venus?

---

21. *Lesbii (vini).* — 22. *sub*] „tief im", wie *sub antro* 5, 3. — *duces*] „schlürfen". — 22/23. *Semeleius Thyoneus*] ist Bacchus als Sohn Semeles, welche im Olymp Thyone genannt wurde. Der letztere Name bezeichnet den Gott des Weines besonders in seiner gesteigerten, sinnverwirrenden Macht. — *confundet proelia*] prägnant für: *confundendo movere p.* „wirre Kämpfe erregen". — 24. *nec*] „ohne daſs". — 25. *suspecta*] „beargwöhnt". — *ne*] „daſs er etwa" erklärt das allgemeinere *protervum Cyrum.* — *male*] verstärkt *dispari.* — 28. *crinibus*] Abl. loci zu *haerentem.* — *immeritam*] Der launige Zusatz „das unschuldige Kl." an der bedeutendsten Stelle des Verses zeigt, daſs das ganze Gedicht ein scherzhaftes ist.

Der Dichter ersann oder fand eine konkrete Situation, um sich auch seinerseits in der damals so beliebten Idyllenpoesie zu versuchen. Das Bild im Anfang, das Sittenbild am Schluſs lehren, warum der Dichter das Idyll liebt.

Carm. I, 18. An Varus. Pflanze Wein! Mäſsig genossen versüſst er das Leben, unmäſsig — bringt er Verderben. Darum will ich vorsichtig sein! — Varus ist derselbe (Quintilius) Varus, dessen Tod, 1, 24 betrauert wird.

1—6. 1. *arborem*] „Gewächs", denn uns ist der Wein kein Baum. — 2. *et moenia Catili*] „am Gemäuer des C.", bezeichnet ebenfalls Tibur. Catillus, einer der drei Enkel des Amphiaraus, die Tibur gründeten. Noch heute dort monte di Catillo. — 3. *dura*] fast = unüberwindlich, weil zu hart. — 4. *mordaces*] „beiſsend". — *diffugiunt*] „zerstieben". — 5. *quis*] asynd. advers. — *gravem*] zu *militiam aut pauperiem,* „die Last". — 6. *te po-*

ac ne quis modici transiliat munera Liberi,
Centaurea monet cum Lapithis rixa super mero
debellata, monet Sithoniis non levis Euhius,
10 cum fas atque nefas exiguo fine libidinum
discernunt avidi. non ego te, candide Bassareu,
invitum quatiam nec variis obsita frondibus
sub divum rapiam. saeva tene cum Berecyntio
cornu tympana, quae subsequitur caecus amor sui,
15 et tollens vacuum plus nimio gloria verticem,
arcanique fides prodiga, perlucidior vitro.

---

tius] Ergänze aus *crepat* (dem bäurischen Schwatzen) das entgegengesetzte Verbum „preist". — *pater*] als Gott, obwohl Bacchus ein Jüngling war; wir „göttlich". — *decens*] betont dem *crepat* gegenüber: „taktvoll, vornehm".

7—11. 7. *ac*] „freilich". — *modici transiliat munera Liberi*] dichterisch frei für: *transiliat modum munerum Liberi* „überspringe nicht die Grenze, welche die Geschenke *Libers* erheischen". — 8. *Centaurea*] Die Centauren begannen bei der Hochzeit des Lapithenkönigs Pirithous und der Hippodamia Streit mit den Lapithen, welcher mit Vernichtung der Angreifer endete. — *super mero*] *super* lokal = „über dem strömenden Weine", d. h. während des Zechgelags; man hätte dafür *super merum* erwarten sollen. — 9. *non levis*] Litotes „verhängnisvoll". — *Sithonii*] sind die wegen ihrer Trunksucht berüchtigten Thracier. — 10. *exiguo fine libidinum disc. avidi*] fast gleich: *nullo fine discernunt, ut sunt libidinosi. libidinum* Genetivus subi., von *fine* abhängig: „welche den Leidenschaften eigentümlich ist". Schiller, Wallenstein: „Noch ist sie rein — noch! Das Verbrechen kann nicht über diese Schwelle noch — So schmal ist die Grenze, die zwei Lebenspfade scheidet." — 11. *Bassareus* und *Euhius* sind Namen des Bacchus im orgiastischen Kult, der erstere von εὐοῖ, der zweite von βασσαρίς, dem Fuchspelz, welchen die Bacchantinnen trugen.

11—16. 11. *ego*] tonlos. — 12. *quatiam*] für *quatiendo (thyrsum) lacessam.* Kisten mit Laub bedeckt wurden bei den Aufzügen getragen. — 13. *tene*] Simplex pro Composito. — *Berecyntio*] Die Orgien Cybeles auf dem *Berecyntus* (einem Berge in Phrygien) waren denen des Bacchus ähnlich. — 15. *gloria*] „Ruhmsucht". — 16. *fides prodiga arcani*] *fides* hier nur „Sinnesart". — *perlucidior*] Die Diärese ist vernachlässigt, weil noch die Selbständigkeit der Präposition in dem Kompositum empfunden ward; ähnlich II, 12, 25 *(detorquet)*.

Politische Sorgen quälen den Dichter noch, und Vorsicht allein kann ihn vor Verderben bewahren. Antonius' Schlemmerleben mag ihm manche Züge zu diesem Gemälde geliefert haben.

XIX.

Mater saeva cupidinum
Thebanaeque iubet me Semeles puer
et lasciva Licentia
finitis animum reddere amoribus.
5 urit me Glycerae nitor
splendentis Pario marmore purius;
urit grata protervitas
et voltus nimium lubricus adspici.

in me tota ruens Venus
10 Cyprum deseruit nec patitur Scythas
et versis animosum equis
Parthum dicere nec quae nihil attinent.

hic vivum mihi caespitem, hic
verbenas, pueri, ponite turaque
15 bimi cum patera meri:
mactata veniet lenior hostia.

Carm. I, 19. Ich liebe wieder (1—4). Die schöne Glycera läſst mich alles vergessen (5—12). Ich will durch Opfer sorgen, daſs die Liebesqualen erträglicher werden (13—16).

1—4. 3. *Lasciva licentia*] beabsichtigte Allitteration. — 4. *amoribus*] „Liebesdienst“.

5—12. 5. *urit*] „entflammt“. — 6. *splendentis Pario marmore purius*] Der Dichter will nicht eigentlich sagen, daſs der Glanz noch reiner ist als der des Marmors; das Ganze ist nur ein Ausdruck für unser Kompositum „marmorglänzend“. — 8. *voltus nimium lubricus adspici*] = *adspicienti,* weil derselbe „hinsinkt“, von dem Blick gefesselt. „Des Auges, ach, verlockender Glanz.“ — 9. *tota*] „mit ganzer Macht“. — *ruens*] „um sich zu stürzen“. Das Participip enthält den Hauptbegriff. — 10. *Cyprum*] wo sie in Paphos besonders verehrt wurde. — Konstr.: *patitur (me) dicere Scythas et Parthum animosum versis equis nec quae nihil att.* — Scythen und Parther stehen für Reichsfeinde überhaupt. — 11. *versis equis animosum*] Ein Oxymoron „trotz der Wendung der Rosse mutvoll“, weil er wider Erwarten plötzlich die Flucht hemmen und den Feind angreifen will. — 12. *quae nihil att.*] „was ‚sonst‘ nicht von Belang ist“, da ihn jetzt nur die Liebe kümmert.

13—16. 13. *caespitem*] zum Altar. — *verbenas*] „heilige Kräuter“. — 16. *hostia*] Auch Opfertiere wurden der Venus dargebracht, aber ihr Blut durfte den Altar nicht benetzen. — *veniet*] „nahen“. Denn die Liebe ist erst im Entstehen.

In Glycera ist weder hier noch 30, 33; III, 19; 33 ein bestimmter Name

XX.

Vile potabis modicis Sabinum
cantharis, Graeca quod ego ipse testa
conditum levi, datus in theatro
cum tibi plausus,

5 care Maecenas eques, ut paterni
fluminis ripae simul et iocosa
redderet laudes tibi Vaticani
montis imago.

Caecubum et prelo domitam Caleno
10 tu bibes uvam: mea nec Falernae
temperant vites neque Formiani
pocula colles.

---

zu suchen; Glycera ist Nomen appellativum für „Geliebte" oder „meine Holde".

Carm. I, 20. An Mäcenas. Es gilt einen Festtag zu feiern! Du wirst mit Sabinerwein vorlieb nehmen müssen; ist er auch wohlfeil, so erhöht sich doch sein Wert für mich dadurch, dafs er mich an einen seiner Ehrentage erinnert. Magst du deine Freude bei deinem gröfseren Reichtum auch im Genufs edlerer Weine äufsern!

1—8. 1. *immodicis cantharis*] *canthari* sind käferförmige, bauchige Humpen. In seiner Freude ist dem Dichter gerade das gröfste Gefäfs am meisten recht. — *Sabinum*] nicht von seinem Gute, wo er keinen Wein zog. — 2. *Graecâ testâ*] abhängig von *conditum*. Weil er den Tag ehren wollte, nahm er ein kunstvolleres, nämlich griechisches Gefäfs. — 3. *conditum levi*] = *condidi et levi*, nämlich *pice*. — *datus (erat) plausus*] Nach seiner Genesung im J. 30 wurde Mäcen vom Volke im Theater des Pompejus, welches dem Mons Vaticanus gegenüberlag, mit Jauchzen empfangen. — 5. *paterni*] weil der Tiber Etrurien, das Geburtsland Mäcens, durchfliefst. — 7. *Vaticani montis*] Das Echo wohnt im Berge und erschallt von dorther. Genauer müfste es heifsen: *ripae et Vat. montis iocosa imagine*. *Vaticanus* hat sonst die Silbe *ti* lang. mons Vaticanus ist der Berg im Vatikanischen, d. h. mons Ianiculus.

8—12. Enthält die besten Weinsorten: Cäcuber und Formianer (aus Latium), Calener und Falerner (aus Campanien). — 9. *Caleno*] durch Enall. adiect. zu *prelo* gezogen, während es besser zu *uvam* stände. Wir: „zu Cales". — 10. *nec Falernae neque Formiani*] *nec* ... *neque* „weder ... auch nicht", also auch keine Cäcuber und Calener, da die Weine hier durchaus nicht getrennt werden sollen. — 11. *temperant*] vielleicht „würzen" oder „in meinen Becher fliefsen".

XXI.

Dianam tenerae dicite virgines,
intonsum, pueri, dicite Cynthium
Latonamque supremo
dilectam penitus Iovi.

5 vos laetam fluviis et nemorum coma,
quaecumque aut gelido prominet Algido,
nigris aut Erymanthi
silvis aut viridis Cragi.

vos Tempe totidem tollite laudibus
10 natalemque, mares, Delon Apollinis
insignemque pharetra
fraternaque umerum lyra.

hic bellum lacrimosum, hic miseram famem
pestemque a populo et principe Caesare in

Carm. I, 21. Besinget, ihr Jungfrauen und Knaben, die drei segnenden Götter: zusammen Latona (1—4); ihr Jungfrauen Diana (5—8); ihr Knaben Apollo (9—12). Dann wird die Gottheit uns gegen unsere Feinde helfen (13—16). — Ein Gebet zu den Göttern hat zum Inhalt das Anrufen derselben, den Preis ihrer Tempel und das Lob ihrer Thaten. Der Wunsch selbst wird nur kurz erwähnt.

1—4. 1. In *Dianam* ist das *i* hier lang gebraucht. — *dicite*] „singet". — *intonsum*] „gelockt" = ἀκερσεκόμης. — 2. *pueri, dicite*] Man beobachte den gleichen Bau und daneben das Streben nach Abwechselung. — *Cynthium*] heifst Apollo von dem Berge Cynthos auf Delos. — 3. *Latonamque*] „mit" Latona als Mutter. — 4. *dilectam Iovi*] statt *a Iove* bezeichnet ein dauerndes Verhältnis: die geliebt blieb.

5—8. 5. *laetam fluviis*] Ἄρτεμις ποταμία. — *nemora*] „Waldtriften". — *coma*] Der Schmuck des Laubes erscheint als „Haar" der Bäume. — 6. *prominet*] „hervorspriefst!" — 8. *silvis*] nicht *nigris* ist beiden Gliedern gemeinsam. Man beachte, wie die drei Glieder verschieden charakterisiert sind.

9—12. 9. *Tempe* und *Delos* sind, jenes die Lieblings-, dieses die Geburtsstätte Apollos. — Die vielen *t* in diesem Verse bewirken keine Kakophonie; vielleicht ist in diesem Gebet die sonst von Horaz oft gemiedene Allitteration beabsichtigt. — 12. *umerum*] steht Pars pro toto. Dieser Körperteil wird wegen des Köchers genannt. Wir können nur übersetzen: und ihn selbst im Ehrenschmuck des Köchers und der Leier des Bruders" (vgl. I, 10).

13—16. 13. *hic*] Apollo, um dessentwillen die andern zwei überhaupt erwähnt sind. — *bellum, famem, pestem*] sind überhaupt: Bedrängnisse des Staa-

15 Persas atque Britannos
vestra motus aget prece.

XXII.

Integer vitae scelerisque purus
non eget Mauris iaculis neque arcu
nec venenatis gravida sagittis,
Fusce, pharetra,

5 sive per Syrtes iter aestuosas
sive facturus per inhospitalem
Caucasum vel quae loca fabulosus
lambit Hydaspes.

namque me silva lupus in Sabina,
10 dum meam canto Lalagen et ultra

---

tes; eine herkömmliche Formel, wenn es sich um Abwehr handelte. Vgl. Liv. 8, 9, wo es von Decius heifst: „sicut caelo missus piaculum omnis deorum irae, qui pestem ab suis aversam in hostes ferret“. — *lacrimosum*] πολυδάκρυτος. — 14. *et*] „und seinem“. — 15. *Persas atque Britannos*] stehen für Feinde des Reichs überhaupt.

Der Ernst des Stoffes und die Rücksicht auf die Sangbarkeit des Liedes hat das Gedicht altertümlicher gefärbt.

Carm. I, 22. An Aristius Fuscus. Wer reinen Sinnes wandelt und von edler Liebe durchglüht ist, ist gefeit gegen alle Gefahren (1—8). Das habe ich erfahren, als ich vor wilden Tieren sicher die Wälder durchschweifte (9—16). Darum will ich nicht müde werden, zu lieben und zu singen (17—24). 8. 8. 8.

1—8. 1. *integer vitae*] *integer* „unberührt“ hat, wie die griechischen Adjectiva, welche mit a privativum zusammengesetzt sind, die Beziehung „wovon“ im Genetiv bei sich. — *vitae*] prägnant von dem immer mehr von der ursprünglichen Reinheit raubenden Leben; also eigentlich „unberührt vom schädigenden Leben“, dann: „reinen Sinnes“. — 2. *iaculis*] „Speerzeug“. — 4. *Fusce*] ein Freund des Horaz, der durch Übersendung dieser Ode geehrt wird, ohne dafs er sonst für den Inhalt der Ode in Betracht käme. — 5. Konstr.: *iter facturus sive per Syrtes aestuosas sive per inh. Caucas. vel loca, quae* ... Die Reisen nach diesen drei Orten scheinen also besonders gefährlich. — *Syrtes aest.*] Es ist von einem Landwege in dem heifsen, schlangengebärenden Afrika die Rede. — 7. *fabulosus*] „sagenumsponnen“. Freiligrath spricht von „des Nigers rätselhafter Flut“.

9—16. 9. *namque*] „so“. — 11. *cu-*

terminum curis vagor expeditis,
fugit inermem,

quale portentum neque militaris
Daunias latis alit aesculetis
15 nec Iubae tellus generat, leonum
arida nutrix.

pone me, pigris ubi nulla campis
arbor aestiva recreatur aura,
quod latus mundi nebulae malusque
20 Iuppiter urguet;

pone sub curru nimium propinqui
solis, in terra domibus negata:
dulce ridentem Lalagen amabo,
dulce loquentem.

---

ris expeditis] = *curis expeditus* „der Sorgen ledig“ (vgl. Catull., c. 31: „o quid solutis est beatius curis“), wie ein echter Wanderer, dem im deutschen Lied geraten wird: „und laſs daheim die Sorgen“. — 12. *fugit*] nahm Reiſsaus. — *inermem*] vermittelt den konzessiven Zusammenhang zwischen dieser und der folgenden Strophe. — 13. *portentum*] (auf *lupus*) ein „Getüm“. So heiſst der von Odysseus erlegte Hirsch Odyss. 10, 168: δεινὸν πέλωρον. — *militaris*] „streitbar“, ein Land, welches gute Soldaten liefert. — 15. *Iubae tellus*] Numidien und Mauretanien. — *leonum nutrix*] ähnlich wie das Homerische μήτηρ θηρῶν. — 16. *arida nutrix*] ein Oxymoron, übers.: „der Leuen lechzende Mutter“. Die zusammengedrängten Begriffe heben einander keineswegs auf, vielmehr sollen sie jeder in voller Stärke gelten und nur zusammen den Eindruck eines Gegensatzes machen, der dem Leser zu denken giebt.

17—24. 17—20 kalte Zone, 21—22 heiſse. — 17. *pone* (führe) *me* (in) *pigris campis, ubi* etc. — *piger*] „starr, träg“. So nennt Tacitus (Germania XLV) das Meer im Norden Schwedens: *pigrum ac prope immotum.* Alle diese Nachrichten gehen auf Pytheas von Massalia zurück, den ältesten Zeugen der keltischen Schiffersage. — 18. *recreatur*] „sich labt“. — *nebulae*] „Nebelmeer“. — *malus*] „garstig“. — 21. *propinqui*] Enall. adiect., wir beziehen es lieber auf *curru.* — 23. *dulce ridentem* etc.] poetische Individualisierung für: auch dort würde ich als Dichter der Liebe sicher und glücklich sein. — *Lalage*] Die „Schwatzende“ ist ein häufiger Name bei Libertinen. — 24. *dulce*] Accus. des Inhalts statt des Adverbs, nach dem ἡδὺ γελᾶν Homers gebildet, wie das folgende nach dem ἀδυ φωνείσας Sapphos. Ähnlich sagt ein deutscher Lyriker: „Ich hab' einmal ein Mägdlein gekannt, die konnte gar Rosen lachen.“

XXIII.

Vitas inuleo me similis, Chloe,
quaerenti pavidam montibus aviis
matrem non sine vano
aurarum et siluae metu:

5 nam seu mobilibus veris inhorruit
adventus foliis seu virides rubum
dimovere lacertae,
et corde et genibus tremit.

atqui non ego te tigris ut aspera
10 Gaetulusve leo frangere persequor:

Ein von der erregten Dichterseele phantastisch ausgeschmücktes Abenteuer im Walde veranlafste den Dichter zu dem ernst und feierlich beginnenden, begeistert und mit einschmeichelnden Allitterationen ausjauchzenden Liede von der Dichterseligkeit. Eine gewisse Ähnlichkeit zeigt Uhlands Waldlied: „Im Walde geh' ich wohlgemut; Mir graut vor Räubern nicht; Ein liebend Herz ist all mein Gut; Das sucht kein Bösewicht.“ Sage vom Arion!

Carm. I, 23. An Chloe. Du meidest mich schüchtern wie ein Reh (1—8). Lafs ab von der thörichten Furcht (9—12).

1—8. 1. *inuleo*] νεβρός wird auch von Homer oft in Vergleichen erwähnt, bei ihm jedoch als Feigling. Hier soll die Schüchternheit hervorgehoben werden, wie in dem vorschwebenden Anakreontischen Gedichte: *ἀγανῶς, οἷά τε νεβρὸν νεοθηλέα Γαλαθηνόν, ὅστ' ἐν ὕλης κεροέσσης Ἀπολειφθεὶς ὑπὸ μητρὸς ἐπτοήθη.* — *Chloe*] ein häufiger Name bei Libertinen, bedeutet: „grünende Saat“. — 2. *pavidum*] Epitheton ornans ohne Rücksicht auf die spezielle Situation nach epischer Weise gesetzt, wie ja der ganze Vergleich inbezug auf Ausführlichkeit und Ausmalung für die Haupthandlung nebensächlicher Momente homerisch ist. — *montibus aviis*] Abl. loci. — 4. *aurarum et siluae*] ein ἓν διὰ δυοῖν. Doch ist in der Erklärung durch *seu* ... *seu* die Zweiteilung gewahrt, da das erste *seu* dem *aurarum*, das zweite dem *silvae* entspricht. — 5. *adventus veris*] = *adveniens ver.* Der Frühling hat eine so kurze Dauer, dafs er immer nur „einziehend“ gedacht wird. Jul. Wolff: „Da kam der Lenz herbeigezogen | Voll Glanz und Pracht durchs eigne Haus“. — 5. *mobilibus foliis*] Abl. Der Frühling kann erst empfunden werden, wenn schon Blüten da sind. Auch erstirbt die Vegetation in Italien nie ganz. — *inhorruit*] „schauerte auf“. Geibel: „Ich weifs nicht, säuselt in den Bäumen des Frühlings Zauberlied zur Nacht?“ — 7. *dimovere*] „durchschlüpften“. — 8. *et corde et gen. tremit*] „zittert das Herz und die Kniee schlottern“.

9—12. 9. *te frangere*] = *tuas*

tandem desine matrem
tempestiva sequi viro.

XXIV.

Quis desiderio sit pudor aut modus
tam cari capitis? praecipe lugubres
cantus, Melpomene, cui liquidam pater
vocem cum cithara dedit.
5 ergo Quintilium perpetuus sopor
urguet? cui Pudor et Iustitiae soror
incorrupta Fides nudaque Veritas
quando ullum inveniet parem!

---

cervices fr. — 12. *tempestiva viro*] „reif für den Mann". Die Stellung ist wohl mit Absicht so verschränkt wie in v. 1.

Das Gedicht ist durch die Schilderung eines Ganges durch den frühlingprangenden Wald zu einem echten Liedchen geworden.

Carm. I, 24. An Vergil. Zu ungewohnten Tönen zwingt mich der Tod eines Varus (1—4). Es ist ein grofser Verlust, der alle und dich, Virgil, besonders betroffen (5—10). Nur Geduld kann den Schmerz lindern (11—20). (10. 10).

1—4. 1. *Quis?*] Wir wählen eine Satzfrage. — *pudor*] müſste den Dichter vor dem hohen Stoffe des θρῆνος, *modus* vor allzu grofser Trauer, die den Göttern verhaſst ist, zurückhalten. — 2. *tam cari capitis*] hängt von *desiderio* ab; vgl. Ilias VIII, 281: Τεῦκρε, φίλη κεφαλή, Τελαμώνιε, κοιρανὲ λαῶν. — *praecipe*] „lehre". Das folgende Gedicht ist also als Gesang der Muse selbst gedacht, welche in dem Dichter wirksam ist. — *lugubres cantus*] „Trauerklänge". — *liquidam*] „schmelzend, klar". — 3. *pater*] „ihr Vater", nämlich Juppiter. — 4. *cum cithara*] kurz für „mit der Kunst der Zither".

5—10. 5. *ergo*] „Also?" So beginnt das Lied von Jensen auf Th. Storm: „Und nun auch du — der letzten einer — Auch du in jene ewige Nacht? Aus der zu neuem Morgen keiner, zu neuem Wort und Werk erwacht." So heiſst es in Goethes Epilog zu Schillers Glocke: „Ist's möglich? Soll es unsern Freund bedeuten, An den sich jeder Wunsch geklammert hält? Den Lebenswürd'gen soll der Tod erbeuten?" — *sopor*] „Schlummer". — 6. *urguet*] „senkt sich". — *cui et*] Konstr.: *Quando Pudor et Fides nudaque Veritas inveniet ullum parem ei.* — *Pudor* etc.] Figur der προσωποποιία. *Pudor* entspricht ungefähr unserer „Ehrenhaftigkeit", „Zartgefühl". — 7. *incorrupta*] in adjektivischer Bedeutung „unverbrüchlich". — 8. *inveniet*] zu allen drei Subjekten, ist aber im Numerus nur zum letzten gezogen, da alle drei Tu-

multis ille bonis flebilis occidit,
10 nulli flebilior quam tibi, Vergili.
tu frustra pius heu non ita creditum
poscis Quintilium deos.

quid? si Threicio blandius Orpheo
auditam moderere arboribus fidem,
15 num vanae redeat sanguis imagini
quam virga semel horrida,

non lenis precibus fata recludere,
nigro compulerit Mercurius gregi?
durum: sed levius fit patientia
20 quidquid corrigere est nefas.

---

genden nur Ausflüsse ein und derselben Gesinnung sind. — 9. *multis*] schiebe „darum" ein. Die vielen *i* Laute in diesem und dem folgenden Vers malen die herbe Klage — *bonis:* Claudius: „Ach! sie haben einen guten Mann begraben, und mir war er mehr." Goethe: „Nun weint die Welt, und sollten wir nicht weinen?" — *occidit*] „er ging dahin".

11—20. 11. „Doch". — *frustra*] gehört zu *pius*, aber auch zu *poscis*, d. h. zum ganzen Gedanken. Vgl. zu dieser Anschauung der Alten Cic. p. Mil.: „quoniam neque di, quos tu carissime ... coluisti, neque homines nobis gratiam retulerunt", vgl. auch Liv. 8, 6, 5: „haud frustra te patrem hac sede sacravimus." — *pius*] konzessiv. — *heu non ita creditum*] kausal: „den ach!" — *non ita*] nämlich, dafs er unsterblich sei. — 12. *poscere*] ist auch hier nicht unser „fordern". — *Quintilium*] ist wiederholt, um das Monotone der Klage zu malen. — 13. *quid si*] Wir mildern das rethorische Pathos, indem wir mit „und" anknüpfen. — *Threicio Orpheo*] Das rührende Bitten des Orpheus und sein vergebliches Ringen hatte Virgil selbst Georg. 4, 454 dargestellt. Darum ist *blandius* hier ein Kompliment gegen den Freund. Auch die Form „*Threicius*" schreibt Horaz Virgil folgend: „Threicia fretus cithara fidibusque Canoris". — 15. *auditam arboribus*] bezieht sich eigentlich nur auf die Leier des Orpheus, wird aber dadurch zu einem ihre Macht überhaupt ausdrückenden Epitheton. „Den Bäumen vernehmlich" würde hier nicht gut in den Zusammenhang passen für „selbst Bäume rührende". — 15. *imagini*] *εἴδωλον, σχῆμα*, Schemen. — 16. *virga horrida*] Abl. instr. zu *compulerit*] „fühllos". — 17. *non lenis*] (*ἀμείλιχος*). Davon hängt der Inf. ab, welcher die Sphäre des Adjektivs angiebt. — *precibus fata recl.*] „auf Bitten die Todesbanden zu lösen". — 18. *compulerit*] „zugetrieben hat". — 19. *durum*] (*est*). — Das Gedicht schliefst mit einem (stoischen) Denkspruch Virgils selbst: „Quidquid erit, Superanda omnis fortuna ferendo est." — 20. *corrigere*] Infin. des Impf. de conatu.

XXV.

Parcius iunctas quatiunt fenestras
iactibus crebris iuvenes protervi,
nec tibi somnos adimunt, amatque
ianua limen,

5 quae prius multum facilis movebat
cardines. audis minus et minus iam
„me tuo longas pereunte noctes,
Lydia, dormis?“

invicem moechos anus arrogantes
10 flebis in solo levis angiportu,
Thracio bacchante magis sub inter-
lunia vento

cum tibi flagrans amor et libido,
quae solet matres furiare equorum,
15 saeviet circa iecur ulcerosum,
non sine questu,

laeta quod pubes hedera virente
gaudeat pulla magis atque myrto,

Tiefes Gefühl und Bezugnahme auf Virgils eigenes Empfinden und Dichten zeichnen das Gedicht aus; durch die Anrufung der Muse wird ihm Würde verliehen.

Carm. I, 25. **An Lydia.** Einst warst du gefeiert und spröde (1—8). Jetzt weinst du verlassen (9—10). — So büfst der Übermut und die Untreue (11—20).

1—8. 1. *iunctas*] „geschlossen“. — 2. *iactibus*] Die Fenster des *cubiculum* waren hoch. — 4. *amat limen*] will sich von der Schwelle nicht trennen, was sie durch Knarren zeigt. — 5. *multum* zu *movebat*. — *facilis*] „liebenswürdig“. Der Thür wird das Gefühl der Herrin beigelegt. — 7. *me* ... *dormis*] geben das Thema eines antiken Ständchens des Liebhabers vor dem Hause der Braut. — *tuo*] „dein Schatz“. — *longas noctes*] Der Plural, weil der Liebende übertreibt. — *pereunte*] vor Liebe. — 8. *Lydia, dormis*] steht im Gegensatz zu *me*, weiche und gesuchte Allitteration.

8—9. 9. *invicem*] „deinerseits“. — *moechos*] „um die Buhlen“. — 10. *levis*] „verachtet“. — *solo angiportu*] „verlassen“, „Hintergasse“.

10—20. 11. *magis*] *quam solet*. — *bacchante*] „rast“. Dann fühlt sie ihre Einsamkeit um so schmerzlicher. — 17. Konstr.: *quod pubes laeta magis* (allzu sehr) *gaudeat hedera virenti atque pulla myrto*. — 18. *gaudeat*] Der Konj. macht die Klage noch bit-

aridas frondes hiemis sodali
20 dedicet Hebro.

XXVI.

Musis amicus tristitiam et metus
tradam protervis in mare Creticum
portare ventis, quis sub Arcto
rex gelidae metuatur orae,

5 quid Tiridaten terreat, unice
securus. o quae fontibus integris
gaudes, apricos necte flores,
necte meo Lamiae coronam,

Pimplei dulcis: nil sine te mei
10 prosunt honores: hunc fidibus novis,

---

terer; denn Lydia sieht selbst ein, dafs es der *laeta pubes* so besser zustehe. — 19. *aridas*] Asyndeton advers. Lenau: „Geh fort, o West, vom Mädchen geh! Lafs ruhn den welken Flieder.“ — *hiemis sodali*] „dem Kameraden des Sturmes“, nämlich des jetzt wehenden Thracierwindes, der ihre bitteren Empfindungen erregt. — 20. *Hebro*] Flufs in Thracien, steht hier für Flufs überhaupt, wie 1, 16 *Hadriano.*

Ein „Absagebrief“. Solche Gedichte bewegten sich in formelhaften Wendungen, und nur in Einzelheiten konnte sich des Dichters Phantasie hervorwagen.

Carm. I, 26. An Lamia. Weg mit dem politischen Gesorge! (1—6). Muse! Hilf mir zu heiterem Sang! (6—12).

1—6. 1. *Musis amicus*] „Der Musen Liebling“. — *tristitiam et metus*] „Verstimmung und Bangen“. „Weg mit den Grillen und Sorgen.“ — 2. *protervis*] „keck“, ein blofses Epitheton ornans. „Das geb ich den ‚lustigen‘ Winden“ (Heine). — *Creticum*] spezialisierend für „Meer“. — 3. *portare*] abhängig von *tradam.* — Konstr.: *quis rex sub Arcto metuatur gel. or.*] Man beachte die Übertreibung des Dichters in *sub Arcto* und *gelidae.* Die weite Entfernung zeigt ja das Unnötige der Sorgen. — 4. *gelidae orae*] Dativ statt des Abl. mit *a:* „sich furchtbar macht der“. Der Dichter denkt an die Scythen. — 5. *quid Tir.*] Asyndeton der Aufzählung. Im J. 27 kehrte Phrahates mit Scythischer Hilfe zurück und vertrieb Tiridates, der zu Augustus nach Spanien floh. — *unice*] „ganz“.

6—12. 6. *integris*] „lauter“. — 7. *flores*] „Blüten“. — 8. *coronam*] Apposition zu dem ausgelassenen *eos.* — 9. *Pimplei*] So heifst die Muse nach einer gleichnamigen Quelle in Pierien. — 10. *honores*] „Ehrengaben“, hier Lieder. — *fidibus novis*] nämlich lesbischer Saite.

hunc Lesbio sacrare plectro
teque tuasque decet sorores.

XXVII.

Natis in usum laetitiae scyphis
pugnare Thracum est. tollite barbarum
morem verecundumque Bacchum
sanguineis prohibete rixis.
5 vino et lucernis Medus acinaces
immane quantum discrepat. impium
lenite clamorem, sodales,
et cubito remanete presso.
voltis severi me quoque sumere
10 partem Falerni? dicat Opuntiae

Dieser Scherz an seinen Freund Lamia enthält den Entschlufs des Dichters, in den heiteren Weisen der Lesbier von Freundschaft zu singen und der Politik Valet zu sagen. Vgl. hierzu III, 17.

Carm. I, 27. Lafst, Freunde, das Lärmen und Streiten! Bruder Megyllas, erzähle von deiner Liebe! (1—12). — Armer Freund, ich ahnte nicht, was für ein herbes Los dich getroffen! (13—24). 12. 12.

Dem Dichter schwebte vor: Anacr. fr. 64: *Ἄγε δή, φέρ' ἡμῖν, ὦ παῖ, Κελέβην, ὅκως ἄμυστιν Προπίω, τὰ μὲν δέκ' ἐγχέας Ὕδατος, τὰ πέντε οἴνου Κυάθους, ὡς ἀνυβριστὶ Ἀνὰ δ' ἠῦτε βασσαρήσω. — Ἄγε δ' ἠῦτε μηκέθ' οὕτω Πατάγῳ τε κἀλαλητῷ Σκυθικὴν πόσιν παρ' οἴνῳ Μελετῶμεν, ἀλλὰ καλοῖς Ὑποπίνοντες ἐν ὕμνοις.*

1—12. 1. *natis*] wird auch von unpersönlichen Begriffen gebraucht. So *loca nata*. — *in usum laetitiae*] blofs „zur Freude". — 2. *Thracum*] Auch von den Germanen berichtet Tacitus' Germ., Kap. 22: „Crebrae, ut inter vinolentos, rixae raro conviciis, saepius caede et vulneribus transiguntur." — 3. *verecundum Bacch.*] Dem proleptischen Gebrauch des Adjektivs („so dafs er züchtig bleibt") werden wir in der deutschen Sprache am besten dadurch gerecht, dafs wir das Adjektiv adverbiell übersetzen. — 5. *vino*] Dativ, von *discrepat* abhängig. — *lucernis*] „Lichterglanz". — *Medus acinaces*] Der *Med. ac.* war damals vielleicht bei den Römern verbreitet. — 9. *immane quantum*] wie bei Cicero *nimium quantum*, hier vielleicht „grell". — 7. *sodales*] „Kumpane". — Die Römer lagen damals beim Gelage auf Ruhebetten und stemmten den Ellenbogen auf Kissen. — 9. *Voltis Falerni?*] Diese Frage vertritt der gröfseren Lebendigkeit wegen einen Vordersatz mit *si* zu *dicat* etc. — 10. *partem*] modern „ein Gläschen". — *Opuntiae Megyllae*] Eine Nachahmung Homeri-

frater Megyllae, quo beatus
volnere, qua pereat sagitta.

cessat voluntas? non alia bibam
mercede. quae te cumque domat Venus,
15 non erubescendis adurit
ignibus, ingenuoque semper

amore peccas. quidquid habes, age
depone tutis auribus. — A miser,
quanta laborabas charybdi,
20 digne puer meliore flamma!

quae saga, quis te solvere Thessalis
magus venenis, quis poterit deus?
vix inligatum te triformi
Pegasus expediet chimaera.

---

scher Förmlichkeiten in der Anrede. — 12. *volnere* und *sagitta* hängen beide ebensowohl von *beatus* als von *pereat* („liebend vergehen") ab und bilden zu jenem ein schönes Oxymoron.

13—24. 13. *cessat voluntas?*] Der Angeredete zaudert. — 14. *Quae te cumque* etc.] fügt der Dichter hinzu, um den Angeredeten zur Antwort aufzumuntern. — *Venus*] metonymisch. — *domat*] unter ihr Joch „zwingt". — 15. *adurit*] ergänze *te*. Die starken Ausdrücke besonders für Liebe und Haſs müssen von uns Nordländern in der Übersetzung gemildert werden. — *erubescendis*] „schämenswerte". — 17. *peccas*] Es ist von einem Erliegen unter der Leidenschaft die Rede. — 18. *tutis auribus*] dem des Dichters allein. — *a miser*] Die Antwort war erfolgt. — 19. *laborabas*] als du den Namen nicht über die Lippen bringen wolltest. — *charybdi*] Der bloſse Ablativ steht statt *in charybdi,* weil das Mädchen ja keine Charybdis ist, sondern einer solchen (ihrer Habsucht wegen) gleicht. — 20. *puer*] „Bursch". — 21. *saga*] „Zauberweib", nicht „welch ein", sondern ...? — *solvere*] „noch lösen!" — *Thessalis*] fehlte nach unserem Geschmack besser. Von dort kamen die Arzneien. — 22. *venenis*] „Gegengifte". — *vix*] führt die stärkste Steigerung ein. — 23. *triformi*] Hom. *Z*, 181: *πρόσθε λέων, ὄπιθεν δὲ δράκων, μέσση δὲ Χίμαιρα.* — 24. *Pegasus*] „ein Pegasus", ein Flügelroſs, wie es dem Bellerophontes im Kampf gegen die Chimäre half. — *expediet*] „entwirren" (aus den Schlingen).

Ein dramatisches Gedicht ohne innere Gedankeneinheit, dessen Schönheit wir mehr zu würdigen wissen würden, wenn wir errieten, wer der Bruder Megyllas, wer die Chimäre war.

Carm. I, 28. An Archytas. Armer Archytas! Du kanntest während deines

XXVIII.

Te maris et terrae numeroque carentis arenae
mensorem cohibent, Archyta,
pulveris exigui prope litus parva Matinum
munera, nec quicquam tibi prodest
5 aerias temptasse domos animoque rotundum
percurrisse polum morituro.
occidit et Pelopis genitor, conviva deorum,
Tithonusque remotus in auras
et Iovis arcanis Minos admissus, habentque
10 Tartara Panthoiden iterum Orco

Lebens keine Schranken für die Forschung deines Geistes — und jetzt halten dich Sandkörnchen ab von dem weiteren Fluge. Du glaubtest nicht an die Macht des Todes — und doch hat er auch dich, wie alle Grofsen, gebändigt, aber auch ich habe seine Nähe gespürt (1—22). Darum, ihr Schiffer, da es kein Mittel gegen die Macht des Todes giebt, versäumt wenigstens nie die Pflicht der Bestattung gegen die Toten und mildert dadurch das traurige Geschick des Todes (23—36). Zwei Gedanken: 1) die Verhöhnung des Unsterblichkeitsglaubens und 2) die Forderung, durch eine Handvoll Erde die Seelenruhe dem Toten zu geben, sind in der Ortsangabe (Tarent) verbunden.

1—22. 1. *numero carentis arenae mensorem*] ein Oxymoron, um zu bezeichnen, dafs Arch. sich sogar an das scheinbar Unmögliche machte. Auch spielt speziell die Zahl (das Wesen aller Dinge) für die Pythagor. Philosophie eine bedeutende Rolle. — 2. *cohibent pulveris exigui parva munera*] „umschliefsen (II, 20, 8; III, 4, 80) kleine Gaben geringen Staubes". *parva* und *exiguus* stehen dem *numero carentis arenae* gegenüber. — *Archyta*] Zeitgenosse Platos, berühmter Pythagoreer und Staatsmann zur Zeit Platos. — 3. *litus Matinum*] Der Berg *Matinus* liegt in Kalabrien an der Küste. — 5. *aerias domos*] Nach der Weltentstehungslehre der Pythagoreer wohnen in dem Äer die im Weltall sich bewegenden und beschauenden Seelen. — *temptasse*] „erforscht". — 6. *polum*] „das Himmelsgewölbe". Die Pyth. nahmen zehn göttliche Weltkörper an: den Fixsternhimmel, die fünf Planeten, die Sonne, den Mond, die Erde und die Gegenerde. — *morituro*] konzessiv zum vorhergehenden und stark betont das Thema zur folgenden Betrachtung leihend. — 7. *occidit*] „es sank dahin". — 9. *conviva deorum*] Tantalus: Διὸς μεγάλου δαριστής. Der Dichter nennt hier als gestorben gerade solche, von denen die Mythen, auch die Pythagoräer meinten, sie seien unsterblich gewesen. Als Anhänger Epikurs ist H. ein Gegner der Unsterblichkeitslehre. — Tithonus war ein Sohn Laomedons, Bruder des Priamus. Seine Gattin Aurora hatte ihn von der Erde geraubt

demissum, quamvis clipeo Troiana refixo
tempora testatus nihil ultra

nervos atque cutem morti concesserat atrae,
iudice te non sordidus auctor
15 naturae verique. sed omnes una manet nox
et calcanda semel via leti.

dant alios furiae torvo spectacula Marti;
exitio est avidum mare nautis;
mixta senum ac iuvenum densentur funera, nullum
20 saeva caput Proserpina fugit.

me quoque devexi rapidus comes Orionis
Illyricis notus obruit undis.
at tu, nauta, vagae ne parce malignus arenae
ossibus et capiti inhumato

---

und für ihn Unsterblichkeit, aber nicht ewige Jugend erfleht, so dafs er schliefslich in eine Cicade verwandelt werden mufste. — *Minos*] soll seine Gesetze von Zeus erhalten haben. — *habentque*] in voller Bedeutung: ἔχουσιν. — 10. *Panthoiden*] Euphorbos. Pythag. gab vor, dafs die Seele dieses Helden jetzt die seine sei, und bewies dies dadurch, dafs er seinen Schild im Tempel Heras zu Argos lösen liefs, auf welchem sich in der That der Name Euphorbos fand. — *iterum Orco demissum*] Dativ des Zweckes. Euphorbos oder Phythagoras war also zweimal gestorben, jetzt aber nicht wieder ins Leben zurückgekehrt. — 11. *quamvis ... concesserat*] Den Indikativ setzt H. nach *quamvis*, um das Bestimmte der Thatsache zu bezeichnen. — 13. *nervos atque cutem*] Denn nur dies ist nach Pythagoras' Lehre sterblich. — 14. *non sordidus auctor*] (Pythagoras). Litotes mit hervorhebender Kraft: „ein edler Forscher". — 15. *naturae verique*] Ersteres bezeichnet die Physik, dieses die Ethik. — *sed*] „Nein". — 17. *furiae*] κῆρες. — *torvo*] βλοσυρός. — 18. *avidum*] Das Meer ist ein Untier mit geöffnetem Rachen. — 20. *Proserpina*] schneidet dem Sterbenden die Locke ab. — *fugit*] Perfekt in der Bedeutung des Aor. gnom. — 21. *notus comes rapidus devexi Orionis*] Zu Anfang November „neigt sich" der Orion zum Untergange. Als Simonides einst von den Skironischen Felsen herabblickt, sieht er als Spiel der Wogen einen Schiffbrüchigen. Da er ihn nicht begraben kann, ehrt er den Toten durch ein Gedicht. — 22. *Illyricis undis*] So heifst hier das Adriatische Meer. — *obruit*] „überschüttete".

23—36. 24. *capiti inhumato*] Hiatus. — *inhumato*] gehört auch zu *ossibus*. Ergänze nicht: *meo*, als ob etwa der Sprechende (der Dichter) diesen Liebesdienst erwartete; die Aufforderung ist allgemein gehalten: jedesmal dessen, der vom Meere ausgeworfen

25 particulam dare: sic, quodcumque minabitur Eurus
fluctibus Hesperiis, Venusinae
plectantur silvae te sospite, multaque merces
unde potest tibi defluat aequo
ab Iove Neptunoque sacri custode Tarenti.
30 neglegis immeritis nocituram
postmodo te natis fraudem committere? forset
debita iura vicesque superbae
te maneant ipsum: precibus non linquar inultis,
teque piacula nulla resolvent.
35 quamquam festinas, non est mora longa: licebit
iniecto ter pulvere curras.

XXIX.

Icci, beatis nunc Arabum invides
gazis et acrem militiam paras
non ante devictis Sabaeae
regibus horribilique Medo

ist. — 25. *dare*] in der alten, volkstümlichen Bedeutung: „legen, streuen". — *sic*] = *quod si feceris*, „dann". — 27. *plectantur*] „büfsen". — *te sospite*] enthält einen adversativen Hauptgedanken. — 28. *unde*] *a quo*. — 29. *Neptuno*] Er war der Stadtgott von Tarent (πολιοῦχος). — 30. *neglegis*] „du hältst es für gering?" Der Schiffer zögert, wie im vorigen Gedicht der Bruder Megyllas, v. 18. — 31. *te natis*] „deinen Kindern". — *postmodo*] gehört zu *fraudem committere*. Die Frage vertritt einen Bedingungssatz. — 32. *debita iura*] δίκη ὀφειλομένη. — *vices superbae*] ἀντιποινή. — 33. *precibus non linquar inultis*] = *preces meae non inultae relinquentur*. — 36. *curras*] von der gewinnsuchenden Eile.

Eine (durch die Form griechischer Epigramme) uns schwer verständliche Einkleidung des schönen Gedankens, dafs die Menschen bei dem traurigen Lose, das ihnen geworden, durch gegenseitigen Beistand die Herbheit desselben zu mildern suchen müssen; vgl. Hom. Od. IX, 65.

Carm. I, 29. An Iccius. Du willst also, Freund Iccius, Kriegsmann werden? (1—5.) Bist lüstern nach den Ehren des Orients? (5—9½.) Wer hätte das geglaubt! (10—16).

1—4½. 1. *beatis*] „glücklich machend" nach der Meinung des Angeredeten. *beatus* hat oft bei Horaz ironischen Sinn. — *invides*] „neidisch schielen". — *Arabum*] Die Römer hatten sich schon vor dem J. 24, wo Älius Gallus einen unglücklichen Zug gegen Arabia felix (das sabäische Ar.) unternahm, oft mit dieser Idee getragen. — 3. *non devictis* u. *horribili* geben die Gründe an, die ihn doch hätten abhalten sollen. — 4. *regibus*] Dativ, von der

5 nectis catenas? quae tibi virginum
sponso necato barbara serviet?
puer quis ex aula capillis
ad cyathum statuetur unctis,

doctus sagittas tendere Sericas
10 arcu paterno? quis neget arduis
pronos relabi posse rivos
montibus et Tiberim reverti,

cum tu coemptos undique nobilis
libros Panaeti, Socraticam et domum
15 mutare loricis Hiberis,
pollicitus meliora, tendis?

XXX.

O Venus regina Cnidi Paphique,
sperne dilectam Cypron et vocantis

---

ganzen Wendung des Kämpfens abhängig. — 5. *nectis catenas*] als ob sie schon besiegt seien.

5—9½. 5. Konstr.: *quae barbara virginum*] Übers. dies als Satzfrage: „Soll dir ein Barbarenmädchen?" — 6. *sponso necato*] übers. durch einen Relativsatz. Es schwebt dem Dichter das Beispiel der Briseis vor: Il. XIX, 291. — 7. *puer*] „Page", dazu gehört *ex aula*. — 8. *ad cyathum*] Die beim Gelage aufwartenden Sklaven hiefsen *a cyatho*. — 9. *tendere*] „schnellen". — Es findet zwischen dem Particip und dem Hauptsatze ein konzessives Verhältnis statt.

10—16. 10. *arduis*] Dativ zu *relabi*. — 13. *undique*] gehört zu *coemptos* und bezeichnet spöttisch den Eifer des Philosophen. — 14. *nobilis Panaeti*] Panätius lehrte, welchen geringen Wert Schätze besäfsen. Er war der Freund des jüngeren Scipio Africanus. — *et Socr. domum*] und überhaupt die Bücher der S. Schule. Kürze des Ausdrucks. — 15. *Hiberis*] Die dortigen Eisenhemden waren berühmt. — Es schwebte dem Dichter vielleicht der Waffentausch des Diomedes und Glaukus vor. Mit Bezug darauf setzt er hinzu: *poll. meliora* (Wir hielten dich für klüger als Glaukus).

In den Schlufs hat sich des Dichters Urteil über den Kriegsdienst, der damals vielfach unlauteren Motiven zum Vorwande diente, geflüchtet. Wo, wie hier, die Gedanken aus einer Strophe in die andere übergreifen und die metrische Form sprengen, haben wir immer einen Beweis besonderer dichterischer Kraft. Der Grundton des Gedichts ist feine Ironie.

Carm. I, 30. Kommt, ihr Liebesgötter, zu Glyceras Fest!

2. Konstr.: *et transfer te* („siedle

ture te multo Glycerae decoram
transfer in aedem.
5 fervidus tecum puer et solutis
gratiae zonis properentque nymphae
et parum comis sine te Iuventas
Mercuriusque.

XXXI.

Quid dedicatum poscit Apollinem
vates? quid orat de patera novum
fundens liquorem? non opimae
Sardiniae segetes feraces,
5 non aestuosae grata Calabriae
armenta, non aurum aut ebur Indicum,
non rura, quae Liris quieta
mordet aqua taciturnus amnis.

über") *in aedem decoram Glycerae vocantis te multo ture.* Glycera wird als Priesterin der Liebe gedacht, ihr Haus als Tempel, und dieser verdient nach des liebenden Dichters Ansicht die Anwesenheit der Liebesgötter mehr als ihre sonstigen Residenzen. — 5. *solutis zonis*] „gürtellos". — 6. *properentque Nymphae*] für *Nymphaeque properent.* — *parum comis*] „spröde". — 8. *Mercurius*] als Gott des Gesprächs und des Gedankenaustausches. Prägnanz am Schluſs!

Die Ode ist das Gegenstück zu I, 19. Wie die Venus dort ihn berückte, so soll sie jetzt zu Glycera kommen, um auch sie mit Liebe zu entflammen.

Carm. I, 31. An Apoll. Was erflehe ich als Sänger bei der Weihe des neuen Apollotempels? (1—2½). Nicht Fülle in Ackerland, Vieh, Edelsteinen und Weinbergen. [Zu jener Art von Götterlieblingen gehöre ich nicht und trage auch kein Verlangen danach.] (2½—16.) Gieb mir zu bescheidenem Besitze Frische des Körpers und Geistes, damit ich noch dichtend sterben kann (17—20). Oktavian hatte im J. 36 in der Schlacht bei Mylae dem Apollo einen Tempel zu bauen gelobt, aber erst am 24. Okt. im J. 28 diesen Entschluſs zur Ausführung gebracht. Dieser Tempel enthielt die erste Bibliothek Roms. Hier stand Apollo Citharoedus von Skopas.

1—2½. Einleitung. 1. *dedicatum Apoll.*] *dedicare deum* „einem Gotte eine Stätte weihen". — *poscit*] nicht „fordert". — 2. *novum liquorem*] „heurigen Wein", nämlich der Spende wegen.

2½—16. 5. *grata*] absolut; mit *armenta* zusammen vielleicht = Rinderpracht. — 7. *rura*] Es sind hier besonders Rebgüter gemeint; dort lag der *ager Falernus*, *mons Massicus*

premant Calena falce quibus dedit
10 Fortuna vitem, dives et aureis
mercator exsiccet culillis
vina Syra reparata merce,

dis carus ipsis, quippe ter et quater
anno revisens aequor Atlanticum
15 impune: me pascunt olivae,
me cichorea levesque malvae.

frui paratis et valido mihi,
Latoe, dones et, precor, integra
cum mente nec turpem senectam
20 degere nec cithara carentem.

---

u. s. w. — 9. Konstr.: *premant (ei), quibus Fortuna dedit (premere) vitem Calena falce.* — *premant*] für das prosaische *putent* oder *coerceant* = „quälen“. — *Calena*] Der Prosaiker würde *Calenam* (zu *vitem*) gesagt haben. — 10. *dives et*] für *et dives.* — 12. *Syra merx*] Gemeint sind allgemein: teure Waren, gedacht wird an Salben und Öle, wie *nardus, malobathrum.* — 13. *dis carus ipsis*] Ironische Ausmalung, um ein Leben, welches den ruhigen Genuſs verscheucht, zu schildern. Im ähnlichen Sinne heiſst es im Wilhelm Tell: „Dem Volk kann weder Wasser bei noch Feuer“. — *ter et quater*] Übertreibung. — 15. *impune*] Jede Seereise kann einem dichterischen Gemüt als ὕβρις erscheinen. Vgl. I, 3. — *olivae, cichorea, malvae*] Worte, die nicht allzu übertrieben erscheinen, wenn man an die Genügsamkeit der Italiener denkt. — *cichorea* Endivie. *leves* steht ἀπὸ κοινοῦ.

17—20. Konstr.: *dones mihi, Latoe, precor . . . frui paratis et valido et integra cum mente . . . nec degere senectam turpem nec cithara carentem.* — 17. *frui*] „froh werden“. — *Latoe*] „Sohn Latos“. Im feierlichen Lied steht die dorische Form Λάτω für Λήτω. — 18. Das zweite Glied *integra cum mente* ist durch *precor* noch besonders hervorgehoben, da den *„mercatores“* „die Reinheit“ fehlte. — 19. *turpem*] d. h. ohne Freunde, weil die Genuſsmenschen im Alter verlassen sind. — 20. *cithara carentem*] enthält den Zielpunkt des Ganzen: daſs ich auch dann noch begeisterungsfähig sei. Rückert: „Fordre nur vom Leben zu viel nicht. Denn was dir not ist, giebt es mit Fug: Hast du das köstliche Saitenspiel nicht? Hafis, zur Not ist dieses genug“.

Das Gedicht gönnt als Oppositionsgedicht dem *non* die breitere Ausführung.

Carm. I, 32. An die Laute. Ich dichtete oft in der Weise der lesbischen Dichter Lieder (in griechischem Gewande); jetzt will ich lateinisch dich-

XXXII.

Poscimur. siquid vacui sub umbra
lusimus tecum, quod et hunc in annum
vivat et plures age dic Latinum,
barbite, carmen,

5 Lesbio primum modulate civi,
qui ferox bello tamen inter arma,
sive iactatam religarat udo
litore navim,

Liberum et musas Veneremque et illi
10 semper haerentem puerum canebat
et Lycum nigris oculis nigroque
crine decorum. —

o decus Phoebi et dapibus supremi
grata testudo Iovis, o laborum
15 dulce lenimen metuumque, salve,
rite vocanti.

---

ten (1—4). Warum sollte ich mich solcher Gedichte über unpolitische Stoffe schämen? Auch Alkäus, der Patriot und Kriegsmann, dichtete Liebes- und Weinlieder (5—12). Dazu stehe die Muse mir bei! (13—16).

1—4. 1. *poscimur*] Iphigenia bei Goethe: „Du forderst mich" (Nauck). — *si quid*] in Gebeten herkömmliche Formel der Bescheidenheit für *quoniam*, vgl. I, 1. — 2. *lusimus* „scherzen", von der leichten lyrischen Dichtung. — *quod plures*] ist Relativsatz zu *Latinum carmen*. Solche griechische Liedchen hatten nur ein kurzes, nach Jahren zählendes Leben. Ein latein. Lied war unsterblich wie das Reich.

5—12. Thema. 5. *modulate*] passivisch und mit *civi (a cive)* zu verbinden. — *civi*] ist hier betont. — 6. *tamen (sive) inter arma* („im Waffengeklirr") *sive religarat*. — 7. *iactatam*] von der Brandung am Gestade. — *religarat*] „losgebunden hatte", zu neuer Seefahrt. Zur Bedeutung „angebunden hatte" würde *tamen* nicht passen. — 10. *haerentem*] „den sich anschmiegenden".

13—16. Konstr.: *o testudo, decus Phoebi et grata dapibus supremi, Iovis.* Vgl. Odyss. VIII, 99: δαιτὶ συνήορός ἐστι θαλείῃ (nämlich φόρμιγξ). — 16. *rite*] „in geweihter Stimmung". — *vocanti*] ergänze *mihi*.

Dieses Gedicht (als Gebet in sapphischer Strophe) eröffnet und rechtfertigt eine Sammlung lateinischer in lesbischer Art gedichteter politischer Oden.

Carm. I, 33. An Tibullus. Zerquäle dein Herz nicht, weil dir ein Fant vorgezogen ward (1—4) Die Liebe ist unberechenbar, wie der Augenschein

XXXIII.

Albi, ne doleas plus nimio memor
immitis Glycerae, neu miserabiles
decantes elegos, cur tibi iunior
laesa praeniteat fide.

5 insignem tenui fronte Lycorida
Cyri torret amor, Cyrus in asperam
declinat Pholoen: sed prius Apulis
iungentur capreae lupis,

quam turpi Pholoe peccet adultero.
10 sic visum Veneri, cui placet impares
formas atque animos sub iuga aenea
saevo mittere cum ioco.

ipsum me melior cum peteret Venus,
grata detinuit compede Myrtale
15 libertina, fretis acrior Hadriae
curvantis Calabros sinus.

---

lehrt (5—12). Ihre Launen habe auch ich gespürt (13—16).

1—4. 1. *Albi*] Es wird der Dichter Tibullus angeredet. — *doleas*] „gräme dich". — *plus nimio memor*] weil sie es nicht verdient. — 2. *immitis Glyc.*] ein beabsichtigtes Oxymoron. Diese Glycera ist weder mit der Delia noch mit der Nemesis des Tibullus identisch, die *miserabiles elegi* an sie sind verloren. — 3. *cur*] eigentlich über die Gründe, also nicht ganz = *propterea quod.* Gründe aber giebt es für die Tyrannin Liebe nicht. — 4. *laesa fide*] kann sich auf *Glycera* beziehen, weil in *praeniteat* („dich bei ihr überstrahlt") *Glycera* logisches Subjekt ist.

5—12. 5. „So". — *insignem tenui fronte*] Je schmaler oder niedriger die Stirne wegen des Reichtums an Locken, desto schöner schien ein Mädchen dem Geschmacke des Altertums. — 6. *Cyrus*] Er mufs häfslich gewesen sein. Es ist aber auch möglich, dafs Cyrus, Postumus (II, 14) und andere Namen überhaupt Typen gewisser Charaktere bezeichnen sollten. — 8. *peccet adultero*] „sich hingiebt dem Buhlen". — 10. *Veneri*] Sie wird als Despotin geschildert. — *impares formas atque animos*] Beide Begriffe sind in den Beispielen auseinandergehalten. — *iuga*] Das Bild lag wegen *coniunx* besonders nahe.

13—16. 13. *melior Venus*] „eine edlere Liebe". — 15. *libertina acrior*] (launenhaftere) steht zu *melior Venus* im Gegensatz; schiebe also „dennoch" vor *grata* ein. Auf *libertina* liegt ein gewisser Nachdruck. — 16. *curv. Cal. sinus*] Zusatz, um die Heftigkeit des Meeres zu malen.

Es ist ein Lied des Oxymorons, um

XXXIV.

Parcus deorum cultor et infrequens,
insanientis dum sapientiae
consultus erro, nunc retrorsum
vela dare atque iterare cursus

5 cogor relictos. namque Diespiter,
igni corusco nubila dividens
plerumque, per purum tonantes
egit equos volucremque currum,

quo bruta tellus et vaga flumina,
10 quo Styx et invisi horrida Taenari
sedes Atlanteusque finis
concutitur. valet ima summis

---

das scheinbar so Unvernünftige der Liebe zu schildern. Einen ähnlichen Rat erhält Tibulls Freund, Valgius II, 9.

Carm. I, 34. Ich war ein lauer Verehrer der Götter, aber ich werde mich ändern (1—4). Ein gewaltiger Donnerschlag aus heiterem Himmel hat mich erschüttert! (5—9½). Ich erkenne die überwältigende Macht des Schicksals (9½—16).

1—4. 1. *infrequens*] nämlich *cultor deorum.* — 2. *insanientis sapientiae*] Oxymoron. Diese „unweise Weisheit" war die Lehre der Epikureer, nach welcher er Sat. I, 5, 101 gelernt haben will: *deos securum agere aevum.* Ein römischer Schüler Epicurs, Lucretius, lehrte, daſs Blitz und Donner den Menschen nicht schrecken dürfe, da das Gewitter mit dem Wirken der Gottheit nichts zu thun habe: „denique cur numquam caelo iuvit undique puro Juppiter in terras fulmen sonitusque profundit?" — 3. *consultus*] „beflissen", konstruiert wie in *iuris consultus.* — 4. *vela dare*] „das Segelwerk richten".

5—11½. Grund. 5. *Diespiter*] ist Juppiter als Gott der „Klarheit". — 6. *nubila*] „Wolkennacht". — 7. *plerumque*] „sonst". — *egit tonantes equos volucremque currum per purum (aera*] ein poetisches Hendiadyoin mit Umsetzung der Epitheta: „der donnernde Wagen mit den geflügelten Rossen". Ein Donnerschlag aus heiterem Himmel galt den Homerischen Helden als τέρας. — 9. *bruta tellus*] „der Erde Wucht". — 10. *sedes Taenari*] „des kummervoll zu schauenden Tänarums schaurigen Schlund". Umschreibung für *Taenarum* (Cap Matapan). Ein Abgrund daselbst galt für den Eingang in die Unterwelt. — 11. *Atlanteus*] steht für einen Gen. epex. — 12. *concutitur*] Man beachte das Präsens neben dem Perfektum *egit.* Die Wirkungen des gewaltigen Ereignisses sind also noch vorhanden.

11½—16. Bekräftigung. Ja! 12. *ima summis mutare*] „das unterste zuoberst

mutare et insignem attenuat deus,
obscura promens; hinc apicem rapax
15 Fortuna cum stridore acuto
sustulit, hic posuisse gaudet.

XXXV.

O diva, gratum quae regis Antium,
praesens vel imo tollere de gradu
mortale corpus vel superbos
vertere funeribus triumphos:
5 te pauper ambit sollicita prece
ruris colonus, te dominam aequoris,
quicumque Bithyna lacessit
Carpathium pelagus carina;

---

zu wenden". — 13. *deus*] „die Gottheit". — 14. *obscura*] Gegensatz zu *insign.* — *promens*] „fördernd". — *apicem*] hier das Diadem (namentlich persischer Könige). — 15. *cum str. ac.*] Dahn im „Kampf um Rom": „Ich aber höre stets den Flügelschlag des Schicksals" (Teja). — 16. *sustulit*] Aor. gnomicus. — *gaudet*] (entspricht dem *rapax*) übers. durchs Adverb. Ähnliche Gedanken finden sich in dem Fr. 56 des Archilochus: *Τοῖς θεοῖς τίθει τὰ πάντα πολλάκις μὲν ἐκ κακῶν Ἄνδρας ὀρθοῦσιν μελαίνῃ κειμένους ἐπὶ χθονί, Πολλάκις δ' ἀνατρέπουσι καὶ μάλ' εὖ βεβηκότας Ὑπτίους κλίνουσ'* . . .

Ein grofses unerwartetes politisches Ereignis wird die Ursache dieser Erregung des Dichters gewesen sein.

Carm. I, 35. An Fortuna. Allmächtige Fortuna von Antium, vor der alle Stände und Völker gleich ohnmächtig erscheinen, deren Wille ehern ist und besonders im Unglück erkannt wird (1—28), erhalte den Cäsar, damit er seiner Bestimmung gemäfs gegen auswärtige Feinde kämpfe (29—40). Veranlassung zu dem Liede bietet der Zug des Augustus gegen die keltischen Salasser im J. 27 v. C., welcher sich weiterhin auch gegen die Britten richten sollte, ohne dafs das letztere wegen der Wirren in Spanien zur Ausführung kam; aber auch die Rüstungen des Aelius Gallus gegen Arabien beschäftigten die Gemüter.

1—28. *Antium*] im Volskerlande. Cic. ad. Att. 48: „nihil quietius, nihil amoenius quam Antium". *quae regis* = Königin. Dort war eine sehr berühmte Kultstätte Fortunas. — 2. *praesens*] von Göttern. c. Inf. = *valens ad* in Prosa. — 3. *mortale corpus*] „Erdensohn" (Nauck). — 4. *vertere*] c. Abl. „wandeln in"; eigtl. Abl. instr. — 5. *ambit*] „umschreitet". — 6. *ruris colonus*] „Bauer" im Gegensatz zum reichen Handelsherrn, der sodann gemeint ist. — *Carpathium*] Carpathus eine Insel im

te Dacus asper, te profugi Scythae
10 urbesque gentesque et Latium ferox
regumque matres barbarorum et
purpurei metuunt tyranni,

iniurioso ne pede proruas
stantem columnam neu populus frequens
15 ad arma cessantes, ad arma
concitet imperiumque frangat;

te semper anteit saeva Necessitas
clavos trabales et cuneos manu
gestans aena nec severus
20 uncus abest liquidumque plumbum;

te Spes et albo rara Fides colit
velata panno nec comitem abnegat;
utcumque mutata potentes
veste domos inimica linquis.

25 at volgus infidum et meretrix retro
periura cedit, diffugiunt cadis

Aegaeischen Meer. — 9. *Daci*] in deren Lande Augustus in den J. 35 u. 34 Krieg führte. — *asper*] „bärtig“, „häſslich“. — *profugi*] „fluchtgewohnt“, um unvermutet den Feind anzugreifen. Dieselbe Tücke besaſsen die Parther. — 10. *urbes* Italien, *gentes* das Ausland; *ferox* „trotzend“. — 11. *matres*] welche dort besondere Verehrung genossen, wie Atossa. — *iniurioso*] „voll Hohn“. — 14. *stantem columnam*] als Zeichen der Herrschermacht, „aufragende“. Die Schilderung dieser Strophe nimmt vielleicht Bezug auf die Gährung im Partherreiche, als Phraates ein Blutregiment führte (37 v. C.). — *frequens*] „sich rottend“. — 15. *ad arma*] als Revolutionsruf ist mit Absicht wiederholt (Al-arm). — *Necessitas*] wird als Baumeisterin des Geschickes dargestellt. — 19. *nec abest*] ist parataktisch hinzugefügt, während es dem *gestans* parallel steht. — 20. *plumbum*] Blei wird zur Befestigung der Klammern in die Löcher gegossen. — 22. *velata albo panno*] „umhüllt sich mit dem weiſsen Gewebe“ (um die Rechte gewunden oder „Gewand“). So nämlich nahten die, welche der Fides opfern wollten. — *nec comitem abnegat*] „und bleibt auch treue Begleiterin“, nämlich Fortunas, wenn diese unfreundlich geworden Trauer verursacht, d. h. auch den Unglücklichen und Armen sind Spes und Fides nahe. Fortuna scheint für die Unglücklichen selbst gesetzt. — 24. *domos*] ihren eigenen Palast. — 25. *meretix*] „Buhlerin“. *periura* prädikativ zu fassen! — 26. *diffugiunt*] „zerstieben“. —

cum faece siccatis amici,
ferre iugum pariter dolosi:

serves iturum Caesarem in ultimos
30 orbes Britannos et iuvenum recens
examen Eois timendum
partibus Oceanoque rubro.

eheu, cicatricum et sceleris pudet
fratrumque! quid nos dura refugimus
35 aetas? quid intactum nefasti
liquimus? unde manum iuventus

metu deorum continuit? quibus
pepercit aris? o utinam nova
incude diffingas retusum in
40 Massagetas Arabasque ferrum.

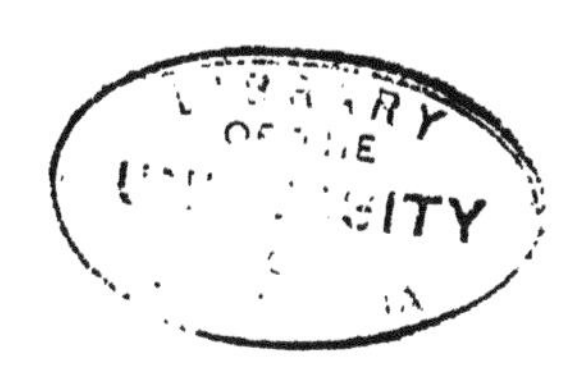

XXXVI.

Et ture et fidibus iuvat
placare et vituli sanguine debito

---

27. *cum faece*] sprichwörtlich; vgl. χεῖ χύτρα, ζεῖ φιλία. „Freundschaft, die der Wein gemacht, währt, wie der Wein, nur eine Nacht.“ (Düringsfeld.) — Konstr.: *dolosi (dolose nolentes) pariter ferre iugum*, zu listig, um. Vielleicht schwebte dem Dichter bei dieser Strophe Kleopatras Handlungsweise vor.

29—40. 29. *iturum*] weil ihn das Schicksal bestimmt hat zu gehen. — 30. *Britannos*] Diesen Plan hegte Oktavian seit 34 v. C. — 33. *cic. et sceleris*] bildet den gemeinsamen Begriff: der verbrecherischen Narben. — 34. *fratrumque (caesorum)*] dem Sinne nach gleich: „aus dem Kampf mit den Brüdern“. Vgl. für diese Verbindung II, 6: „maris et viarum militiaeque“. — *dura aetas*] Apposition zu *nos*. — 35. *nefasti*] Nom. Plur., vgl. Ep. 16,9. — *intactum*] prädikativ. — 38. Konstr.: *utinam diffingas ferrum retusum* (erstumpft, sc. *bellis civilibus) (ut dirigatur) in Massagetas Arabasque.* Beide Völkerschaften sind überhaupt für fremde und den Römern feindliche gesetzt. Sonst würde sich ja ein Gegensatz zu v. 30 ergeben. *diffingere* ist ein von Hor. neugebildetes Wort: „umschmieden“.

Zum Bau des Gedichts, dem Verhältnis der langen Anrede zum Inhalt vgl. man den Bau des Chorgesangs in der Antigone 1115—1140.

Carm. I, 36. An Numida. Lafst uns den Göttern huldigen — denn unser aller Freund und der innigste Jugendfreund Lamias, Numida, ist aus dem fernsten Westen zurückgekehrt. (Vielleicht von Sex. Pompejus?) (1—10.) Dieser Tag sei ein Freudentag (1—20).

1—10. 2. *debito*] setzt ein Gelübde

custodes Numidae deos,
qui nunc Hesperia sospes ab ultima
5 caris multa sodalibus,
nulli plura tamen dividit oscula
quam dulci Lamiae, memor
actae non alio rege puertiae
mutataeque simul togae.
10 Cressa ne careat pulchra dies nota
neu promptae modus amphorae
neu morem in Salium sit requies pedum,
neu multi Damalis meri
Bassum Threicia vincat amystide,
15 neu desint epulis rosae
neu vivax apium neu breve lilium.
omnes in Damalin putres
deponent oculos, nec Damalis novo
divelletur adultero
20 lascivis hederis ambitiosior.

---

voraus. — 3. *custodes*] hier adjektivisch zu übersetzen. — 6. *dividit*] „austeilt“. — Aus dem grofsen Liebesschatze teilt er in kleinen Portionen aus. — 8. *non alio*] = *eodem*. — *rege puertiae*] (synkopiert aus *pueritiae*). Damit ist der Lehrer gemeint (vielleicht ein Stoiker, die sich wohl *reges* nannten). — 9. *simul mutatae tagae*] „des gleichzeitigen Togafestes (-tausches)“.

11—20. Darum. 10. *ne careat* etc.] Schöne Tage wurden im Kalender weifs angestrichen. Der Dichter hat in scherzhafter Weise *creta* und *Creta* zusammengeworfen. (Bücheler.) — 11. *promptae amphorae*] ist Genetiv wie *pedum*. — 12. *(morem in) Salium*] Adjektiv statt *Saliorum*. *morem in Salium* bezieht sich nicht blofs auf den Tanz, sondern auch auf das vorhergehende Glied. — 13. *multi meri*] „Die zechende“ Genet. qual. — 14. *Bassum*] einer der Freunde, der sonst wenig trank. — 17. *putres*] „feucht schimmmernd“. — 18. *deponent*] „senken“. — *novo*] „wiedergewonnen“. — 20. *ambitiosior*] kausal, da sie ihn umrankt wie wuchernder Epheu. Beachte den volltönenden Schlufs!

Carm. I, 37. Jetzt erst durften wir jubeln (1—11). Denn die von Kleopatra drohende Gefahr ist endlich beseitigt (11—20). Diese war um so gröfser, als sie selbst ein „ungemeines“ Weib war (21—32). Abfassungszeit: Herbst 30 v. C.

XXXVII.

Nunc est bibendum, nunc pede libero
pulsanda tellus, nunc Saliaribus
ornare pulvinar deorum
tempus erat dapibus, sodales.

5 antehac nefas depromere Caecubum
cellis avitis, dum Capitolio
regina dementes ruinas,
funus et imperio parabat

contaminato cum grege turpium
10 morbo virorum, quidlibet impotens
sperare fortunaque dulci
ebria: sed minuit furorem

vix una sospes navis ab ignibus,
mentemque lymphatam Mareotico

1—11. In der Einleitung schwebt dem Dichter folgende Stelle Alkäus' vor: *Νῦν χρὴ μεθύσθην καί τινα πρὸς βίαν Πώνην, ἐπειδὴ κάτθανε Μυρσίλος.* — 1. *nunc*] „nun erst"; noch nicht Epod. 9. — *libero*] Wäre Kleopatra die Herrscherin Roms geworden, worauf sie in der That hoffte, so wären die Römer Sklaven geworden. — 3. *pulvinar deorum*] Der Dichter denkt an *lectisternia*; an Bitt- und Dankfesten wurden die Götterbilder auf hohe Polster gesetzt und bewirtet. — 4. *tempus erat*] Jetzt war der rechte Augenblick; vorher geschah es mit Unrecht. — 5. *nefas*] ergänze *erat.* — 6. Der in *avitis* liegende Begriff geht mit auf Cäcubum über. — 7. *regina*] Gerade dieses Wort ist mit Absicht gesetzt. — *dementes*] Die Prosa würde *demens* sagen. — 8. *funus et*] für *et funus.* — 9. *contaminato* etc.] „mit ihrer schmählichen Herde wollustgeschändeter Männer" (Hämlinge). Der Dichter wählt starke Ausdrücke, um seine Verachtung der orientalischen Eunuchen auszudrücken. — 10. Konstr.: *impotens quidlibet sperare* = „in maſsloser Hoffnung". — 12. *ebria*] „berauscht"; hatte sie doch auch über Cäsar durch ihre Schönheit und ihren Geist gesiegt. Flor. epitome II, 21: „hinc mulier Aegyptia ab ebrio imperatore pretium libidinum Romanum imperium petiit".

11—20. 12. *sed*] „doch". — Wendepunkt ihres Glückes! — 13. Konstr.: *vix una navis sospes ab ignibus* (statt: *quod vix una sospes erat, minuit fur.*; vgl. für diese Kürze des Ausdrucks Sallust. Iug., c. 6: „terrebat eum natura mortalium avida imperi". Die Flotte des Antonius ging fast ganz in Flammen auf (bei Aktium). — 14. *Mareotico*] ergänze *vino* zu *lymphatam.* Der Wein wächst am See *Μαρεία* bei Alexandria. *lymphatus* = *νυμφόληπτος.* —

15 redegit in veros timores
Caesar ab Italia volantem

remis adurguens, accipiter velut
molles columbas aut leporem citus
venator in campis nivalis
20 Haemoniae, daret ut catenis

fatale monstrum: quae generosius
perire quaerens nec muliebriter
expavit ensem nec latentes
classe cita reparavit oras,

25 ausa et iacentem visere regiam
voltu sereno, fortis et asperas
tractare serpentes, ut atrum
corpore conbiberet venenum,

deliberata morte ferocior:
30 saevis Liburnis scilicet invidens

---

15. *veros*] steht dem *mentem lymphatam* gegenüber. — 16. *ab Italia*] Sie floh von Aktium, von wo sie nach Italien hinübersegeln wollte, nach Ägypten zurück; das Bild in *volantem* führte zu dem folgenden Gleichnis. Vgl. Hom. Il. X, 138: *Πηλείδης δ' ἐπόρουσε ποσὶ κραπνοῖσι πεποιθώς. Ἤυτε κίρκος ὄρεσφιν, ἐλαφρότατος πετεηνῶν, Ῥηϊδίως οἴμησε μετὰ τρήρωνα πέλειαν. ἡ δὲ θ' ὕπαιθα φοβεῖται.* Man deute das in homerischem Geiste ausgeführte Gleichnis nicht so aus, als ob Kleopatra mit einem Hasen verglichen würde. Nur die Gleichheit der Handlung wird hervorgehoben. — 19. *nivalis*] „schneeumsäumt". Thessalien (alter Name: Hämonien) ist von hohen Bergen umgeben. — 20. *daret ut*] schliefst sich an *remis adurguens*. — 21. *fatale monstrum*] erinnert an das Homerische *δαιμονίη*. Sie war die Furie (Teufelinne) Roms, eine „Unholdin".

21—32. 21. *quae*] relative Anknüpfung mit adversativer Bedeutung. — 24. *reparavit*] „tauschte die verborgenen Säume ein" gegen ihre Hauptstadt, was sie mit der schnellen Flotte leicht hätte thun können, vgl. I, 31, 12. — 25. *ausa, fortis* (*οὖσα*) *ferocior (facta)*] stehen in kausal-adversativem Verhältnis zu *reparavit* u. *expavit* (Chiasmus), unter sich in Steigerung. — *iacentem*] „den Sturz". — 26. *fortis tractare*] = *ad tractandum* oder *ut tractaret*, „beherzt (genug) um". — 29. *deliberata morte*] Abl. abs., temporal. — 30. *saevis Liburnis*] Dativ. Die Liburner-Jachten Oktavians hatten Antonius' stattlichere Flotte bewältigt. — *invidens*] ist wie *non concedens* mit dem Nom. c. Inf. nach griechischer Weise konstruiert; doch übersetze es

privata deduci superbo
non humilis mulier triumpho.

XXXVIII.

Persicos odi, puer, apparatus;
displicent nexae philyra coronae;
mitte sectari, rosa quo locorum
sera moretur.

5 simplici myrto nihil adlabores
sedulus, curo: neque te ministrum
dedecet myrtus neque me sub arta
vite bibentem.

---

mit „neidend“. — 31. *privata*] „entfürstet“. — *deduci (ab eis sc. Liburnis)*] aus der Heimat. — *superbo triumpho*] Dativ des Zweckes. — 32. *non humilis mulier*] Bedeutsame Litotes am Ende. Denn Dio sagt von ihr: *δύο ἀνδρῶν Ῥωμαίων τῶν καθ' ἑαυτὴν μεγίστων κατεκράτησε*. — *humilis*] von *humus*: „nicht auf den Boden blickend“, „hochstrebend“.

Ein mächtiges Lied, welches in einer einzigen grofsen rhythmischen Periode den Dichter jubelnd, hassend und bewundernd zeigt. Mit dem betonten Worte *triumpho* schliefst er bezeichnend. Der erste wahre Triumph nach langer Zeit!

Carm. I, 38. Gepräng und Künstelei ist mir zuwider beim Gelage: der einfache Myrtenkranz sei mein Schmuck! 1. *puer*] ist zugleich Knabe und Sklave. — *odi*] ist milder als „hassen“. — *Persicos apparatus*] „ein persisches Prunken“ enthält die Schilderung der *appar.*, aber auch den Grund zu *odi*. — 3. *sectari*] „haschen“. — *quo locorum*] ähnlich wie *ubi terrarum*. — 4. *moretur*] „zaudert“, nämlich den Schwestern zu folgen, mit sinnlicher Belebung. — 5. Konstr.: *sedulus curo adlabores nihil simplici myrto* („hinzukünsteln“, Nauck). — 6. *neque . . . neque*] enthalten den Grund. — 7. *arta*] weil dicht belaubt.

„Wein und Liebe“ sind die Themen des Dichters; so äufsert er sich in Opposition zu anderen Wünschen. Es schwebten ihm Gedichte vor, wie das Anakreontische (vgl. 63 [61] Bergk):

Φέρ' ὕδωρ, φέρ' οἶνον, ὦ παῖ,
Φέρε δ' ἀνθεμεῦντας ἡμὶν
Στεφάνους, ἔνεικον, ὡς δὴ
Πρὸς Ἔρωτα πυκταλίζω.

LIBER SECUNDUS.

I.

Motum ex Metello consule civicum
bellique causas et vitia et modos
ludumque Fortunae gravesque
principum amicitias et arma
5 nondum expiatis uncta cruoribus,
periculosae plenum opus aleae
tractas et incedis per ignes
suppositos cineri doloso.

Carm. II, 1. An Asinius Pollio. Du schreibst ein schwieriges nud gefährliches Geschichtswerk und thätest gewifs besser, deine früheren Beschäftigungen nicht zu vernachlässigen. Aber du verstehst auch diese Aufgabe (1–16). Ich glaube die Schlachten zu sehen, die du schilderst (17–28). Es waren traurige Zeiten: sie zu besingen, habe ich keine Neigung mehr *(retractes)*. Aus einem Politiker ward ich ein Sänger der Liebe! (29–40). (16. 12. 12.)

1–16. 1. *motum*] „Gährung". — *Metello*] Consul 60 v. C. — *civicum*] alte Form für die gebräuchlichere *civile;* ein Unterschied der Bedeutung existiert bei Horaz nicht. — 2. *bellique*] *que* verbindet hier die Hauptteile, *et* die Nebenteile und das unter sich zusammenhängende, daher *et* durch „mit" zu übersetzen. — *modos*] „Wendungen". — 3. *ludumque fortunae*] Er denkt vielleicht an den Umschlag im Leben des glücklichen Pompejus. — *gvavesque*] „einschneidend". — 4. *principum*] „der Staatsleiter", gemeint sind die Triumvirn. — 5. *nondum expiatis*] also sah Hor. damals den Staat für noch nicht gerettet an. — *uncta*] „gefärbt", eigentlich: „besudelt". — 6. *opus*] Apposition zu dem ganzen Satz, in welchem *tractas* Prädikat ist. — *plenum periculosae aleae*] geht auf Asinius' Unternehmen, nicht auf den Stoff des Geschichtswerks. Es war ein mifsliches, gefahrvolles Unternehmen, das seinem Verfasser leicht Ungnade zuziehen konnte. Das berühmte Wort Cäsars: *Iacta est alea* ist übrigens durch Pollio überliefert. — 7. *per ignes*] „über Feuer". Der Dichter benutzt eine sprichwörtliche Re-

paulum severae musa tragoediae
10 desit theatris: mox ubi publicas
res ordinaris, grande munus
Cecropio repetes cothurno,

insigne maestis praesidium reis
et consulenti, Pollio, curiae,
15 cui laurus aeternos honores
Delmatico peperit triumpho.

iam nunc minaci murmure cornuum
perstringis aures, iam litui strepunt,
iam fulgor armorum fugaces
20 terret equos equitumque voltus.

---

densart, um den Angeredeten an das Gefährliche seines Unternehmens zu innern. *Pollio* war erst sehr spät ein Freund Oktavians geworden; einst schrieb er an Cicero (ad fam. X, 31): „ita si id agitur, ut rursus in potestate omnia unius sint, quicumque is est, ei me profiteor inimicum; nec periculum est ullum, quod pro libertate aut refugiam aut deprecer" etc. — 9. *paulum*] „darum nur ein wenig". — *severae*] „herb", weil die Helden der Tragödie nicht liebenswürdige, sondern rücksichtslose Naturen sind. — *Musa*] *Musa* steht für sich, *severae tragoediae* ist Dativ, *theatris* Abl. loci. In schmeichelhafter Weise sagt Horaz, dafs, wenn Asinius keine Tragödien schreibt, die Muse der Tragödie fehle; die tragische Muse soll nun Geschichte schreiben. Dafs die Muse von der Persönlichkeit getrennt wird, zeigt *mecum* v. 39. — 10. *desit*] Wer *deest*, wird vermifst; nicht immer, wer *abest*. — 11. *ordinaris*] „dargestellt hast", von pragmatischer Geschichtsschreibung. — *grande munus*] „erhabene Aufgabe", weil die Tragödie die Menschheit veredeln will. — 12. *Cecropio coturno*] „Cekropischer Hochschuh". Die Helden der Tragödie erhöhten ihre Gestalt durch das Tragen des Kothurn. Cekropisch = attisch. — *repetes*] Das Futur kann hier nicht wieder durch das Futur übersetzt werden. Jedenfalls scheint der Dichter Pollio lieber als Tragiker, wie als Geschichtschreiber zu sehen. — 14. *consulenti*] „beratend". — 15. *laurus*] Der Triumphator trug einen Lorbeerkranz. — *aeternos honores*] „dauernden Ruhm". — 16. *Delmatico*] Pollio besiegte im J. 39 das delmatische Volk der Parthiner und gründete aus dem Erlös der Beute die erste öffentliche Bibliothek.

17—28. (17—20.) Schlacht bei Pharsalus. — 17. *cornua*] hat das Fufsvolk, *litui*, „Zinken", die Reiterei. — 18. *aures*] Körperteile werden in der Übersetzung in den Singular gesetzt. — 19. *iam fulgor ... terret*] Kürze des Ausdrucks für: schon sehe ich im Geiste, wie ... — 20. *voltus*] Liv.

audire magnos iam videor duces
non indecoro pulvere sordidos,
et cuncta terrarum subacta
praeter atrocem animum Catonis.

25 Iuno et deorum quisquis amicior
Afris inulta cesserat impotens
tellure, victorum nepotes
rettulit inferias Iugurthae.

quis non Latino sanguine pinguior
30 campus sepulcris impia proelia
testatur auditumque Medis
Hesperiae sonitum ruinae?

VIII, 10, 6: „hastis ora fodientes". — 21. *videor*] „wähne". — 22. *non indecoro*] Litotes; das Ganze bis *sordidos* Oxymoron, „im Ehrenkleid des Schlachtenstaubes". — 23. *et cuncta*] ein Zeugma. Leicht ergänzt sich aus *audire* ein geistiges *„videre"*. — *cuncta terrarum*] eigentlich „alles, was es an Ländern giebt", eine Verstärkung des Ausdrucks, aus der Umgangssprache entnommen wie *dulcissime rerum*. Damals, wie es scheint, *vox propria* für „Weltall". — 24. *animum Catonis*] Die Seele des Cato Uticensis wollte das Unterliegen der Freiheit nicht überleben. — Die Erwähnung Junos führt ihn zur Schlacht von Thapsus. Asinius Pollio gilt jetzt für den Verf. des „Bellum Africum". — 25. *Iuno*] (Astarte) war die Stadtgöttin Karthagos. — *amicior*] Die Komparativbedeutung ist hier nicht zu betonen. — 26. *cesserat*] Die Schutzgötter verlassen kurz vor der Eroberung die Stadt (hier Karthago). Hier ist das phraseologische „müssen" einzuschieben. — 27. *nepotes*] Scipio Africanus minor. — Metellus Numidicus. — 28. *Iugurthae*] steht hier nur als Beispiel eines von Römern unterworfenen Afrers, vielleicht weil seine Persönlichkeit damals wegen der Schrift Sallusts besonders besprochen wurde. Sympathieen hatte der Dichter für ihn gewifs nicht.

29—40. Eigene Gedanken im Anschlufs daran mit Schlufs. Als Vermittelung zu denken: Ja! du hast recht, denn ... — 29. *quis campus*] Wir fragen nicht: welches Gefilde, sondern: „wo ist ein?" oder „giebt es ein?" — *pinguior*] Komparativ der Steigerung wie *amicior*, „gefeuchtet" oder „geträнkt". — 30. *impia*] „gottverflucht", heifsen die *proelia*, weil die *pietas* gegen das Vaterland verletzt wird. — 31. *auditum*] in der Bedeutung des Part. Perf., die wir sonst in *invictus, cautus* etc. kennen. — *Medis*] *Medi* oder *Parthi* stehen hier als Völker des fernsten Ostens. — 32. *sonitum ruinae*] „krachendes Verderben". — *Hesperiae*] „Westen", bezeichnet bald Italien, bald Spanien, bald beides. —

qui gurges aut quae flumina lugubris
ignara belli? quod mare Dauniae
35 non decoloravere caedes?
quae caret ora cruore nostro?

sed ne relictis, Musa, procax iocis
Ceae retractes munera Neniae,
mecum Dionaeo sub antro
40 quaere modos leviore plectro.

---

33. *gurges, flumina ignara*] Personikation der Natur. — 34. *Dauniae*] durch Synekdoche für *Italiae*. Daunien und das Marserland waren berühmte *κουροτρόφοι*; vgl. I, 22, 13; III, 5, 5. — 35. *decolorare*] „verfärben". — 36. *caret ora cruore*] Die unbeabsichtigte Häufung des *r* malt das Harte des Geschickes. Bei deutschen Dichtern „trinken" die Länder das Blut. — 37. *sed*] „doch", abbrechend. Wir würden nach moderner Sitte hinter *nostro?* einen Gedankenstrich machen. — *ne*] gehört nicht zu *relictis*. — *procax*] „keck"; *procax* prädikativ. — 38. *munera*] „das hohe Amt" zur Wiedergabe des Plurals. — *Ceae neniae*] Der Klagegesang heifst ceisch, weil Simonides aus Ceos, ein Zeitgenosse der Perserkriege, diese Gattung durch seine Inschriften auf die in den griechischen Freiheitskriegen Gefallenen begründete, so dafs *lacrimae Simonideae* sprichwörtlich waren. Das Lied von den Bürgerkriegen aber müfste notwendigerweise ein eintöniger Klagegesang mit vielen Wiederholungen werden. Darum *nenia*; vgl. II, 20, 21; III, 28, 16. Epist. I, 1, 63. „Politisch Lied — ein garstig Lied." — 39. *mecum*] Schiebe „und" ein! — *Dionaeo*] Dione ist die Mutter der Venus. Der Ausdruck *Dionaeo sub antro* geht aber auch auf den Frieden, welchen der Sohn der Dione (Caesar) der Welt gebracht hat. Virgil. Buc. 9, 44: „Dionaei Caesaris astrum." — 40. *modos leviore plectro*] Aus der Musik entlehnter Ausdruck mit Enallage des Adjektivs für: Weisen mit leichterem Inhalt (Poesie des *genus tenue*).

Wie die Persönlichkeit des Adressaten, so macht auch der Schlufs des Gedichtes dieses zum Anfangsgedicht recht geeignet, weil es wieder auf das eigentliche Stoffgebiet des Dichters hinweist und so das Programm für die folgenden enthält. Ob er auch Pollio zu einer ähnlichen Beschränkung im dichterischen Stoffgebiete auffordern wollte?

Carm. II, 2. An Sallustius Crispus. Du machst es recht, Sallustius Crispus, wenn du deinen Reichtum richtig nutzest: so that es auch Proculejus, der dafür die Unsterblichkeit erlangen wird (1—8). Du zeigst dadurch, zu welcher Herrschaft du es über dein Inneres gebracht hast, da du dem Laster der Habsucht nicht verfallen bist (9—16). Ein solcher Mann aber ist wahrhaft glücklich (17—24). 8. 8. 8. Der Adressat war ein Adoptivsohn des Schriftstellers Sallust, Nachfolger des

II.

Nullus argento color est avaris
abdito terris, inimice lamnae
Crispe Sallusti, nisi temperato
splendeat usu.

5 vivet extento Proculeius aevo,
notus in fratres animi paterni;
illum aget penna metuente solvi
Fama superstes.

latius regnes avidum domando
10 spiritum, quam si Libyam remotis
Gadibus iungas et uterque Poenus
serviat uni. —

crescit indulgens sibi dirus hydrops,
nec sitim pellit, nisi causa morbi
15 fugerit venis et aquosus albo
corpore languor.

redditum Cyri solio Phrahaten
dissidens plebi numero beatorum
eximit virtus populumque falsis
20 dedocet uti

Maecenas in der Vertrauensstellung bei Augustus. Er war sehr freigebig.

1—8. 1. *avaris terris*] Abl. instr. zu *abdito*: „dem geizigen Schofse der Erde". — 2. *inimice lamnae*] Der Angeredete ist nur dann ein Feind des „Blechs", wenn es nicht glänze — (daher der Konj. der fremden Ansicht) — besafs er doch selbst Bergwerke in den Alpen. — 3. *Crispe Sallusti*] Die Vorstellung des Familiennamens wird nach Ciceros Zeit sehr häufig. — 5. *extento aevo*] eigentlich: indem sein Leben sich ausdehnt. Dann: über die Grenze des Lebens hinaus. — 6. *notus animi paterni*] Genet. der Eigenschaft „als ein Mann von väterl. Gesinnung: in dem Ruhm seiner u. s. w.". — 7. *Illum*] „ihn". — *metuente solvi*] „unlöslich", „nicht erlahmend". *metuere* vertritt eine Negation. — 8. *superstes*] „über das Grab hinaus".

9—16. 9. *latius*] „ja! weiter". — 10. *avidus spiritus*] „gieriges Gelüst". — 11. *uterque Poenus*] in Afrika und Spanien, wo besonders um Gades herum Phönizier safsen. — 15. *albo*] „erblafst".

17—24. „Also". — 17. *plebis*] prägnant für „Meinung des Pöbels". — 19. *virtus*] abstrakt, für den konkreten Ausdruck: die, welche *virtus* kennen. „Die rechte Erkenntnis". Denn „Tugend ist Wissen". — 20. *dedocet*] „ent-

vocibus, regnum et diadema tutum
deferens uni propriamque laurum,
quisquis ingentes oculo inretorto
spectat acervos.

III.

Aequam memento rebus in arduis
servare mentem, non secus in bonis
ab insolenti temperatam
laetitia, moriture Delli,

5 seu maestus omni tempore vixeris,
seu te in remoto gramine per dies
festos reclinatum bearis
interiore nota Falerni.

quo pinus ingens albaque populus
10 umbram hospitalem consociare amant

---

wöhnt". — 21. *tutum*] „gesichert" gegenüber den oft wechselnden polit. Verhältnissen. — 22. *propriam*] „zukommend", als Sieger. — 23. *oculo irretorto*] „ungeblendet".

Eine abgekürzte Chrie über das stoische Thema: *μόνος ὁ σοφὸς πλούσιος* (*quid?* 1—4. *cur* u. *contra* 5—12. *simile* 13—16. *paradigmata* 17—28).

Carm. II, 3. An Dellius. Gleichmut ist notwendig für die Wechselfälle des Lebens! (1—8). Lafs uns darum die kurze Spanne Zeit freudig geniefsen (9—16). Denn gegen das Sterben giebt es leider kein Mittel (17—28).

1—8. 1. *aequam*] ist das betonte Wort. Der Gegensatz von *aequam* und *arduis* ist durch die Stellung veranschaulicht. — *arduis*] „schwierige Bahn". — 2. *non secus ... laetitia*] ist nur parenthetisch und tonlos der Veranschaulichung des Gedankens wegen hinzugesetzt: „wie du sie einst in glücklicher Lage zu bewahren wufstest vor". — 4. *moriture*] begründend und das Motiv des ganzen Gedichtes enthaltend. — 6. *remoto*] vom Stadtgewühl. — 8. *interiore nota Falerni*] mit Enallage des Adjektivs für *interioris nota Falerni*. Er steht in der *apotheca* „hinten", weil er alt ist. Falerner ist Festwein.

9—16. 9. *quo*] wo? Zu *consociare amant* nach bekanntem Sprachgebrauch. — *pinus*] „Pinie", nicht „Fichte", höchstens „Föhre". — 10. *consociare*] prägnant für *conso-*

ramis? quid obliquo laborat
lympha fugax trepidare rivo?

huc vina et unguenta et nimium breves
flores amoenae ferre iube rosae,
15 dum res et aetas et sororum
fila trium patiuntur atra. —

cedes coemptis saltibus et domo
villaque flavus quam Tiberis lavit,
cedes et exstructis in altum
20 divitiis potietur heres.

divesne prisco natus ab Inacho
nil interest an pauper et infima
de gente sub divo moreris:
victima nil miserantis Orci.

25 omnes eodem cogimur, omnium
versatur urna serius ocius

---

ciando efficiunt, laden zur „Einkehr" (Uhland: „Bei einem Wirte wundermild da war ich jüngst zu Gaste".) — 11. *ramis*] Der Plural wird in der deutschen Dichtersprache gern durch ein Kompositum mit „Ge-" wiedergegeben: „Geäst". Die rhetorische Frage ist den Römern geläufiger als uns. — *lympha*] „Naſs". — 12. *trepidare*] „hasten". — *rivus*] „Rinnsal". Prosaisch: Dort wo die Quelle gluckst. — 13. *unguenta*] „der Salben Fülle". — *nimium*] „ach! allzu kurz". Solche die Modifikation des Gedankens ausdrückende Wörter unterläſst der Lateiner hinzuzufügen. — 14. *ferre*] dem „Knaben". — 16. *atra fila*] Wenn man des Gespinstes der Parzen denkt, thut man es gewöhnlich nur in ernsten Stunden, darum *atra*.

17—28. 17. *cedes*] Futur durch „müssen" wiederzugeben: „räumen muſst du". — *saltibus*] „Bergweiden". — *domus*] poetischer als „Haus", etwa unser „Palast". — 18. *flavus*] „gelb", wie wir von der „blauen" Donau sprechen und der „grünen" Spree. Der Tiber ist schlammig. — *lavit*] stets bei Horaz für *lavat* „spült". — 19. *exstructis in altum*] „hochgetürmt". — 20. *heres*] ist oft unserem „lachenden" Erben gleich, da viele von H.s Freunden, wie er selbst, natürliche Erben nicht hatten. — 21. *prisco*] „uralt". — *Inacho*] mythischer König des goldreichen Argos. — 22. *infima*] „Hefe". — *moreris*] „unter dem Himmelszelt wohnst" (Lazzaroni). — 24. *victima nil miserantis*] Ergänze: *tamen es.* „Das komische Bild einer Herde!" — 26. *versatur*] „geschüttelt". — *urna*] Abl. instr. —

sors exitura et nos in aeternum
exsilium impositura cumbae.

IV.

Ne sit ancillae tibi amor pudori,
Xanthia Phoceu, prius insolentem
serva Briseis niveo colore
movit Achillem;

5 movit Aiacem Telamone natum
forma captivae dominum Tecmessae;
arsit Atrides medio in triumpho
virgine rapta,

barbarae postquam cecidere turmae
10 Thessalo victore et ademptus Hector

---

serius ocius] zu *exitura*. — 27. *aeternum*] Versus hypermeter. — 28. *exsilium*] den Alten, „Verbannung", den Christen „Heimat". — *cumbae*] „des Charon".

Es scheint, als ob der Dichter einen Parteigenossen über eine Verbannung mit dem Hinweis auf die allgemeine Verbannung (v. 28) der Menschen trösten wollte. Dem stoischen Liede (2, 2) folgt eines aus dem Geiste Aristipps, welches die Motive enthält zu Liedern wie: „Laſst uns die Becher bekränzen, Laſst mit Gesängen und Tänzen Uns durch die Pilgerwelt gehn, Bis uns Cypressen umwehn".

Carm. II, 4. Gieb dich unbesorgt der Liebe zu der schönen Sklavin hin: Sklavinnen liebten vor dir bedeutendere Männer als du (1—12). Vielleicht ist deine Liebste sogar königlichen Geschlechts; jedenfalls ist sie schön: das muſs ich sogar zugeben, der ich ganz unparteiisch bin (13—24). (12. 12).

1—12. 1. *Ne*] nicht Negation, sondern finale Konjunktion. — 2. *Xanthia Phoceu*] Feierliche Anrede.— *Prius*] zu *movit*. — 3. *niveo colore*] Abl. instr. nicht qualitatis. — 5. *Telamone natum*] vertritt ein hervorragendes Epitheton: ihn, der doch vom höchsten Adel war. — 6. *forma*] „edler Wuchs". — *captivae dominum*] Diese Gegensätze sind bedeutungsvoll aneinandergerückt. — 7. *Atrides*] Man denkt nur an den bedeutenderen der Atriden. — 8. *virgine rapta*] Kassandra. — *ardere aliqua*] „in Liebe entbrennen zu". — 9. *Barbarae Grais*] Commoratio, um *medio in triumpho* zu erklären. Der Dichter thut aus Schalkheit recht ernsthaft. — *barbarae* = *Phrygiae*. — *turmae*] von Wagenkämpfern: ἱππῆες. — 10. *Thessalo victore*] Abl. abs. *Thessalus* ist Myrmidone. Die Fürsten der Myrmi-

tradidit fessis leviora tolli
Pergama Grais. —

nescias an te generum beati
Phyllidis flavae decorent parentes;
15 regium certe genus et penates
maeret iniquos.

crede non illam tibi de scelesta
plebe dilectam, neque sic fidelem,
sic lucro aversam potuisse nasci
20 matre pudenda.

bracchia et voltum teretesque suras
integer laudo; fuge suspicari,
cuius octavum trepidavit aetas
claudere lustrum.

---

donen, Achilles und Neoptolemus, waren für das Schicksal Trojas entscheidend, besonders der erstere, wie aus *ademptus* hervorgeht. — 11. *leviora tolli*] Der Dichter denkt an Hom. Ilias Ω, 243: *ῥηΐτεροι γὰρ μᾶλλον Ἀχαιοῖσιν δὴ ἔσεσθε Κείνου τεθνηῶτος ἐναιρέμεν.* „Wie eine Last, die gehoben werden soll, leichter wird, wenn man von ihr wegnimmt, so wurden ad. Hect. leviora tolli Perg.“ (Bücheler.) — 12. *Grais*] In den Oden heifsen die Griechen *Grai;* das Adjektiv heifst auch *Graecus.*

13—24. 13. *Nescias an*] wie in Prosa: *nescio an.* — *beati*] = *divites.* — 15. *certe*] „sicherlich“. Dem Dichter wird die Vermutung gewissermafsen selbst sicherer. — *regium genus*] von *maeret* abhängig; also Kürze des Ausdrucks für *neglectum regium genus.* — 16. *iniquos penates*] „garstig“, der Königstochter nicht geziemend. — 17. *crede non*] Konstr.: *illam tibi dilectam* (erkorene) *de scelesta plebe non (esse) neque* ... — *scelesta*] im Homerischen Sprachgebrauch ist der Haufe: *οἱ χέρηες.* — 22. *integer*] „selbstlos“. — 25. *pudenda*] Ähnlich war *erubescendis* in I, 27. — 27. *fuge suspicari*] *noli me in suspicionem vocare.* — 28. *cuius octavum*] Konstr.: *cuius aetas trepidavit claudere octavum lustrum.* In *trepidavit* kommt zu der Bedeutung von *properavit* noch ein „leider“. — Der Dichter war also ungefähr vierzig Jahre.

Carm. II, 5. Deine geliebte Lalage ist noch zu jung, um lieben zu können (1—8½). Warte ein Weilchen, und sie wird sich selbst nach dir sehnen (8½—16). Dann wird sie auch erst ganz die Liebe verdienen und finden, mit der andere Schöne jetzt mit Recht beglückt werden (17—24). (8. 8. 8.)

V.

Nondum subacta ferre iugum valet
cervice, nondum munia comparis
aequare nec tauri ruentis
in Venerem tolerare pondus.

5 circa virentes est animus tuae
campos iuvencae, nunc fluviis gravem
solantis aestum, nunc in udo
ludere cum vitulis salicto

praegestientis. tolle cupidinem
10 immitis uvae: iam tibi lividos
distinguet autumnus racemos
purpureo varius colore.

iam te sequetur — currit enim ferox
aetas et illi quos tibi dempserit
15 apponet annos — iam proterva
fronte petet Lalage maritum,

1—8. 1. *nondum*] gehört zu *ferre valet.* — *subacta cervice*] „mit gebeugtem Nacken". Eheleute sind *coniuges*, weil sie gewissermaſsen zusammen an den Wagen geschirrt sind, um mit gleichen Schritten durchs Leben zu wandern. Eine Jungfrau ist ἀδμής, die Gattin δάμαρ. Man denke auch an die deutsche Sage von Brunhild. — 2. *munia aequare*] „gleiche Arbeit leisten". — 3. *ruentis in Venerem*] etwa: „brünstig" (Nauck). — 5. *circa*] Asynd. advers. — *circa ... est*] „schweift auf". — 6. *fluviis*] intensiver Plural. Kurzer Ausdruck für „durch Baden in dem Fluſsbett". — 8. *vituli*] sind, wenn wir das Bild verlassen, die Gespielinnen.

9—16. Es folgt ein neues Bild. Lalage gleicht hier einer noch nicht reifen Traube. Der Dichter denkt an die Fabel vom Fuchs, der sich über die nicht erreichten Trauben tröstet, indem er ausruft: ὄμφακές εἰσιν. Konstruiere: *autumnus varius* (= *varians* färbend) *purpureo colore tibi distinguet* (aussondern) *lividos racemos.* — 13. *ferox*] „unbezwinglich". — 14. *dempserit, apponet*] Beim Manne scheint es während einer langen Zeit (z. B. vom vierzigsten bis fünfzigsten Jahre), als ob er nicht älter würde, während solche zehn Jahre ein junges Mädchen bedeutend älter erscheinen lassen. Altersunterschiede zwischen Mann und Frau scheinen sich auszugleichen. — 15. *proterva fronte*] „mit kecker Stirn". Es schwebt allerdings wieder das erste Bild von dem jungen Rinde vor.

dilecta quantum non Pholoe fugax,
non Chloris albo sic umero nitens,
ut pura nocturno renidet
20 luna mari, Cnidiusve Gyges;

quem si puellarum insereres choro,
mire sagaces falleret hospites
discrimen obscurum solutis
crinibus ambiguoque voltu.

VI.

Septimi, Gades aditure mecum et
Cantabrum indoctum iuga ferre nostra et
barbaras Syrtes, ubi Maura semper
aestuat unda,

17—24. 17. *dilecta*] nämlich *tibi*, „liebenswert“. Vgl. *cautus, invictus, contemptus* u. a. „und sie wird dir liebenswert erscheinen“. — *fugax*] „flink, scheu“. — 18. *albo umero*] mit den schönleuchtenden Schultern. — 19. *pura*] „unbewölkt“. — *nocturno*] Adverb! — *renidet*] „sich spiegelt“. Ein Lieblingsthema der modernen Lyrik. — 20. *Cnidiusve Gyges*] Als dritter wird ein Knabe genannt, in dessen Schilderung der Dichter aus uns unbekannten Gründen verweilt. — 22. *mire*] zu *falleret*. — *hospites*] „Fremde“. — *sagaces*] „selbst spürende“, wie einst Odysseus es war, als er Achill unter den jungen Mädchen am Hofe des Königs Lycomedes entdeckte. — 23. *discrimen obscurum (falleret)* etwa: „die schwierige Entscheidung. — *solutis crinibus*] Abl. des Grundes zu *falleret;* doch wähle einen Satz mit „denn“; *solutis* „flattern frei“. — 24. *ambiguo*] „giebt Rätsel auf“.

Der erste Teil des Gedichtes sagt: *nondum;* der zweite verweist auf die Zukunft mit *iam;* der dritte meint, daſs auch das Jetzt nicht zu verachten sei.

Carm. II, 6. An Septimius. — Treuer Septimius! (1—4). Kann es Tibur nicht sein, so möge das liebliche Tarent mein Ruhesitz werden (5—20). — Dort will ich sterben! (21—24). (12. 12.)

1—4. 1. *Gades*] als westlichster Punkt genannt. Liv. 22, 14: „sed Poenus advena, ab extremis orbis terrarum terminis iam huc progressus. — *aditure*] hypothetisch: *si ego cupierim.* — 2. *Cantaber*] hier als Volk des Nordwestens aufgeführt. Erst 19 v. C. wurden diese freien Bergvölker endgültig von Agrippa unterworfen. — 3. *barbaras Syrtes*] „unwirtliche Syrten“, die Busen an der Nordküste Afrikas, die wegen der Unzuverlässigkeit ihrer Bewohner und ihres heiſsen Klimas gefürchtet wurden.

5 Tibur Argeo positum colono
sit meae sedes utinam senectae,
sit modus lasso maris et viarum
militiaeque.

unde si parcae prohibent iniquae,
10 dulce pellitis ovibus Galaesi
flumen et regnata petam Laconi
rura Phalantho. —

ille terrarum mihi praeter omnes
angulus ridet, ubi non Hymetto
15 mella decedunt viridique certat
baca Venafro,

ver ubi longum tepidasque praebet
Iuppiter brumas et amicus Aulon
fertili Baccho minimum Falernis
20 invidet uvis.

5—20. 5. Ergänze, aber übers. nicht: So wisse. — *Argeo*] Corax, Catilus und Tiburnus. — *colono*] „die Gründung des". Dativ statt Abl., damit eine innigere Verbindung zwischen Verb und Subst. entstände. — 6. *senectae*] Dativ. Obwohl vielleicht erst 24 J. alt, denkt der Dichter in seiner „Resignation" schon ans Greisenalter. — 7. *maris et viarum militiaeque*] Die Genetive sind von *lasso* abhängig, als Genet. relat., durch welche die Vereinigung beider Begriffe zu einem einzigen in der Vorstellung bewirkt wird: „meerfahrten- und kriegsmüde". — *mare*] wird vorangestellt, weil H. Brutus' Fahrten nach dem Osten mitmachte und auch sein Schiffbruch am Vorgebirge Palinurus ihm noch in frischer Erinnerung steht. Die Genetive sind auch noch zu *modus* zu ergänzen. — 9. *iniquae*] nicht Epitheton perpetuum, sondern begründend. Der Dichter wagt nicht zu hoffen, dafs ihm in Tibur, so nahe bei Rom, zu wohnen erlaubt werden würde. — 10. *pellitae oves*] Damit die kostbare Wolle nicht befleckt würde, wurden diese Schafe in Häute genäht. — *Galaesi*] Genet. epexegeticus. Er fliefst bei Tarent. — 11. *petam*] „dorthin möcht' ich ziehen" (im-petus. πέτομαι). — 12. *Phalantho*] Phalanthus, Führer der Parthenier, soll 707 v. C. Tarent begründet haben. — 13. *ille*] „Ja! das ist". — 14. *Hymetto*] Comparatio compendiaria (wie gleich darauf *Venafro*) statt *mellibus Hymettiis; Venafrum* Stadt am Liris. — 17. *ver longum ... tepidas brumas*] Chiasmus. — 18. *Aulon*] ein Thal bei Tarent. — 19. *fertili Baccho*] zu *amicus*: „geliebt von". — *Falernis uvis*] hängt von *invidet* ab („scheel zu sehen braucht").

ille te mecum locus et beatae
postulant arces, ibi tu calentem
debita sparges lacrima favillam
vatis amici.

VII.

O saepe mecum tempus in ultimum
deducte Bruto militiae duce,
quis te redonavit Quiritem
dis patriis Italoque caelo,

5 Pompei, meorum prime sodalium,
cum quo morantem saepe diem mero
fregi coronatus nitentes
malobathro Syrio capillos?

21—24. 21. Zielpunkt des Ganzen: Ja, dieser Ort. — *mecum*] Aufforderung an Septimius, ebenfalls den „Hafen" der Ruhe zu suchen. — 22. *arces*] „Höhen". — 23. *sparges*] „netzen". — 24. *vatis*] H. hatte seine hohe Stellung im Heere seinen dichterischen Leistungen zu danken.

Als die Schlacht bei Philippi den Triumvirn den Sieg verliehen hatte, fragte es sich, was Horaz thun sollte, ob er die von den Siegern angebotene Gnade annehmen, oder zu Sextus Pompejus entfliehen sollte, um den Krieg fortzusetzen. Zu letzterem scheint H. durch seinen treuen Kriegskameraden aufgefordert worden zu sein; doch erklärte er, durch den traurigen Ausgang des Kampfes und den Tod der Besten entmutigt, auf jede politische Thätigkeit hinfort verzichten und in einem naturschönen Orte, sei es Tibur, sei es Tarent, in Abgeschlossenheit von der Welt sein Leben hinbringen zu wollen. „Heimweh", Ermattung und „Resignation" geben dem Dichter die gedämpften Farben und lassen ihn die landschaftlichen Reize seines „Ruhesitzes" in der Ahnung schon geniefsen.

Carm. II, 7. An Pompejus Varus. Mein Pompejus, alter Kriegskamerad! (1—12.) Wir wurden getrennt! (13 bis 16.) Jetzt wollen wir unsere Wiedervereinigung feiern (17—28). 12. 4. 12.

1—12. 1. *tempus in ult.*] „in die äufserste Not". — 3. *quis te redonavit?*] Der Deutsche fragt anders: „Bist du zurückgegeben?" — *Quiritem*] als „Bürgersmann". — 5. *Pompei*] mit Synalöphe. — *prime*] vom Range, nicht von der Zeit. Die *sodalicia* boten durch ihre Geselligkeit den Junggesellen einen gewissen Ersatz für die Ehe. — 6. *morantem diem*] prosaisch: Langeweile (des Lagerlebens). —

tecum Philippos et celerem fugam
10 sensi relicta non bene parmula,
cum fracta virtus et minaces
turpe solum tetigere mento;

sed me per hostis Mercurius celer
denso paventem sustulit aere:
15 te rursus in bellum resorbens
unda fretis tulit aestuosis.

ergo obligatam redde Iovi dapem
longaque fessum militia latus
depone sub lauru mea nec
20 parce cadis tibi destinatis.

oblivioso levia Massico
ciboria exple, funde capacibus

---

9. *Philippos et*] ἓν διὰ δυοῖν. — 10. *non bene*] „ruhmlos, leider“. — *relicta*] „lassen mufste“. H. rühmt sich dieses Unglücks nicht, aber er verschweigt es auch nicht, da es ihn nicht geschändet hat, ebenso wenig wie der gleiche Vorgang seine Dichtervorbilder Archilochus und Alkäus entehrte; ja diese Erwähnung bei den griechischen Dichtern hat Horaz zu diesem bildlichen Ausdruck vielleicht bestimmt. — 11. *fracta (est) virtus*] bezugnehmend auf Brutus' letzte Worte: ὦ τλῆμον ἀρετή, λόγος ἄρ' ἦσθ', ἐγὼ δέ σε ὡς ἔργον ἤσκουν, σὺ δ' ἄρ' ἐδούλευες τύχῃ (Worte des Herakles). — *et minaces . . . mento*] während die Tapfersten kämpfend untergingen, warfen sich die Prahler schimpflich vor dem Sieger nieder. Die Legionen des Brutus τῷ στρατηγῷ σφῶν ἀπεκρίναντο ἀναξίως· βουλεύεσθαι περὶ αὐτοῦ (Appian).

13—16. 13. *Mercurius*] als Beschützer der Dichter. Solche Rettungen von Götterlieblingen sind aus Homer bekannt. — *celer*] „beflügelt“. — 14. *paventem*] „betäubt“. — 16. *unda resorbens*] Das Bild von der „zurückschlürfenden Woge“ ist auch deshalb besonders passend, weil Pompejus sich in den Seekrieg begab. — *fretis aestuosis*] Dativ des Ziels.

17—28. 17. *dapem*] meist *dapes:* „Schmaus“. — 18. *latus*] wir „Haupt“. — 19. *lauru mea*] „unter meinem Lorbeerbaum“, eigentlich vom Lorbeerbaum im *impluvium* des *cavaedium*, uneigentlich vom „Dichterruhme“ mit der absichtlichen Vermischung der eigentlichen und uneigentlichen Bedeutung wie bei Cic. ad fam. II, 16: „Sed incurrit haec nostra laurus non solum in oculos, sed iam etiam in voculas malevolorum“. — 21. *oblivioso*] „vergessenbringend“. Das Gedicht war also zu einer Zeit geschrieben, wo man noch nicht vergessen hatte, sondern noch zu vergessen suchte. Die Aussöhnung war noch nicht erfolgt. — Der Becher Gröfse wird hier besonders hervorgehoben, da-

unguenta de conchis. quis udo
deproperare apio coronas
25 curatve myrto? quem Venus arbitrum
dicet bibendi? non ego sanius
bacchabor Edonis: recepto
dulce mihi furere est amico.

VIII.

Ulla si iuris tibi peierati
poena, Barine, nocuisset umquam,
dente si nigro fieres vel uno
turpior ungui,
5 crederem: sed tu simul obligasti
perfidum votis caput, enitescis
pulchrior multo iuvenumque prodis
publica cura.

---

mit des Dichters Freude recht bezeichnet werde. Dafs er ausländische *(ciboria)* Becher auf die Tafel setzte, war eine neue Aufmerksamkeit für den vielgereisten Freund. — 24. *deproperare*] Die Komposition mit *de* soll den Begriff verstärken. — *properare* steht prägnant für *properando facere.* — 25. *Venus*] „Der Venuswurf", der glücklichste Wurf, wenn alle Würfel verschiedene Zahlen zeigten (1. 3. 4. 6). — 27. *bacchabor Edonis*] In Thracien wurde Bacchus, d. h. dem Weine, besonders gefrönt. — 28. *amico*] ist wohl mit Absicht ans Ende gestellt, weil die Freundschaft in dem ganzen Liede gefeiert wird.

Carm. II, 8. An Barine. Schwöre nicht erst! Du weifst ja, dafs du durch Meineide nicht an Schönheit verlierst (1—12). Nein, im Gegenteil, es scheint, als wenn die Schar deiner Verehrer nur immer gröfser würde (13—24). 12. 12.

1—12. 1. *iuris peierati*] „Meineidiger Schwur", mit demselben Pleonasmus wie im Deutschen, nach *ius iurandum* gebildet. — 3. *si*] Für das zweite *si* setzen wir „und". Der Name *Barine* klang wie Varine. Mit Avarine sollte sich die Buhlerin angeredet zwar nicht lesen, aber hören (Cauer). — *dente si*] Konstr.: *si turpior fieres (uno) nigro dente vel uno (nigro) ungui,* so dafs *nigro* und *uno* zu beiden gehören. — 4. *turpior*] „entstellt". Es herrschte der Glaube, dafs Meineidige durch Verstümmelung eines Gliedes bestraft würden. — 5. *crederem*] ergänze *tibi.* Barine schwört ihm also jetzt gerade. — 8. *cura*] halb persönlich = Sehnsucht. (Vgl. I, 14 am Schlufs.) — *publica*] übersetze mit

expedit matris cineres opertos
10 fallere et toto taciturna noctis
signa cum caelo gelidaque divos
morte carentes.

ridet hoc, inquam, Venus ipsa, rident
simplices nymphae, ferus et Cupido,
15 semper ardentes acuens sagittas
cote cruenta.

adde quod pubes tibi crescit omnis,
servitus crescit nova, nec priores
impiae tectum dominae relinquunt,
20 saepe minati.

te suis matres metuunt iuvencis,
te senes parci, miseraeque nuper
virgines nuptae, tua ne retardet
aura maritos.

„aller" oder „offenbar". — 9. *cineres*] Man schwört bei der Asche Verstorbener. — *opertos ... taciturna*] sind ironisch begründend hinzugefügt; du kannst dreist so schwören, denn du denkst: Die Asche ist ja „begraben", die Sterne aber „verraten nichts", und die Götter bestrafen diesen Meineid nicht, denn ἀφροδίσιος ὅρκος οὐχὶ ποίνιμος. — 11. *gelida*] „starrend".

13—24. 14. *simplices*] „schlicht" ihres inneren und äufseren Wesens wegen, doch hier Epitheton perpetuum ohne besondere Rücksicht auf den Zusammenhang. — *ferus*] „grausam". — 16. *cruenta*] Der Wetzstein selbst ist wohl nicht „blutbespritzt", aber die Pfeile von den Liebeswunden. — 17. *tibi*] „nur für dich". — 18. *nova servitus*] „als neue Sklavenschar". — *nec*] „ohne dafs". — 16 *domina*] in des Wortes eigenster Bedeutung: „Zwingherrin, Tyrann". — 20. *saepe minati*] konzessiv zu *relinquunt*. — 21. *iuvencis*] von *iuvenca*. Es sind die heiratsfähigen Töchter gemeint. — 22. *parci*] „knauserig". — 23. *virgines nuper nuptae*] „jung verheiratete Frauen". — *te*] steht der Anaphora zu *te* wegen voran. — 24. *aura*] Ohne das derbe Bild „Liebreiz".

Das Ganze ist, wie die Anaphora in der letzten Strophe zeigt, ein Hymnus auf die Allgewalt der Schönheit.

Carm. II, 9. An Valgius Rufus. In der Natur herrscht der Wechsel (1—8). Du aber klagst ohne Unterlafs um den dir entrissenen Knaben, während doch Greise und Frauen sich schliefslich in ihr Verhängnis zu finden wufsten, als ein gleiches Schicksal sie betraf (9—16). Singe lieber ein kräftiges, kriegerisches Lied (17—24). 8. 8. 8.

IX.

Non semper imbres nubibus hispidos
manant in agros aut mare Caspium
vexant inaequales procellae
usque, nec Armeniis in oris,
5 amice Valgi, stat glacies iners
menses per omnes aut aquilonibus
querceta Gargani laborant
et foliis viduantur orni:

tu semper urgues flebilibus modis
10 Mysten ademptum, nec tibi vespero
surgente decedunt amores
nec rapidum fugiente solem..

at non ter aevo functus amabilem
ploravit omnes Antilochum senex
15 annos, nec impubem parentes
Troilon aut Phrygiae sorores

flevere semper. desine mollium
tandem querellarum, et potius nova

1—8. 1. *imbres, nubibus*] des Plurals wegen: „Thränenfluten". *imber* wird von den lat. Dichtern auch von Thränen gebraucht. Der Vergleich lag Horaz also näher als uns. — *hispidos*] „struppig", von den Stoppelfeldern, welche so ihre Trauer kundgeben. — 3. *inaequales*] „aufwühlend". Das Adjektiv ist proleptisch gebraucht. — *procellae*] „Böen". — *vexant*] Verb. frequent. von *vehere*, „fahren über". — 4. *orae*] „Säume". — 5. *iners*] „bewegungslos". — 7. *querceta*] Die Eiche hat zitterndes, gespensterhaft säuselndes Laub (Orakelbaum). — 8. *et orni*] und „seine" Eschen. — *viduantur*] eigentlich: werden verwitwet, etwa: „klagen verwaist um".

9—16. 9. *urgues*] „hältst fest". — 10. *Vespero*] Dazu gehört *surgente* und *fugiente.* Allerdings heifst der Stern am Morgen nicht mehr *vesper.* — 13. *ter aevo functus*] Il. I, 250: *τῷ δ' ἤδη δύο μὲν γενεαὶ μερόπων ἀνθρώπων Ἐφθίαθ', οἵ οἱ πρόσθεν ἅμα τράφεν ἠδ' ἐγένοντο Ἐν Πύλῳ ἠγαθέῃ, μετὰ δὲ τριτάτοισιν ἄνασσεν.* — *amabilem Antilochum*] Liebenswert war er, weil er schnellfüfsig, schön und tapfer war und weil er den Tod nicht scheute, um den Vater zu retten. Er war ein Freund Achills und starb durch Memnon. — 16. *Troilon*] jüngster der 50 Söhne des Priamus; er fiel durch Achilleus Hand. — *Phrygiae sorores*] Polyxena, Kassandra u. a.

16—24. Das Vorhergehende war begründend. „Darum". — 17. *desine mollium*] wie im Griech. *λήγω* und

cantemus Augusti tropaea
20 Caesaris et rigidum Niphaten,

Medumque flumen gentibus additum
victis minores volvere vertices,
intraque praescriptum Gelonos
exiguis equitare campis.

X.

Rectius vives, Licini, neque altum
semper urguendo neque, dum procellas
cautus horrescis, nimium premendo
litus iniquum.

5 aurea m quisquis mediocritatem
diligit, tutus caret obsoleti

---

andere Verba des Aufhörens konstruiert. Siehe Einl. § 8. — 19. *tropaea et rigidum*] Hendiadyoin. — *cantemus*] ist zuerst mit einfachem Objekt und dann mit dem erweiterten in der Gestalt des Acc. c. Inf. konstruiert. — 21. *Medumque*] Adjektiv. Der Euphrat ist gemeint. — 22. *volvere*] „wirbeln". Auch der „Rhein" klagte in den Liedern unserer Dichter über französische Herrschaft. Max v. Schenkendorf, Das Lied vom Rhein: „In Fessel lag der Held (der Rhein) geschlagen, sein Zürnen und sein stolzes Klagen, Wir haben's manche Nacht belauscht, von Geistesschauern hehr umrauscht." — 23. *Gelonos*] ein skythisches Volk am Tanais. — 25. *exiguis campis*] im Gegensatz zu den weiten Steppen Asiens. Vgl. I, 33.

Der Rat scheint also prinzipieller Natur.

Carm. II, 10. An Licinius Murena. Das Gedicht zerfällt in zwei gleiche Hälften: 1—12: Wer hoch steht, läuft am meisten Gefahr zu fallen; 12—24: du darfst auch ohne hochfliegende Pläne auf Änderung deines Unglücks hoffen, wenn du ausharrst. Der Adressat, später durch Adoption Terentius Varro Murena genannt, war ein Bruder des Prokulejus (2, 2) und der Terentia, der Gattin des Mäcenas; er wurde 23 v. C. mit dem Tode bestraft, weil er an einer Verschwörung gegen Augustus' Leben teilgenommen hatte.

1—12. 2. *urguendo*] auf ... hinausdrängend. — 3. *premendo*] allzu nahe hinstreifend. Die Hinzufügung mit dem zweiten *neque* ist ohne Betonung. — 4. *iniquum*] begründend: tückisch. Das Lebensschicksal des Menschen wird noch I, 5, 13; I, 34, 3; III, 2, 25; Epist. II, 2, 202 mit dem Wasser verglichen. — 6. *diligit*] „erkiest". — *tutus*] entspricht dem folgenden *sobrius* („klug"), gehört zu *caret sordibus* und ist proleptisch: in gesicherter Lage, ein Gesicherter. —

sordibus tecti, caret invidenda
sobrius aula.

saepius ventis agitatur ingens
10 pinus et celsae graviore casu
decidunt turres feriuntque summos
fulgura montes.

sperat infestis, metuit secundis
alteram sortem bene praeparatum
15 pectus: informes hiemes reducit
Iuppiter, idem

submovet; non, si male nunc, et olim
sic erit: quondam cithara tacentem
suscitat musam neque semper arcum
20 tendit Apollo. —

rebus angustis animosus atque
fortis adpare, sapienter idem
contrahes vento nimium secundo
turgida vela.

---

obsoleti] „eines verfallenen". — 7. *invidenda*] „beneidet". — 10. *et* ... *que*] Hier führt *que* das dritte Glied ein. — 12. *fulgura*] Glanz des Blitzes; man erwartete *fulmina*.

13—24. 13. *infestis*] sc. *rebus* Dativ. — 14. *alteram sortem*] „Wendung des Geschickes". Vgl. Liv. 9, 17: „nondum alteram fortunam expertus". — 15. *informes*] „mifsgestaltet". Der Winter der südlichen Gegenden bietet dem Maler nicht so dankbare Vorwürfe, wie der in unseren Ländern. — 18. *quondam*] „zu seiner Zeit" = *quodam tempore*. — Zu *suscitat* ist *Apollo* Subjekt. Vgl. Goethe: „Saiten rühret Apoll, doch er spannt auch den tötenden Bogen. Wie er die Hirtin entzückt, streckt er den Python in Staub." — Die Prosa würde subordinieren: denn nicht. — 23. *contrahes vento*] Zu dem Bilde vgl. Soph., Electr. v. 335: *νῦν ... πλεῖν ὑφειμένῃ δοκεῖ*. Zum Gedanken vgl. Salis: „Trag ein Herz der Freuden offen, doch zum Leidenskampf bereit; Lern im Mifsgeschicke hoffen; denk des Sturms bei heitrer Zeit." — *nimium*] gehört zu *secundo*.

Die letzte Strophe kehrt zu der im Anfang verwandten Allegorie zurück: das G nze hat also die Form eines *κύκλος*. Das Gedicht enthält Lebensweisheit in Bildern und ist ein Parallelgedicht zu II, 2.

Carm. II, 11. An Quintius Hirpinus. I. Quäle dich nicht mit Sorgen um das Bestehen des Staates in der Zukunft: du verlierst dadurch unnötig

XI.

Quid bellicosus Cantaber et Scythes,
Hirpine Quinti, cogitet Hadria
divisus obiecto, remittas
quaerere nec trepides in usum

5 poscentis aevi pauca: fugit retro
levis iuventas et decor, arida
pellente lascivos amores
canitie facilemque somnum. —

non semper idem floribus est honor
10 vernis, neque uno luna rubens nitet
voltu. quid aeternis minorem
consiliis animum fatigas?

---

die köstlichste Zeit (1—12). II. Lafs uns vielmehr sogleich jetzt die Sorgen unter Freuden der Natur, der Geselligkeit und des Gesanges vergessen (13—24). An denselben Quintius Hirpinus ist Epist. I, 16 gerichtet.

1—12. 1. *bellicosus*] giebt den Grund der Besorgnis an, da der Cantaber (wohl Typus der Völkerschaften des Westens: der Gallier, Celten u. s. w.) zum Kriege stets geneigt war. — *Scythes divisus obiecto Hadria*] Auch hier ist *div. obi. H.* Begründung und zwar aus dem Sinne des ängstlichen Freundes, „der dir nur noch durch ... getrennt scheint“. Denn der Ängstliche übertreibt, und der Skythe steht überhaupt nur für den Reichsfeind im Nordosten. — 2. *cogitet*] Aus dem Zusammenhange ergänzt sich leicht *male,* unser „brüten“. — 3. *remittas*] lafs nach — der so notwendigen *remissio animi* wegen. — 4. *nec trepides in usum*] („zittere nicht um den Bedarf“) steht im kausalen Verhältnis zu dem Vorhergehenden. Prosaisch: „Denn für uns wird's noch reichen, da wir als Grauköpfe nicht mehr viele Jahre zu leben haben; um den Staat aber bekümmert zu sein, ziemt uns nicht mehr, da jetzt der Kaiser dazu da ist“. So dachte Horaz nur, als er zu den „Verstimmten“ gehörte. — 6. *levis*] „zart“, eigentlich „bartlos“. — *arida*] „dürre“ oder „dörrende“. — 7. *lascivos*] „lose“. — 9. *non semper*] Auch die Natur lehrt uns, nicht immer dasselbe Antlitz zu zeigen. — *honor*] „Schmuck“. Man sollte *vernus* statt *vernis* erwarten. Denn der Dichter will nur sagen: nicht immer prangt die Natur im Frühlingsschmuck! — 10. *rubens*] *ut rubens sit.* — 11. *aeternis minorem consiliis animum*] *aeternis consiliis* steht ἀπὸ κοινοῦ zu *minorem* und *fatigas.* Übersetze *minorem* mit „schwächlich“ oder „endlich“ (im Gegensatze zu „unendlich“). — *aeternis*] übertrieben für „auf lange hinaus“. *aeternis consiliis* sind weit aussehende irdische Pläne — keine „Hamletischen“ Gedanken.

cur non sub alta vel platano vel hac
pinu iacentes sic temere et rosa
15 canos odorati capillos,
dum licet, Assyriaque nardo

potamus uncti? dissipat Euhius
curas edaces. quis puer ocius
restinguet ardentis Falerni
20 pocula praetereunte lympha?

quis devium scortum eliciet domo
Lyden? eburna dic age cum lyra
maturet, in comptum Lacaenae
more comam religata nodum.

13—24. 13. *Cur non*] Hast du einen (vernünftigen) Grund, warum wir nicht ... Vgl. II, 3. — *hac*] Also verlegt der Dichter den Schauplatz dieser Erwägungen in einen Park in Frühlingspracht. — 14. *sic temere*] *μὰψ αὔτως*, ohne langes Besinnen. — *rosa*] Auch wir wählen den Singular. — 15. *canos*] „ergrauend". H. wurde früh grau. Das „Ergrauen" spielt eine wichtige gewissermaſsen typische Rolle in der Lyrik Anakreons, welche dadurch zu schnellerem Genuſs zu ermuntern sucht. — 16. *dum licet*] zu *potamus:* so lange wir noch die Kraft dazu haben. — *Assyria*] ungenau für *Syria.* — 17. *Euhius*] Liber von dem Zuruf *εὐοῖ εὐοῖ* so genannt. — 18. *curas*] Übers. den Plural mit Bezug auf *dis* in *dissipat.* — *edaces*] „zehrend". — *Quis puer*] „Wird ein Sklave ..." — 19. *restinguet pocula*] Eigentlich glühen die Becher nicht, sondern der Falerner selbst macht glühen. — 21. *devium*] vielleicht vom Charakter: „schwärmerisch" (nach Plüſs). — *scortum*] „Mädchen". Ihr Wert erhöht sich, da sie eine seltene, sonst nur bei Festzügen übliche *lyra* besitzt. — Konstr.: *religata comas* (griech. Akk.) *in comptum* (*compositum* „zusammengenommen") *nodum* (Schopf) *more Lacaenae*, d. h. prosaisch: sie soll kommen, ohne sich lange zu putzen, wie sie ist: sagt aber zugleich, daſs sie in dieser einfachen Haartracht am schönsten sei und daſs diese dem Dichter am besten gefalle.

Der Dichter wähnt leben zu können, indem er nur den Augenblick froh genieſst; aber dieses „froh" ist, wie der Schluſs zeigt, schon damals bei ihm ein „künstlerisch und edel".

Carm. II, 12. An Mäcenas. Fordere von mir nicht Verherrlichung kriegerischer Groſsthaten. Meine Aufgabe ist das leichte Lied. Nicht den Kaiser will ich besingen, wohl aber die Schönheit meiner Geliebten. Einleitung sagt: was ich nicht kann (1 bis 12). Thema: was und wie ich es kann (13—28). 12. 4. 12.

XII.

Nolis longa ferae bella Numantiae
nec durum Hannibalem nec Siculum mare
Poeno purpureum sanguine mollibus
aptari citharae modis,

5 nec saevos Lapithas et nimium mero
Hylaeum domitosque Herculea manu
Telluris iuvenes, unde periculum
fulgens contremuit domus

Saturni veteris: tuque pedestribus
10 dices historiis proelia Caesaris,
Maecenas, melius ductaque per vias
regum colla minacium. —

1—12. 1. *longa*] „langwierig" (vom J. 141—133). — *fera*] „leidenschaftlich", wie die spanischen Bergvölker es immer waren. — 2. *durus*] „herzlos". — *Siculum mare*] Hier denkt der Dichter an die Seeschlachten bei *Mylae* (260) und bei den Ägatischen Inseln (241) im Ersten punischen Kriege. Die Reihenfolge der Subjekte zu *aptari* ist also chronologisch, aber von der Zeit des Dichters an rückwärts. — 3. *mollibus*] enthält den Grund, warum Mäcen solches nicht fordern kann; denn für die Leier des Dichters eignet sich nicht *fera, dura, sanguine purpurea, saeva, nimia* etc. Welche Adjectiva dagegen sind für die Dichtung des Horaz bezeichnend? — 5. *Lapithas*] Auch diese Strophe enthält noch Subjekte zu *aptari*. Diese Sagen würden vom Dichter nicht so oft berührt worden sein, wenn sie nicht damals vielfach gerade von Künstlern dargestellt worden wären. — *nimium mero*] „berauscht". — 6. *Hylaeus*] (der „Waldmensch") war ein Kentaur. — 7. *Telluris iuvenes*] Die „Brut" der Erde sind die Giganten mit schuppigen Drachenschwänzen statt der Füfse, mit langem Bart und Haupthaar und furchtbarem Antlitz. Sie griffen auf den Phlegräischen Feldern mit Felsblöcken und Baumstämmen den Himmel an; aber Zeus mit den Olympiern und Herkules schlug sie zurück. — *unde periculum*] kurz für *a quibus periculum exortum*. — 8. *contremuit*] mit dem Akk. „bangen vor". — 9. *tuque*] *que* hat nach der Negation in *nolis* gegensätzlichen Sinn. Mäcen beabsichtigte, eine Geschichte Cäsars zu schreiben. — *pedestribus histor.*] „in prosaischer Gesch.", wie die Griechen πεζὸς λόγος gebrauchen. Der Dichter reitet ja auf dem Pegasus. — 11. *ductaque*] Mache in der Übersetzung lieber einen Satz mit „wie" daraus. — *vias*] Es ist besonders die *Via sacra* gemeint, auf welcher sich der Triumphzug zum Kapitol bewegte. — 12. *regum colla*] Zur Umschreibung ist der Körperteil der *reges*

me dulces dominae musa Licymniae
cantus, me voluit dicere lucidum
15 fulgentes oculos et bene mutuis
fidum pectus amoribus;

quam nec ferre pedem dedecuit choris
nec certare ioco nec dare bracchia
ludentem nitidis virginibus sacro
20 Dianae celebris die. —

num tu quae tenuit dives Achaemenes
aut pinguis Phrygiae Mygdonias opes

---

gewählt, an dem sie gefesselt dahingeschleift wurden, vgl. *umerum* in I, 21, 22.

13—16. Konstr.: *Musa voluit me dicere dulces cantus dominae Licymniae.* — 13. *me*] steht adversativ dem, was Mäcenas kann, gegenüber. — *dulces dominae*] zusammengestellt, obwohl nicht zusammengehörig, der weichen Allitteration wegen. — *dominae Licymniae*] gehört auch zu den folgenden Objekten. *domina, domare* steht gern von der Bezwingung durch die Liebe! *domina* also = Geliebte. Vgl. Epist. I, 3, 25: „sub domina meretrice". c. II, 8, 19. *Licymnia* ist eine Freigelassene, der H. diesen Namen ihrer schönen Stimme wegen giebt, nicht etwa Terentia, die Gemahlin des Mäcenas, die H. nicht in solcher Weise hätte besingen dürfen. — 14. *lucidum fulgentes*] Das Neutrum des Adjektivs steht als Akk. des Inhalts statt des gewöhnlicheren Adverbs nach Analogie des Homerischen Gebrauchs, z. B. ἀχρεῖον ἰδὼν *B*, 269. — 15. *bene mutuis*] *bene* dient zur Verstärkung des Adjektivs = ganz. — 16. *fidus*] „vertrauend auf". — Man beachte, dafs in dieser Strophe ein deutlicher Gegensatz zum Vorhergehenden zum Ausdruck gelangt. Vorher hiefs es: *saevus, ferus*, jetzt: *dulcis;* vorher: *fulgens domus Saturni*, jetzt: *fulgentes oculos;* vorher: *regum minacium*, jetzt: *fidum pectus.*

17—28. 17. *nec dedecuit* Litotes. — *ferre pedem*] ist ein tanzmäfsiges Schreiten. — *choris*] statt *in choris*, nach Analogie von *ludis.* — 18. *certare ioco*] bezieht sich auf die bei Gastmählern gebräuchliche neckische Unterhaltung. — 19. *nitidis*] „festlich gekleidet". — 20. *celebris*] „gefeiert". Die Iden des August wurden als Stiftungstag des Dianatempels auf dem Aventin von Sklaven und Freigelassenen gefeiert, zu denen die römische Diana in Beziehung stand. — 21. *num tu*] So urteilst auch du in deinem Herzen. Oder würdest du. — 22. *pinguis* („gesegnet") *Phrygiae Mygdonias opes*] (Mygdon war ein König Phrygiens) absichtliche, mit wachsender Silbenzahl geschilderte Häufung der Begriffe, um den Reichtum mit vollem Munde zu schildern. Wenn dies beabsichtigt ist, kann es nur eine Nachahmung des bekannten Homerischen Verses sein: ὦ μάκαρ Ἀτρεΐδη,

permutare velis crine Licymniae
plenas aut Arabum domos,
25 cum flagrantia detorquet ad oscula
cervicem, aut facili saevitia negat
quae poscente magis gaudeat eripi,
interdum rapere occupet?

XIII.

Ille et nefasto te posuit die,
quicumque primum, et sacrilega manu
produxit, arbos, in nepotum
perniciem opprobriumque pagi;
5 illum et parentis crediderim sui
fregisse cervicem et penetralia

μοιρήγενες, ὀλβιόδαιμον. — 23. *permutare*] „eintauschen gegen". — *crine*] Wir sagen nicht „Haar". — 24. *aut plenas domos Arabum*] ebenfalls Objekt zu *permutare*. Die Araber galten für sehr reich (das glückliche Arabien). — 25. *flagrantia oscula*] „flammende Küsse" (Kinkel). — 26. *facili saevitia*] Oxymoron: „liebliche Spröde". — 27. *quae poscente*] Konstr.: *quae eripi magis gaudeat poscente* (für *quam poscens*). — 28. *rapere occupet*] = φθάνει ἁρπάζουσα, nämlich *oscula*.

Das Gedicht ist ein κύκλος; es beginnt mit Kämpfen und endet mit Kämpfen. Vgl. in anderer Beziehung I, 6.

Carm. II, 13. Die Veranlassung entnehmen wir aus dem Gedichte selbst, in dem der Dichter komisch polternd auf den Pflanzer und Pfleger des Baumes, der ihn fast erschlagen hätte, schilt (1—12). Was sein lebhaft erregtes Inneres dabei empfunden, ist der eigentliche Inhalt des Gedichtes: 1) Mittelgedanke: So hätte ich sterben können, als ich es am wenigsten dachte (13—20); 2) Hauptgedanke: Aber selbst die Unterwelt würde für mich, den Dichter, der Schrecken entbehrt haben (21—40). 20. 20.

1—12. 1. *Ille*] „der". — *et . . . et*] Die Korresponsion mufs man in der poetischen Übertragung nicht merken lassen. — 2. *quicumque primum*] ergänze *posuit*. — *sacrilega*] Durch Synekdoche für *scelesta*. — 4. *in perniciem*] *in* mit der Bedeutung des Zweckes, wie in Prosa meist *ad*. — *opprobrium*] „Schande". — *pagi*] Das Sabinum gehörte zum Gau Mandela. — 5. *et parentis*] *et* für *etiam*. Wir setzen den Dativ. — 6. *penetralia*] wo der Altar der Penaten

sparsisse nocturno cruore
hospitis; ille venena Colcha

et quidquid usquam concipitur nefas
10 tractavit, agro qui statuit meo
te triste lignum, te caducum
in domini caput immerentis. —

quid quisque vitet, numquam homini satis
cautum est in horas. navita Bosporum
15 Poenus perhorrescit neque ultra
caeca timet aliunde fata,

miles sagittas et celerem fugam
Parthi, catenas Parthus et Italum
robur: sed improvisa leti
20 vis rapuit rapietque gentes. —

war. — 7. *nocturno*] Wir adverbiell: nächtlicher Weile. — 8. *hospitis*] steht an betonter Stelle. — *Colcha*] für *Colchica*. Der Dichter denkt an die als Giftmischerin berüchtigte Medea. — 9. *quidquid ... nefas*] „erdenklich". — 10. *tractavit*] „befafst", vgl. I, 37. — *agro meo*] Abl. statt: *in meo agro*. — 11. *triste lignum*] „arges Holz". — *caducum*] „fallsüchtig", hier: „dafs du zu fallen wagst". — 12. *immerentis*] steht an betonter Stelle.

13—20. 13. Schiebe vor *quid quisque* „Ja" ein. — 14. *cautum*] in der Bedeutung des Part. Perf., die wir in *invictus* haben; mit *numquam:* „darin ist Vorsorge für jede Stunde unmöglich". — Es folgen drei Beispiele; die Dreizahl liebt H. bei Beispielen. — Bosporum] Er war von den Schiffern gefürchtet. In mythischer Zeit dachte man sich hier die Symplegaden (bei Homer dagegen liegen sie in der Nähe des Scyllafelsens). — 15. *Poenus*] ist wie der Phönizier der keckste unter allen Seefahrern und kommt überallhin. — *ultra*] Ergänze das Participium von *esse*. — 19. *caeca fata*] kann nicht das „blinde Schicksal" sein, sondern *caecus* mufs in passivem Sinne gefafst werden. — *timet*] mit langer Schlufssilbe; unterscheide es von *metuit* durch die Übersetzung „bangt". — 17. *miles*] ist der römische Soldat. — *sagittas*] Übers. den Plural durch ein zusammengesetztes Substantiv, etwa „Pfeilgeschwirr". Vgl. Liv. 9, 19: „equitem, sagittas, saltus impeditos gravis armis miles timere potest". — *celerem fugam*] bezieht sich auf das bekannte Manöver der Parther, durch eine verstellte Flucht die Feinde in Unordnung zu bringen und dann anzugreifen. — *celeris*] tritt, wie es scheint, formelhaft zu *fuga*. — 18. *Italum robur*] *Italum robur* kann nur auf das Heer der Römer gehen; durch *robur* wird es in seiner Eigenart von den Parthern, die *levis armaturae* waren, unterschieden. — 19. *improvisa*] hat den Ton.

quam paene furvae regna Proserpinae
et iudicantem vidimus Aeacum
sedesque discretas piorum et
Aeoliis fidibus querentem

25 Sappho puellis de popularibus,
et te sonantem plenius aureo,
Alcaee, plectro dura navis,
dura fugae mala, dura belli!

utrumque sacro digna silentio
30 mirantur umbrae dicere, sed magis
pugnas et exactos tyrannos
densum umeris bibit aure volgus.

quid mirum, ubi illis carminibus stupens
demittit atras belua centiceps
35 aures et intorti capillis
Eumenidum recreantur angues?

21—40. 21. *furvae*] *fuscus, fulvus* malen durch ihren Klang schon das Düstere. — *Proserpinae*] Die erste Silbe ist hier kurz. — 22. *Aeacum*] Äakus war einer der drei Richter in der Unterwelt. — 24. *Aeoliis fidibus*] Auch das Saiteninstrument kann mit einer leichten Enallage „äolisch" genannt werden, weil es in den äolischen Kolonieen, bzw. in Lesbos, in eigenartiger Weise gehandhabt wurde. — *querentem de popularibus puellis*] wohl, weil sie von ihnen mifsverstanden oder wenigstens in ihrem Streben, die Stellung des Weibes zu heben, nicht verstanden wurde. — 26. *plenius quam Sappho*] weil er auch *carmina politica* dichtete. — *aureo plectro*] wie es sonst nur Apoll hatte. — Konstr.: *sonantem dura mala navis, fugae, belli; mala* ist schön in die Mitte gestellt; die Anaphora mit *dura* malt das harte Verhängnis des Alkäus und die Fülle der Leiden. — 27. *navis*] „Schiffsleben". — 28. *fugae*] „Exil". — 30. Konstr.: *umbrae mirantur utrumque dignae sacro silentio dicere*] *sacrum silentium:* „feierliche Stille", wie es bei Opfern und gottesdienstlichen Handlungen üblich ist. — 31. *exactos*] durch ein Substantiv zu übersetzen. — 32. *densum umeris*] „Schulter an Schulter gedrängt". — *bibit aure*] „schlürft mit dem Ohr" (Nauck). Vgl. Goethe, Iphigenie: „Es klingt so schön, was unsere Väter thaten, Wenn es im stillen Abendschatten ruhend der Jüngling mit dem Ton der Harfe schlürft". — 33. *ubi*] „wo doch, da ja". — *illis carminibus stupens*] „ob solcher Lieder stutzend". — 34. *atras*] „grauschwarz". — *belua centiceps*] Der Hund zeigt die Wirkung der Musik darin, dafs er einschläft. — 35. *capillis*] Dativ, abhängig von *intorti:* „sich ringelnd in den". —

quin et Prometheus et Pelopis parens
dulci laborum decipitur sono,
nec curat Orion leones
40 aut timidos agitare lyncas.

XIV.

Eheu fugaces, Postume Postume,
labuntur anni, nec pietas moram
rugis et instanti senectae
adferet indomitaeque morti,
5 non si trecenis, quotquot eunt dies,
amice, places inlacrimabilem
Plutona tauris, qui ter amplum
Geryonen Tityonque tristi

---

tur] „sich laben". — 37. *et*] vor *Prometheus* = *etiam* Prometheus wird also von H. noch in der Unterwelt gedacht, nicht als von Herkules befreit. — *Pelopis parens*] Tantalus. — 38. *laborum decipitur*] „täuscht sich hinweg über seine Leiden", nach Analogie der griechischen Konstr.: κλέπτεσθαι τῶν πόνων. — 39. *Orion*] setzt in der Unterwelt fort, wodurch er sich auf der Erde einen Namen erworben. Auch der „wilde Jäger" der deutschen Sage findet nicht Ruhe. — 40. *lyncas*] Sonst ist *lynx* Femininum.

Von einem an und für sich unbedeutenden Vorfalle ausgehend, hat des Dichters Phantasie, beeinflufst durch seine fröhliche Stimmung, sich von Gedanke zu Gedanke erhoben, bis sie in dem Thema „Macht des Gesanges" Genüge und Ruhe fand: „Der Sänger triumphiert in Wettern, Ihn rührt Gefahr nicht an, noch Tod".

Carm. II, 14. An Postumus. Nicht Frömmigkeit und Opfer, keine Macht der Erde hindert den Tod (1—12). Vergeblich ist die Vorsicht (13—16). Da wir also scheiden müssen, wird der Erbe den Wein vergeuden! (17—28). Nicht ausgesprochen ist der Gedanke: Warum wollen wir dieser Vergeudung nicht vorbeugen? 12. 4. 12.

1—12. 2. *labuntur*] von der unmerklichen Bewegung: „gleiten". — *nec pietas*] Der *pius* will etwas erreichen, vgl. I, 24. — *moram adferet*] „verzögern". — 3. *senecta*] wird als eine verfolgte Reiterin gedacht. — 5. *treceni tauri*] Drei Hekatomben (ἑκατὸν βόες). — 6. *places inlacrimabilem*] mit Absicht zusammengestellt. — 7. *qui*] prosaisch: „denn er umschränkt ja auch". — 8. *Geryonen*] τρισώματος wohnte auf der Insel Erytheia im äufsersten Westen. Herakles erschlug ihn, als er ihm die Rinder raubte. — *Tityonque* Sohn Gaias, wurde, weil er sich an Leto vergreifen wollte, von Artemis und Apollo bestraft. — *tristi unda*]

compescit unda, scilicet omnibus,
10 quicumque terrae munere vescimur,
enaviganda, sive reges
sive inopes erimus coloni. —

frustra cruento Marte carebimus
fractisque rauci fluctibus Hadriae,
15 frustra per autumnos nocentem
corporibus metuemus austrum.

visendus ater flumine languido
Cocytos errans et Danai genus
infame damnatusque longi
20 Sisyphus Aeolides laboris.

linquenda tellus et domus et placens
uxor, neque harum, quas colis, arborum
te praeter invisas cupressos
ulla brevem dominum sequetur.

25 absumet heres Caecuba dignior
servata centum clavibus et mero

„ernste Woge“. Das sagt schon der Name „Styx“, denn er hat den gleichen Stamm wie στυγερός u. a. — 9. *scilicet ... coloni*] parenthetische Ausführung des Gedankens. In *colonus* liegt der Begriff der Armut eingeschlossen. Vgl. I, 35, 6. — 10. *terrae munere vescimur*] οἳ ἀρούρης καρπὸν ἔδουσιν. — 11. *reges*] wie der Gegensatz lehrt, = reiche Leute.

13—16. Drei hintereinander folgende Verse beginnen mit der harten Verbindung *fr.* — 13. *cruentus Mars*] „blutbespritzter Mars“, metonymisch für „blutiger Krieg“. — *carebimus*] „fernzuhalten suchen“. — 14. *fractis ... Hadriae*] beachtenswerte Stellung der Worte! — 16. *corporibus*] steht ἀπὸ κοινοῦ zu *nocentem* und *metuemus* „vorsorglich meiden“. — *Auster*] der heutige „Sirocco“.

17—28. Man beachte die Voranstellung des Verbums in allen drei Strophen. Diese enthalten den Gegensatz zu dem vorangegangenen *carebimus* und *metuemus*: „Nein, dennoch muſs“. — 17. *ater*] stumpfschwarz, *niger* glänzendschwarz, ersteres häſslich, dies schön. „Der Cocytus durch die Wüste weinet“ (Schiller). — 19. *longi laboris damnatus*] *damn.* als Verb. des „Abschätzens“ konstruiert, ist wie *capitis damnare* vulgär. — *placens*] „geliebt, wonnig“. *tu mihi sola places* = ich liebe dich. — 23. *invisas*] weil sie vor Trauerhäusern und an Gräbern steht, wozu sie mit ihrem düsteren Grün recht wohl geeignet erscheint. — 24. *brevem*] „kurz lebend“. — 25. *dignior*] scherzhaft: er verdient ihn mehr, weil er ihn trinkt. — 26. *mero*] trank

tinguet pavimentum superbo,
pontificum potiore cenis.

XV.

Iam pauca aratro iugera regiae
moles relinquent, undique latius
extenta visentur Lucrino
stagna lacu platanusque caelebs
5 evincet ulmos. tum violaria et
myrtus et omnis copia narium

---

den Wein mit Wasser gemischt. — 28. *potiore*] konzessiver Zusatz. — *cenis pontificum*] Comparatio compendiaria. — Der Schlufs lehrt, wie frisch dieses Gedicht von der Unentrinnkarkeit des Todes geschrieben ist und dafs er einem Postumus, — einem Menschentypus, keiner besonderen Persönlichkeit — die Unterwelt mit Absicht recht schwarz malt, damit er nicht für lachende Erben sorge.

Carm. II, 15. Ihr baut und verschwendet für euer Vergnügen übermäfsig (1—10). Den Alten war Vergnügen die geringste Sorge, da sie nur auf Verchönerung der Staatsgebäude und Tempel bedacht waren (11—20). Zwei gleiche, dem Inhalt nach entgegengesetzte Teile. Eine Art Staatsode, wie 3, 1—6, welche auf dem Boden der Ideen des Augustus und seiner Freunde steht, die die Landwirtschaft wieder heben (Virgils Georgika) und die Tempel wieder erneuern wollten (vom J. 28 v. C. an).

1—10. 1. *regiae moles*] *regiae* = *regales*. *moles* von Riesenbauten, wie vom Hause des Maecenas und der *moles Hadriani* (Engelsburg) = fürstliche Paläste. Ganz Italien hatte gegen die Kaiserzeit hin einen Gartencharakter angenommen. — 2. *undique*] asyndetisch an das erste Glied angeschlossen, das dritte folgt mit *que* in *plantanusque*. Konstr.: *undique stagna (latius extenta Lucrino lacu) visentur*. *visere* = *videre*. — 3. *Lucrino lacu*] Abl. compar. zu *latius*. Er liegt bei Bajä und ist vom Meere nur durch einen Damm getrennt. Dort lagen Roms Austern (*conchylium*)-Bänke. — 4. *stagna*] „Weiher“, „Fischbehälter“. Damals beschäftigten sich viele Vornehme mit Fischzucht (*piscinarii* oft = Millionäre). Doch betrieben sie es als Sport, nicht um zu nützen. — *caelebs*] „jungfräulich“. Die praktischen Römer verschmähten die Platanen für die Rebenkultur, weil ihr dichtes Blätterdach dem Gedeihen des Weines zu viel Sonne entzogen hätte. — 5. *ulmos*] welche auch Viehfutter gewährten. — *violaria*] *violae* sind Levkoje und Goldlack. — 6. *myrtus*] Myrtenbüsche; *myrtus et omnis copia narium* eine Art Hendiadyoin „mit“; *narium* meton. für „Ge-

spargent olivetis odorem
fertilibus domino priori,

tum spissa ramis laurea fervidos
10 excludet ictus. — non ita Romuli
praescriptum et intonsi Catonis
auspiciis veterumque norma.

privatus illis census erat brevis,
commune magnum: nulla decempedis
15 metata privatis opacam
porticus excipiebat arcton,

nec fortuitum spernere caespitem
leges sinebant, oppida publico
sumptu iubentes et deorum
20 templa novo decorare saxo.

---

rüche". — 7. *olivetis*] für *in olivetis*. Die Ölbäume werden nicht umgehauen, aber der zwischen ihnen liegende Raum wird nicht mehr wie früher mit Getreide bepflanzt. — 9. *spissa ramis laurea*] also eine Lorbeerlaube mit dichtem Geäst. Myrte und Lorbeer blieben stets nur Gartengewächse ohne landschaftliche Bedeutung für Italien. — 10. *ictus*] Der Sonnengott entsendet „Pfeile".

11—20. Beschreibung des „Sonst" im Gegensatze zum „Jetzt". — 11. *intonsi*] „struppig". Die Barbiere fanden erst ums Jahr 300 Eingang in Rom. Es scheint ein Gegensatz zu den beschnittenen Laubgängen vorzuschweben. So sagt Freiligrath: „Ein h o h e r Gast trat heut' in meine n i e d r e Schmiede". — *praescriptum*] ergänze *est*. — 13. *privatus* und *commune*] sind asyndetisch einander entgegengesetzt. — *census*] „Einkommen". — *brevis*] „knapp". — 14. *commune magnum*] Das wird durch die Kosten der Kanalisierung, der Aquädukte, der Uferbauten in der ältesten Zeit leicht bewiesen. Konstr.: *nulla porticus decempedis metata excipiebat op. Arcton privatis*] (Dat. comm.) prosaisch: Privatleute hatten keine nach Norden gelegenen grofsen Säulenhallen. — 16. *excipiebat*] „fing ab". — *arcton*] Den Bär für Norden. — 17. *fortuitus* = ὁ τυχών. — *caespitem*] Aus Rasen wurden einst Altäre und Privathäuser gebaut. — *lateres crudi*] Luftziegel mit Lehm und Spreu verputzt, zum Oberbau, *lapides* zum Unterbau. — *leges* sind Gesetze gegen den Luxus. Wie einfach war das Haus des Augustus auf dem Palatin! — 18. *oppida*] „Staatsgebäude". — 19. *iubentes*] adversativ zu *nec sinebant* „wohl aber". — 20. *novo*] „ungewöhnlich". Es ist der Marmor gemeint.

Horaz war nicht so engherzig zu verlangen, dafs seine Römer noch in Erdhütten wohnen sollten; er tadelt es nur, dafs die öffentlichen Gebäude

XVI.

Otium divos rogat in patenti
prensus Aegaeo, simul atra nubes
condidit lunam neque certa fulgent
sidera nautis,

5 otium bello furiosa Thrace,
otium Medi pharetra decori,
Grosphe, non gemmis neque purpura venale neque auro.

non enim gazae neque consularis
10 submovet lictor miseros tumultus

---

in so häfslicher Weise hinter den Privatbauten zurückblieben, dafs überhaupt damals mit fieberhafter Hitze gebaut wurde.

Carm. II, 16. An Pompejus Grosphus. Nach Ruhe und Frieden streben alle Menschen, selbst die, welche für die unruhigsten gelten. Aber nur wenige wissen sie auf die rechte Weise zu erlangen. Nur Genügsamkeit kann sie geben und die Gewöhnung an den Gedanken, dafs nichts auf der Welt vollkommen ist. Zu dieser Zufriedenheit bin ich selbst durchgedrungen.

Die Hauptsentenz des Gedichtes steht in der Mitte v. 17—20. Der Anfang begründet sie, der Schlufs führt sie aus. — Es gehören stets zwei Strophen zusammen.

1—20. 1. *otium*] verengert seine Bedeutung mehr und mehr: von „Freisein von berufsmäfsiger Thätigkeit" bis zu „Frieden und innere Ruhe". — 2. *in patenti Aegaeo*] „auf der Höhe des Ägäischen Meeres". Diese Bedeutung des *patenti* liegt in der Voranstellung des Adjektivs. Denn an und für sich kann das Ägäische Meer nicht offen genannt werden, weil es mit Inseln bedeckt ist. — *prensus*] Subjekt zu *rogat* „wer". — *simul nubes condidit*] bestimmt *rogat*, nicht *prensus*. — 3. *certa*] „verläfsliche", nach denen er seinen Kurs richtet. — 4. *nautis*] Die *nautae*, welche zugleich *mercatores* sind, haben sonst nie das Verlangen nach Ruhe, da die Sucht nach Gewinn sie immer von neuem wieder hinaustreibt. — 5. *Thrace*] griech. Form. Das Land steht für die Bewohner. — *bello furiosa*] ist durch ein deutsches Kompositum zu geben. — 6. *pharetra decori*] „im Schmuck des Köchers", ein Epithet. ornans ohne besondere Beziehung zur augenblicklichen Sage nach epischer Weise. — 7. *Grosphe*] gehört mehr zu dem adversativen Zusatz: *non venale*; *venale* Wortbrechung.

9—16. 9. *non enim*] stärker verneinend als *neque enim*. *gazae* nimmt Bezug auf *gemmis*, *lictor* auf *purpura*. Der Gegensatz folgt mit *vivitur parvo bene*. — 10. *lictor*] „Scherge". — *submovet*] Vox propria von polizeilicher Entfernung Unberechtigter. — *miseros tumultus*] „kläglichen Auf-

mentis et curas laqueata circum
tecta volantes.

vivitur parvo bene, cui paternum
splendet in mensa tenui salinum
15 nec leves somnos timor aut cupido
sordidus aufert.

quid brevi fortes iaculamur aevo
multa? quid terras alio calentes
sole mutamus? patriae quis exsul
20 se quoque fugit? —

---

ruhr". — 11. *curas volantes*] Die Sorge (besser die innere Angst) wird „flatternden Nachtvögeln" verglichen. — *laqueata*] betont vorangestellt; darum ist ein „sogar" einzuschieben. „Die Decken der Zimmer, besonders der Triklinien, waren durch quer übereinandergelegte Balken gebildet, zwischen denen die Vertiefungen, *lacus*, daher *lacunaria* oder *laquearia*, mit Stuckarbeit, auch mit Gold und Elfenbein verziert oder bemalt oder mit Mosaikarbeit geschmückt wurden." (Schütz.) Diese Strophe entspricht dreigliedrig der Ankündigung in *venale non gemmis, purpura, auro.* — 13. *vivitur*] Logisches Subjekt ist der Relativsatz: *cui splendet.* — 14. *tenui*] „schmal". Der Relativsatz umschreibt in poetisch-plastischer Weise: „der ein mäfsiges Vermögen vom Vater ererbt hat". — 15. *levis*] „willig". — *timor*] „Zagen". — *cupido* (bei Horaz stets Maskulinum) *sordidus*] „Gier nach Gemeinem", nach Gütern, die nur nützen, ohne zu veredeln.

17—20. Vor *quid?* ein „darum" zu denken. — 17. *bvevi fortes*] Um das Widersinnige dieser rastlosen Thätigkeit zu bezeichnen, sind diese augenscheinlichen Gegensätze nebeneinandergestellt. — *iaculamur*] Das Bild ist aus dem Jägerleben genommen, wie unser „erjagen"; in der „Glocke" heifst es: „Der Mann mufs hinaus ins feindliche Leben, mufs wetten und wagen, das Glück zu erjagen." Ist etwa ein Gegensatz zwischen Horazens und Schillers Ansicht? Vgl. Soph. Oed. tyr. 1195: *ὅστις καθ' ὑπερβολὰν τοξεύσας ἐκράτησας τοῦ πάντ' εὐδαίμονος ὄλβου.* — 19. *mutamus*] zu ergänzen *nostra:* gegen unser eigenes. — *patriae quis exsul*] ist eigentlich logisch das zweite, als Begründung untergeordnete, und beweist, dafs die zweite Frage sich nicht allein auf die Thätigkeit des Kaufmanns bezieht. — *patriae exsul*] = *patriae expers* in Bedeutung und Konstruktion, nur dafs er mit *exsul* ihm zugleich einen verdienten, aber weniger ehrenvollen Namen giebt. Man vgl. zu dem Ausdruck: „Ich fühl's, des Abendlandes düstres Kind, mir selber mufs ich erst entrinnen, und nicht mehr denken, grübeln, sinnen. Vielleicht dann wird mir Frieden werden." Schack.

21—40. „Um das Rofs des Reiters schweben, um das Schiff die Sorgen

scandit aeratas vitiosa navis
cura, nec turmas equitum relinquit,
ocior cervis et agente nimbos
ocior Euro.

25 laetus in praesens animus quod ultra est
oderit curare et amara lento
temperet risu: nihil est ab omni
parte beatum.

abstulit clarum cita mors Achillem,
30 longa Tithonum minuit senectus,
et mihi forsan, tibi quod negarit,
porriget hora.

te greges centum Siculaeque circum
mugiunt vaccae, tibi tollit hinnitum
35 apta quadrigis equa, te bis Afro
murice tinctae

vestiunt lanae: mihi parva rura et
spiritum Graiae tenuem Camenae

---

her.“ (Schiller.) — 21. *navis*] „Galeeren“. — 23. *ocior*] das Vorangehende in chiastischer Ordnung begründend. — *cervis*] Der Plural ist schon der Gleichmäfsigkeit zu *turmae equitum* wegen hier zu umschreiben: „Rudel“. — 26. *oderit curare*] *odisse, fugere, parcere, metuere* dienen den Dichtern zur Umschreibung der Negation, namentlich im Imperativ, wie in Prosa bekanntlich *noli* und *cave*. — *lento risu*] bezeichnet das durch nichts aufser Fassung zu bringende, gelassene, „zähe“ Lächeln des Weisen. — 29. *abstulit*] Es folgen drei Beispiele „so“. — 30. *Tithonum*] kurz für „Schönheit des T.“. — 31. *et mihi*] Das dritte Beispiel ist scherzhaft: „Wer weifs, ob nicht auch dir etwas fehlt, was sogar ich habe.“ Der Konjunktiv ist schmeichelhaft für Pompejus, als ob der Dichter nichts Bestimmtes kenne. Scherzhaft giebt er in den folgenden beiden Strophen ein Beispiel dazu. Grosphus fehlt unzweifelhaft des Dichters poetisches Glück und dessen Gleichgültigkeit gegen die Ehren des Volks. — 33. *Siculaeque vaccae*] *greges* bezieht sich also wohl auf kleinere Tiere; das *centum* des ersten Gliedes wird leicht zu dem zweiten ergänzt; gehört doch auch *Siculae* mit zum ersten. — 34. *tollit hinnitum*] „zuwiehern“. — 35. *equa apta quadrigis*] wie sie für die kostspieligen Wettkämpfe notwendig waren. — 37. *lanae*] Besonders bei der *lacerna* (einem offenen Mantel, der über der rechten Schulter mit einer *fibula* zusammengeheftet wurde) liebten die Römer bunte Farben. — 38. *spiritum tenuem*] Horaz scheint sich zu

parca non mendax dedit et malignum
40 spernere volgus.

XVII.

Cur me querellis exanimas tuis?
nec dis amicum est nec mihi te prius
obire, Maecenas, mearum
grande decus columenque rerum.
5 a, te meae si partem animae rapit
maturior vis, quid moror altera,
nec carus aeque nec superstes
integer? ille dies utramque
ducet ruinam. non ego perfidum
10 dixi sacramentum: ibimus, ibimus,

---

denen zu halten, von welchen wir bei Cicero im Orator hören, dafs sie das Wesen des Atticismus in die *tenuitas* des Ausdrucks, d. h. seine „Schlichtheit" oder Zartheit setzen. Den Begriff des „Kleinen", der für *parva* nötig ist, hat es dennoch. — 39. *non mendax*] heifst die Parze hier, weil sie für den Dichter in der That eine *parca* ist (Bücheler). Ein Wortspiel! — 40. *spernere*] von *dedit* abhängig. Das dritte Glied ist überraschend und pointiert hinzugefügt: trotzdem aber die Kraft ..., weil die Böswilligen eben nur ein „Haufe" sind.

Das Gedicht ist die Umschreibung des einfachen Gedankens: Das gesuchte Glück dort ist nur in dir: du bringst es ewig hervor.

Carm. II, 17. An Mäcenas. Denke nicht an den Tod, ebenso wenig wie ich, der ich mir geschworen habe, deinen Tod nicht zu überleben (1—16). Wir haben ja keine Ursache, an das Ende zu denken, da wir beide erst jüngst die Güte der Götter erfahren. Darum wollen wir nicht verzweifeln, sondern danken (17—32).

1—16. 1. *Cur?*] Dein „Härmen" ist grundlos. *Quid?* würde tadelnd fragen. — *exanimas*] „zerquälst". — 2. *nec ... nec*] „nicht ... noch". — 3. *obire*] euphemistisch „hinscheiden". — *mearum rerum*] Umschreibung (hier für *mei*) wie in *quid agis, dulcissime rerum?* „meines Lebens". — 4. *grande*] „erhaben". *grande decus:* „Complosio syllabarum", gehoben durch die dem Dichter liebe Allitteration mit dem weichen d. — 5. *partem animae*] Apposition zu *te*. — *rapit* und *vis* von der gewaltsamen Art und Weise des Todes. — *maturior*] im D. das Adverb. — *altera*] Nominativ, ergänze *pars:* Apposition zum Subjekte in *moror*. — 7. *superstes*] gehört zu *carus* und *integer*. — *nec ... nec*] „nicht ... noch überhaupt". — *carus*] zu ergänzen: *nobis;* also *carus* „lebensfroh" und *integer* „lebensfähig". — 8. *ille*] Schiebe vorher „so" ein. — 9. *ruinam, sacramentum*] Metaphern vom Kriegsleben. — 10. *ibimus, ibi-*

utcumque praecedes, supremum
carpere iter comites parati.

me nec chimaerae spiritus igneae,
nec, si resurgat, centimanus Gyas
15 divellet umquam: sic potenti
Iustitiae placitumque Parcis.

seu Libra seu me Scorpios adspicit
formidolosus, pars violentior
natalis horae, seu tyrannus
20 Hesperiae Capricornus undae,

utrumque nostrum incredibili modo
consentit astrum. te Iovis impio
tutela Saturno refulgens
eripuit volucrisque fati

---

mus] Die Duplicatio, um den Worten Nachdruck zu geben. — 11. *utcumque*] zeitlich „wann auch immer“. — *supremum iter*] „letzte Reise“. — 13. *Chimaera*] ist am Eingang der Unterwelt gedacht. — 14. *resurgat*] „erhöhe er sich von neuem“. — *Gyas*] ἑκατόγχειρ, ein Gigant wie Briareus-Aegaeon. — 15. *divellet*] „soll ...“ — 16. *placitumque*] Transposition des *que*, um die beiden Glieder abzurunden; es gehört zu *Parcis*, wie auch *potenti* zugleich zu *Parcis*. — *Iustitiae*] Δίκη ἡ ξύνοικος τῶν κάτω θεῶν.

17—32. Sinn der Verse 17—20: Das Horoskop der Astrologen ist mir unbekannt und gleichgültig. Aber welche Konstellation es auch sei, sie stimmt mit der dein Schicksal begleitenden wunderbar überein. Den Beweis haben wir noch kürzlich erhalten: Als dich Juppiter dem Saturn entriſs, rettete mich Faunus vor dem Fall etc. (Nach Bolle.) Unter welchem Stern wir geboren, darauf kommt es nicht an, wohl aber darauf, daſs wir in uns selbst „gleiche Sterne“, d. h. „gleiche Gesinnungen“ entdecken. ὡρόσκοπος ist das Zeichen, welches in der Stunde der Geburt aufging; diesen Begriff giebt wieder: „adspicit pars violentior natalis horae“; der Komparativ, weil der Horoskop nur ein Teil der astrologischen Nativität ist. — 17. *adspicit*] Vox propria vom Sterne, der in der Geburtsstunde leuchtet. — 18. *pars violentior natalis horae*] gehört zu allen drei Gestirnen „als herrschender Teilhaber an der“. — 19. *tyrannus Hesperiae undae*] Apposition zu *Capricornus*. Die Alten leiteten den Ursprung der Stürme von den Gestirnen her. Hesperische Wogen sind die des Westens. — 22. *te ... me*] Diese Gegenüberstellung liebt der Dichter auffällig; am Schlusse wiederholt sie sich. — 23. *tutela Iovis*] „Der schützende Juppiter“. Er gehört zu den segenverheiſsenden Sternen, wie Saturn zu den „bösen“. — *refulgens*] „entgegenblitzend“. — *Saturne*] ge-

25 tardavit alas, cum populus frequens
laetum theatris ter crepuit sonum:
me truncus inlapsus cerebro
sustulerat, nisi Faunus ictum
dextra levasset, Mercurialium
30 custos virorum. reddere victimas
aedemque votivam memento:
nos humilem feriemus agnam.

XVIII.

Non ebur neque aureum
mea renidet in domo lacunar,
non trabes Hymettiae
premunt columnas ultima recisas

---

hört zu *eripuit*, ist zu denken zu *refulgens*. — 25. *alas*] „Schwingen". — Mäcenas war im J. 30 von schwerer Krankheit genesen und enthustiastisch vom Volke begrüfst worden; vgl. I, 20. — 26. *theatris*] poetisch Abl. loci für *in theatris*. Man konnte die Präposition um so eher weglassen, als man ja auch *ludis*, *Saturnalibus* sagte. — 28. *sustulerat*] für *sustulisset*, weil die Handlung schon im Begriff war zu geschehen, als sie noch gehindert wurde. Man kann im Deutschen auch den Indikativ setzen. — *nisi*] „doch". — *levasset*] „gemildert" wie z. B. Athene es mit dem Pfeile des Pandaros auf Menelaos machte. — *Faunus*] Dieselbe Thätigkeit schreibt der Dichter sonst Bacchus zu, und im Folgenden heifst Merkur „Gönner der Dichter", aber damals befand sich der Dichter auf seinem Landgute im Schutze des Faunus. — 29. *Mercurialium*] der Dichter vgl. 2, 7, 13. — 30. *reddere*] Schiebe „darum" ein! *reddere*, weil er es schuldig ist, wie 2, 7. 17. — *votivam*] gehört auch zu *victimas*. — 32. *humilem*] „winzig", weil der Dichter an materiellen Gütern dem Freunde so erheblich nachstand.

Das Ganze ist ein heiteres Gedicht, um dem hypochondrischen, aber am Leben hängenden Freunde Mut zu machen. Das Schicksal hat das Versprechen des Dichters zur Wahrheit gemacht.

Carm. II, 18. Ich bin mit dem, was ich besitze, zufrieden (1—16). Die Mehrzahl meiner Zeitgenossen ist es nicht, sondern jagt nach dem Glücke (17—28). Wie thöricht, sich die kurze Spanne Zeit so zu verleiden, zumal der Orkus eine gleiche Herberge für arm und reich ist (29—40).

1—16. Den Negationen tritt *at* im Verse 9 entgegen. — 1. *non ebur neque lacunar*] Hendiadyoin für *eburneum lacunar*. — 3. *trabes*] „Gebälk". — *Hymettus*] Gebirge in Attika. Bläulich-weifser Marmor wie der pentelische, parische und italische (Lunense). — 4. *ultima*] „fern". Afri-

5 Africa, neque Attali
ignotus heres regiam occupavi,
nec Laconicas mihi
trahunt honestae purpuras clientae.
at fides et ingeni
10 benigna vena est, pauperemque dives
me petit: nihil supra
deos lacesso nec potentem amicum
largiora flagito,
satis beatus unicis Sabinis. —
15 truditur dies die
novaeque pergunt interire lunae.
tu secanda marmora
locas sub ipsum funus et sepulcri
immemor struis domos
20 marisque Baiis obstrepentis urgues
submovere litora,
parum locuples continente ripa.
quid quod usque proximos
revellis agri terminos et ultra

---

kanischer oder numidischer Marmor war gelb. Durch das Anwenden verschiedener Marmorsorten zeigte man seinen Reichtum, aber nicht immer seinen Geschmack. — 6. *ignotus heres*] wie das römische Volk zur Beerbung des reichen Attalus III., Königs von Pergamum, kam. — 7. *Laconicas*] In der Nähe von Gythion kam die Purpurmuschel sehr häufig vor, wie es Berge von Muschelschalen daselbst noch heute bezeugen. — 8. *trahunt*] „zupfen“. Man denke an Verres, dem in einer *officina* angesehene Griechinnen Stickereien ausführen mufsten. — 9. *fides*] „Redlichkeit“. — 10. *vena*] „Ader“, weil vorher vom Marmor“ die Rede war. — 14. *satis beatus*] „reich beglückt“. — *Sabinis*] Plural von den „Sabinerfluren“, welche ihm Mäcenas im J. 33 schenkte. In *unicis* liegt „zärtlich geliebt“. — 16. *pergunt interire*] „kommen und gehen“.

17—28. 17. *marmora*] Marmorblöcke für Estrich und Wände. — 18. *sub ipsum funus*] kurz vor dem Augenblick des Todes, wo du dich mit dir selbst beschäftigen solltest. — 19. *domos*] Paläste. — *submovere litora*] Es läfst sich an sich nicht tadeln, dafs die Römer möglichst nahe dem Meere ihre Schlösser erbauten, wenn sie es nur nicht aus Grofsmannssucht oder Blasiertheit gethan hätten. — 22. *ripa*] hier vom Meeresstrande. — 25. *limi-*

25 limites clientium
salis avarus? pellitur paternos
in sinu ferens deos
et uxor et vir sordidosque natos.

nulla certior tamen
30 rapacis Orci fine destinata
aula divitem manet
erum. quid ultra tendis? aequa tellus

pauperi recluditur
regumque pueris, nec satelles Orci
35 callidum Promethea
revexit auro captus. hic superbum

Tantalum atque Tantali
genus coercet, hic levare functum
pauperem laboribus
40 vocatus atque non vocatus audit.

---

tes clientium] „Die Raine der Pächter". — 26. *salire*] mit dem Begriff des Übermütigen. — *avarus*] „ein Nimmersatt". — *pellitur* ... *natos*] ein im kernigen (Lapidar-)Stil gezeichnetes, grofsartiges Bild. — *paternos deos*] sind die Penaten und Laren. — 28. *sordidi*] nicht „schmutzig", sondern „nackt" oder „ärmlich".

29—40. „Und doch". 30. *rapacis Orci*] Orkus ist hier der Gott der Unterwelt. *Orci* steht wohl mit Absicht neben *fine*, weil es an ὅρος anklingt. — 31. *aula*] „Halle". — Konstr.: *certior fine destinata rapacis Orci. finis* ist hier Femininum. — 33. *recluditur*] „erschliefst sich". — 34. *pueris*] mit Synizese zu lesen. — *satelles Orci*] kann hier nur Charon sein. — 35. *Promethea*] Diesen Versuch des Prometheus kennt die uns bekannte Sage nicht. Hatte ihn Mäcenas in seinem „Prometheus" hinzugefügt? — 36. *captus*] „geblendet". — Dieser nimmt arm und reich auf. — Konstr.: *audit* („ist willig") *levare* („Die Bürde abnehmen") *pauperem laboribus functum* (καμόντα) *vocatus* (wie in der Äsopischen Fabel) *atque non vocatus* (in schönem Oxymoron Soph. Electr. v. 305: τὰς οὔσας τέ μου καὶ τὰς ἀπούσας ἐλπίδας διέφθορεν.

Carm. II, 19. An Bacchus. Ich habe Bacchus gesehen, und stürmisch wogt es in meiner Brust. Darum habe ich ein Recht, von ihm zu singen (1—16): Du bist auf Erden, im Himmel, im Kriege nicht minder wie im Frieden, selbst in der Unterwelt, mächtig (17—32). 16. 16.

1—16. a) 1—8. Veranlassung. —

XIX.

Bacchum in remotis carmina rupibus
vidi docentem, credite posteri,
nymphasque discentes et aures
capripedum Satyrorum acutas.

5 euhoe, recenti mens trepidat metu
plenoque Bacchi pectore turbidum
laetatur. euhoe, parce Liber,
parce, gravi metuende thyrso!

fas pervicaces est mihi Thyiadas
10 vinique fontem, lactis et uberes
cantare rivos atque truncis
lapsa cavis iterare mella,

fas et beatae coniugis additum
stellis honorem tectaque Penthei
15 disiecta non leni ruina,
Thracis et exitium Lycurgi.

---

1. *rupibus*] B. hatte davon den Beinamen: ὄρειος. — 3. *Nymphas*] wie die Satyrn in der Begleitung des Bacchus. — *discentes*] gehört sowohl zu *Nymphas* als zu *aures*. — 4. *acutas aures*] Umschreibung der Satyrn selbst „spitzohrig". — 5. *recenti*] übers. bloſs mit „noch". — 6. *pleno Bacchi*] So sagt Schiller: „Des Gottes voll". — *turbidum laetatur*] *turbidum* ist der Akk. des Inhalts statt des regelmäſsigeren Adverbs. Subjekt ist auch hier *mens*. — 7. *parce, parce*] Anadiplosis zur Verstärkung der Bitte. Er fühlt sich nicht fähig, die Gegenwart des Gottes zu ertragen. — 8. *thyrsos*] ist der Stab, den der Gott und seine Verehrer trugen. Er ist mit Weinlaub und Epheu umwunden und hat oben einen Pinienapfel. Er dient dem Gotte als Waffe.

9—16. „Darum". — 9. *Thyiadas*] von θύειν „stürmen". Sie heiſsen auch Μαινάδες. — Den Anhängern des Bacchus flieſst in Strömen Wein, Milch und Honig zu. — *fas et*] = *etiam*. — 10. *vinique fontem*] Es ergeben sich drei Glieder, von denen das zweite und dritte durch *atque* verbunden sind. — 13. *beatae*] „selig", weil unter die Götter versetzt. — *coniugis*] Ariadne, die Tochter des Minos, welche von dem undankbaren Theseus auf Naxos verlassen worden war. — 14. *honorem*] „Schmuck", die goldne Krone Ariadnes, welche von Bacchus an den Himmel versetzt wurde. — Aber der Gott kann auch verderben. So ging es seinen Verächtern Pentheus und Lykurg.

17—32. Das Lied selbst. Die Anaphora: du verstehst es, wird in v. 25 unterbrochen. v. 17 nimmt Bezug auf Bacchus Fahrt nach Indien, wo er

tu flectis amnes, tu mare barbarum,
tu separatis uvidus in iugis
nodo coerces viperino
20 Bistonidum sine fraude crines;

tu, cum parentis regna per arduum
cohors Gigantum scanderet impia,
Rhoetum retorsisti leonis
unguibus horribilique mala,

25 quamquam choreis aptior et iocis
ludoque dictus non sat idoneus
pugnae ferebaris; sed idem
pacis eras mediusque belli.

te vidit insons Cerberus aureo
30 cornu decorum leniter atterens
caudam et recedentis trilingui
ore pedes tetigitque crura.

---

trockenen Fuſses durch den Hydaspes und Orontes schritt und das Indische Meer beruhigte. — 18. *separatis*] = *remotis*. — 19. *coerces*] kurz für: lehrst sie *coercere, sine fraude* (sonder Fährde) *nodo viperino* „mit Schlangen als Knoten". — 20. *Bistonidum*] Damit sind thrakische Bacchantinnen gemeint. — 21. *Bacchus* und *Hercules*] halfen, der erste in Löwengestalt, Juppiter die Giganten besiegen. — *per arduum*] Horaz scheint an den Titanenkampf zu denken; diese türmten Berge aufeinander. — 24. *horribili*] gehört auch zu *unguibus*. — 27. *ferebaris*] ergänze *esse:* Damals sowohl wie jetzt. — 28. *mediusque*] *que* sollte bei *belli* stehen. — *medius*] mit dem Genetiv von der Wurzel *med,* die wir in *μέδων*, *medicus*, *modus* haben. Vgl. Liv. IX, 14: *quae aliis modum pacis ac belli facere aequum censeret*. — Die Unterwelt besuchte Bacchus, um seine Mutter Semele zurückzuholen. — 30. *decorum*] „im Schmucke". Das Horn hält er in der Hand und gieſst daraus Wein auf das wilde Tier zu seinen Füſsen, welches mit dem Schweif wedelt. So stellt die Kunst ihn dar. — 31. *recedentis*] hängt ab von *pedes* und *crura* „und bei deinem Scheiden." — *trilingui*] Also hat der Rachen des Cerberus drei Zungen. Anders II, 13. — 32. *tetigitque*] *que* sollte bei *crura* stehen.

Es ist nicht klar, durch welche Ereignisse und Ansichten seiner Zeit der Dichter zur Besingung des Bacchus bewogen wurde. Vielleicht war es die Erkenntnis, daſs ein einfacheres, ursprünglicheres Leben begonnen werden müsse. Möglich, daſs ihm als Bacchus Oktavian vorschwebte, wie ja Alexander

XX.

Non usitata nec tenui ferar
penna biformis per liquidum aethera
vates, neque in terris morabor
longius, invidiaque maior
5 urbes relinquam. non ego, pauperum
sanguis parentum, non ego, quem vocas,
dilecte Maecenas, obibo,
nec Stygia cohibebor unda. —
iam iam residunt cruribus asperae
10 pelles et album mutor in alitem

---

einst sich hatte *Διόνυσος* nennen lassen.

Carm. II, 20. Ich werde nicht sterben, sondern wie ein Schwan die Welt durchziehen (1—12). Alle werden mich kennen lernen: Darum ist mein Tod kein Tod (13—24). — Der Gedanke, der für ein Schlufslied äufserst passend ist, erinnert an das Rückertsche Lied: „Ein edler Mann lebt nie vergebens; Er gehet, hemmt sich hier sein Lauf, Nach Sonnenuntergang des Lebens Als ein Gestirn der Nachwelt auf.“ — Das Ganze ist eine poetische Einkleidung des Ciceronianischen Ausspruchs vom Milo § 98: „quamobrem ubi corpus hoc sit, non, inquit, laboro, quoniam omnibus in terris et iam versatur et semper habitabit nominis mei gloria“.

1—12. 1. *non usitata*] für *inusitata,* denn das Gedicht ist ein Kampfgedicht gegen die Ansicht des Neides. — *tenuis penna*] *(pet-na)* „schwacher Fittich“. — 2. *biformis*] „doppelgestaltet“ als Mensch mit den Flügeln des Schwans, Mensch u. Dichter zugleich. Aristoteles erzählt, die Seelen der Dichter gingen nach dem Tode in Schwäne über. Von diesen glaubte man, sie vermöchten zu singen, wenn sie ihren Tod herannahen fühlten. Seitdem spricht man vom „Schwanengesang eines Dichters“, nach dieser Ode vom „Venusinischen Schwan“ (Matthisson). — *liquidus*] „licht“. — 3. *vates*] feierlich, wie im Anfangsgedichte. — *neque*] kann untergeordnet werden mit „ohne“. — *in terris morari*] war zu der Zeit, wo das Leben wenig Wert hatte und stoische Grundsätze herrschten, fast hergebracht für *vivere.* — 4. *invidia*] Abl. compar. — 5. *non ego ... non ego*] „wahrlich nicht“. *ego* ist unbetont und nur wegen der Verstärkung des *non* hinzugefügt. — *pauperum sang. parentum*] Das warfen ihm, namentlich in der ersten Zeit seines Dichterrufes, seine Neider vor. — *quem vocas*] Mäcenas ruft mit Sehnsucht den schon tot gedachten Dichter. Andere erklären: den du einladest. — 8. *cohibebor*] „gebannt werde“. — Das Folgende ist die plastisch-antike Ausführung des modernen: „Ich werde auf einem Ruhmesfittich die Welt durchziehen.“ — 9. *asperae pelles*] denn Wanderschuhe sind für die Reise vor allem nötig. —

superne nascunturque leves
per digitos umerosque plumae.

iam Daedaleo tutior Icaro
visam gementis litora Bospori
15 Syrtesque Gaetulas canorus
ales Hyperboreosque campos.

me Colchus et qui dissimulat metum
Marsae cohortis Dacus et ultimi
noscent Geloni, me peritus
20 discet Hiber Rhodanique potor.

absint inani funere neniae
luctusque turpes et querimoniae;
compesce clamorem ac sepulcri
mitte supervacuos honores.

---

11. *superne*] Die letzte Silbe ist verkürzt. — *nascuntur*] „entsprießen“. — *visam*] „sehen“. Der moderne Dichter „grüßt“ aus der Höhe.

13—24. Es folgen die in der Poesie beliebten Beschreibungen von Völkern des Ostens, Südens, Nordens. — 13. *Icaro*] Ovid läßt Dädalus zu Icarus sagen: „medio tutissimus ibis“. — 15. *canorus ales*] „sangreicher Flügelgänger“ (Plüß). Diese Vorstellung war den Alten noch geläufiger, weil sie sich den Dichter auf dem „Flügelroß Pegasos“ reitend dachten. — 17. *qui dissimulat* etc.] weil sie mit den Römern den Kampf wagten. — 19. *peritus*] „gelehrt“. So steht *peritus* auch sonst absolut. In Spanien gab es griechische Kolonieen, die es zu bedeutender Bildung gebracht hatten. — 20. *Rhodanique potor*] „Zecher der Rhone“, für Anwohner; so sagt Homer Il. *B*, 825: *πίνοντες ὕδωρ μέλαν Αἰσήποιο*. Vielleicht dachte Horaz an Massilia. — In dieser Strophe tritt der Westen noch besonders hinzu. Die Windrose wurde von den Römern mit zu wenig bestimmten Namen gekennzeichnet. — 21. *absint*] Das Verb tritt bedeutungsvoll voran: darum sollen. — *inani funere*] Es ist ja nur ein *κενοτάφιον*, da die Seele weiterlebt. Ennius (bei Cicero Tusc. I, 15) sagt: *volito vivos per ora virum*. — 22. *turpes*] „häßlich“. — 24. *supervacuos*] gebraucht Horaz zuerst für *supervacaneos*. — *honores*] „Gepränge“. — Die Bitte hatte um so weniger etwas Verletzendes für Mäcenas, als dieser selbst (Senec. Ep. 92) gesagt hatte: „nec tumulum curo, sepelit natura relictos“.

Der Gedanke, welcher in diesem Gedichte von dem noch jugendlichen Dichter ausgesprochen wird, hat in der Brust jedes hervorragenden Mannes, der sich nicht verstanden glaubte und sich auf die Nachwelt vertröstete, gelebt.

LIBER TERTIUS.

I.

Odi profanum volgus et arceo,
favete linguis: carmina non prius
audita musarum sacerdos
virginibus puerisque canto.

Carm. III, 1. Einleitung zu dem ganzen Cyklus III, 1—6, welcher durch die Neugründung Roms unter Augustus (im J. 27) veranlafst ist: Neue Weisen will ich singen, nicht dem Pöbel, sondern den Reinen (1—4). I. Mächtig ist Juppiter — ohnmächtig trotz alles Sorgens und Strebens der Mensch. Darum verschmähe er nicht für inneren Frieden zu sorgen! (5—24.) Wer diesen erlangt hat, ist gewappnet gegen die Schläge des Schicksals; wer ihn nicht kennt, wird ruhelos umhergetrieben (25—40). II. Darum will auch ich mein bescheidenes Los nicht gegen ein glänzendes eintauschen (41—48). (24.24.)

1—4. Nicht blofs zum ersten Gedicht als Einleitung dienend, sondern zugleich Motto des ganzen Buches, welches für sich eine Einheit bilden und die besten Gedichte umfassen sollte. Die Strophe ist als Motto um so passender, weil in den ersten sechs Oden, welche ihrem Umfange nach fast ein Dritteil des dritten Buches ausmachen, auch der Inhalt ihn als einen *musarum sacerdos* zeigt. — 1. *odi*] nicht „hassen“, sondern etwa „ihn sich fernhalten“ = ὠθέω. Übers.: „Mich ekelt des“. — *profanum vulgus*] „den ungeweihten Pöbel“, welcher Horazens gräcisierende Poesie nicht begriff oder nicht dulden wollte. Zu *volgus* vgl. Sat. I, 6, 17: „Quid oportet nos facere a volgo remotos?“ — 2. *favete linguis*] εὔφημα φώνει „(be)hütet die Zunge“, damit nicht Unglück bedeutende Worte erschallen, eine bei den augusteischen Dichtern nicht seltene Formel, welche damals nicht ganz dieselbe Feierlichkeit hatte, wie wir zu glauben geneigt sind. — *non prius audita*] bezieht sich im wesentlichen auf die Form der Gedichte, bezeichnet also Gedichte nach Alkäus' und Sapphos Art; beweisend dafür ist: *non ante volgatas per artes* 4, 9, 3. — 4. *virg. puerisque*] weil er von dem jüngeren Geschlecht begriffen zu werden hofft (die *suboles* in IV, 3).

5—26. Konstr.: *Regum tim. est imperium in propr. greges, Iovis est in*

5 regum timendorum in proprios greges,
reges in ipsos imperium est Iovis,
clari Giganteo triumpho,
cuncta supercilio moventis. —

est ut viro latius ordinet
10 arbusta sulcis, hic generosior
descendat in campum petitor,
moribus hic meliorque fama

contendat, illi turba clientium
sit maior: aequa lege Necessitas
15 sortitur insignes et imos,
omne capax movet urna nomen.

destrictus ensis cui super impia
cervice pendet, non Siculae dapes
dulcem elaborabunt saporem,
20 non avium citharaeque cantus

somnum reducent: somnus agrestium
lenis virorum non humiles domos

---

ips. reges. Chiastische Wortstellung. Das erste Glied soll nur die Wirkung des zweiten erhöhen: „wie ... so". — 5. *greges*] erinnert an *ποιμὴν λαῶν*. — 8. *cuncta*] „das Weltall". — *superc. moventis*] Il. I, 528: *ἦ, καὶ κυανέῃσιν ἐπ᾽ ὀφρύσι νεῦσε Κρονίων· ἀμβρόσιαι δ᾽ ἄρα χαῖται ἐπεῤῥώσαντο ἄνακτος Κρατὸς ἀπ᾽ ἀθανάτοιο· μέγαν δ᾽ ἐλέλιξεν Ὄλυμπον* (Zeus von Otricoli mit seiner unerschütterlichen ruhigen Gröſse) *clari* „strahlend". Die Strophe steht zu der mit *est ut* beginnenden Periode in begründendem Verhältnis. Logische Beziehungen aber werden von Dichtern nicht besonders ausgedrückt. — 9. *est ut*] konzessiver Vordersatz zu v. 14: *aequa lege.* — 10. *hic*] „ein anderer". — *generosior*] „von älterem Adel". Homer: *σὺ γὰρ βασιλεύτατός ἐσσι* (Il. IX, 69). — 11. *campum*] sc. *Martium.* „Wahlfeld". — 12. *meliorque*] Verbinde *melior moribus famaque.* — 13. *turba clientium*] wie sie berühmte *patroni* hatten. — 14. *Necessitas*] hier nicht von Juppiter unterschieden. — 15. *insignes et imos*] „Hohe und Hefe". — 16. *movet*] „bringt geschüttelt zum Vorschein". — 17. *destr. ensis*] Der Dichter denkt an die Erzählung von Dionysius und Damokles (Cic. Tusc. V, 21). — 18. *Siculae dapes*] „selbst" Sikulische Schmäuse. — 20. *avium*] Zu Vögel setze „Gegirr", zu Zither „Getön". — 21. *reducent*] denn er hat ihn durch seine Maſslosigkeit verloren. — *agr. virorum*] kann der Wortstellung wegen nur zu *somnus len.* gehören. Die Reichen wünschen

fastidit umbrosamque ripam,
non zephyris agitata Tempe. —

25 desiderantem quod satis est neque
tumultuosum sollicitat mare
nec saevus arcturi cadentis
impetus aut orientis haedi,

non verberatae grandine vineae
30 fundusque mendax, arbore nunc aquas
culpante nunc torrentia agros
sidera nunc hiemes iniquas.

contracta pisces aequora sentiunt
iactis in altum molibus: huc frequens
35 caementa demittit redemptor
cum famulis dominusque terrae

fastidiosus: sed Timor et Minae
scandunt eodem quo dominus, neque
decedit aerata triremi et
40 post equitem sedet atra cura. —

---

sich einen „Bauernschlaf". Vgl. Epist. I, 7, 25: „nec somnum plebis laudo". — 22. *non fastidit*] (wie ihr) *humiles domos* („Hütten"); die Reichen nämlich bauen sich *turres*. — 24. *Zephyris*] nicht in seiner Homerischen Bedeutung. — *Tempe*] hier individualisierend für „Thal" überhaupt. Auch ein Thälchen in der Römischen Campagna hiefs Tempe.

25—44. 25. *des. quod satis est*] adversativ zum vorhergehenden Teil. Die Geizhälse sagen Sat. I, 1, 62: „Nil satis est". Umschreibung für den „Zufriedenen". — 26. *tumultuosum mare*] „Aufruhr des Meeres". — 28. *Arct. cad. aut. or. Haedi*] „beim Sinken" u. s. w. (was im Oktober geschah) (Äquinoktialstürme). — *verberatae* und *mendax* werden am besten durch Substantiva als Subjekt zu *sollicitat* gegeben. *mendax* ist einer der zu lügen gewohnt ist. Die Prosopopoiie wird in der folgenden scherzhaften Gerichtsscene fortgesetzt. — 30. *arbore*] Hier ist der Ölbaum gemeint. — 32. *iniquas*] „garstig". — *contracta pisces*] Die Römer liefsen zuweilen ein Stück Meer an ihrer Villa, der *muraenae* und anderer kostbarer Fische wegen, eindämmen. (Stier.) — 31. *frequens cum famulis*] „mit der Rotte der Diener". — 36. *dominusque*] Dazu ist aus *demittit* ein allgemeines *venit* zu ergänzen. — *terrae fastidiosus*] „festlandsmüde", gehört zusammen. — 39. *triremi*] „Galeere". — 40. *sedet*] „sitzt auf". — *atra cura*] „Das Gespenst der Sorge". Schillers: „Um das Rofs des Reiters" u. s. w.

quod si dolentem nec Phrygius lapis
nec purpurarum sidere clarior
delenit usus nec Falerna
vitis Achaemeniumque costum,

45 cur invidendis postibus et novo
sublime ritu moliar atrium?
cur valle permutem Sabina
divitias operosiores?

II.

Angustam amice paup*e*riem pati
robustus acri militia puer

41—48. 41. *dolentem*] Übers. abstr. „den Kummer, die Verzagtheit". — *Phrygius lapis*] rötlicher Marmor. — 42. *sidere clarior*] blofs „strahlend, funkelnd". „Stern" ist Homerisches Symbol der Schönheit. — *purpurarum usus*] „Purpurtracht"; zu diesem Begriff als einem einheitlichen gehört *clarior*. — 43. *Falerna vitis*] kurz für Besitz der Falernerrebe. — 44. *Achaemeniumque*] *que* mit „mit" zu geben! Achämenes, ein uralter Perserkönig, ein Typus für Reichtum. — 45. *postibus*] zu *sublime:* Abl. instr. „auf". „Pfeilerfluchten". — *ritu*] „Stil", vgl. II, 15. — 46. *moliar*] deutet auf grofse, doch unvernünftige Anstrengung: „türmen"; bezieht sich auf das Verbot des Augustus gegen allzureich ausgestattete Wohnungen. Die Atrien waren zu kavädienartigen Höfen geworden und die Kavädien zu Peristylien. — 48. *operosiores*] „und Mühen in Hülle und Fülle"; so kommt der schöne Tonfall in *operosiores* zur Geltung (vgl. den Schlufs von 3, 6: „vitiosiorem"); es ist möglich, dafs der Dichter dies in Beziehung auf die ihm angebotene Privatsekretärstellung bei Augustus dichtete.

Das Gedicht enthält Lieblingsgedanken des Dichters (von der *continentia*), und dadurch wird es um so passender zu einem Einleitungsgedicht, denn das Gold ist die *summi materies mali.* (3, 24.) Vgl. I, 1. Satir. I, 1.

Carm. III, 2. Nur aus der Zufriedenheit und auf dem Boden enger Verhältnisse wachsen hervor: Tapferkeit (1—16), innere Tüchtigkeit (17 bis 24), Frömmigkeit (25—32). Vgl. I, 12, 41 ff. Ein Mann zeigt sich d r a u f s e n als K r i e g e r, zuhause als selbstloser und frommer Bürger. 16. 16.

I. 1—16. Vor *angustam* würde man logisch richtig „dagegen" einschieben, da der neue Gedanke dem Schlufsgedanken der vorhergehenden Ode entgegengesetzt wird. 1. *amice pati*] = eine Art Oxymoron. *amice* „freudig". *angustam* „schnürend", „drückend", „engend". — 2. *robustus*] Part. „gestählt". — *acri*] „schneidig". —

condiscat et Parthos feroces
vexet eques metuendus hasta

5 vitamque sub divo et trepidis agat
in rebus. illum ex moenibus hosticis
matrona bellantis tyranni
prospiciens et adulta virgo

suspiret: „eheu, ne rudis agminum
10 sponsus lacessat regius asperum
tactu leonem, quem cruenta
per medias rapit ira caedes.“ —

dulce et decorum est pro patria mori:
mors et fugacem persequitur virum
15 nec parcit imbellis iuventae
poplitibus timidoque tergo.

---

3. *Parthos*] als Erbfeinde Roms. Livius sagt IX, 18, 6: „Id vero periculum erat, quod levissimi ex Graecis, qui Parthorum quoque contra nomen Romanum gloriae favent“ etc. — 4. *uexet*] Beachte das Frequentativum: „eine stete Plage für“. — *metuendus hasta*] erinnert an das Homerische ἐγχεσίμωρος. — 5. *vitamque ... rebus*] Dem Dichter schwebt die Beschäftigung der Jünglinge in Sparta und Athen vor als Beschützer der Grenze. — *sub diuo*] „unter dem Wolkenzelt“ (in der Beiwacht). — *trepidis in rebus*] „in Fährlichkeit“. — 6. *illum* etc.] „Ihn“. Seine Kriegstüchtigkeit wird in einem Bilde gemalt, welches nach Homerischen Situationen entworfen ist. (Vgl. Il. III, 154 und besonders XXII, 455: δείδω, μὴ δή μοι θρασὺν Ἕκτορα δῖος Ἀχιλλεὺς μοῦνον ἀποτμήξας πόλιος πεδίονδε δίηται κτλ.) — *illum*] hängt ab von *prospiciens* = von der feindlichen Zinne. — *adulta*] „das erblühte Mädchen“. Der Singular *prospiciens* und *suspiret*, weil das Mädchen „an der Seite der Gattin“ die Hauptperson ist. — 9. *eheu, ne*] „wehe, daſs nur nicht“. — *rudis agminum*] = *rudis pugnandi*. — 11. *leonem asperum tactu*] abgekürzter Vergleich für einen Helden mit unnahbaren Händen. — *quem ... caedes*] Es wirkt auf die Beschreibung die Erinnerung an die homerische Schilderung vom Morden des Achilleus im Skamander. — *cruenta ira*] „bluttrunkener Zorn“. — 13. *dulce*] Ja, wonnig und würdig ist sterben fürs V. — um die Stimmungs-Anaphora nachzuahmen. Dem Dichter schwebten die Verse des Tyrtäus vor: τεθνάμεναι γὰρ καλὸν ἐνὶ προμάχοισι πεσόντα ἄνδρ' ἀγαθὸν περὶ ᾗ πατρίδι μαρνάμενον. — 14. *mors*] begründend, obwohl für unser Sittlichkeitsgefühl eine solche Klugheitsbegründung (in Homerischer Art) besser fehlte. — 15. *imbellis iuventus*] „Memmen“. — 16. *poplitibus*] Vgl. Liv. XXII, 48, 4: „terga ferientes ac

virtus repulsae nescia sordidae
intaminatis fulget honoribus
nec sumit aut ponit secures
20 arbitrio popularis aurae.

virtus recludens immeritis mori
caelum negata temptat iter via
coetusque volgares et udam
spernit humum fugiente penna. —

25 est et fideli tuta silentio
merces: vetabo, qui Cereris sacrum
volgarit arcanae, sub isdem
sit trabibus fragilemve mecum

solvat phaselon: saepe Diespiter
30 neglectus incesto addidit integrum;

---

poplites caedentes stragem ingentem fecerunt".

II. 17—24. 17. *Virtus*] Zusammenhang: Die Tapferkeit im Dienste des Vaterlandes ist ein Ausflufs des echten Mannesmutes. — *nescia*] Löse auf: kennt nicht, sondern. — *sordidae repulsae*] „den Schimpf einer Zurückweisung". Er bewirbt sich nicht erst, oder wenn er sich beworben hat, sieht er in der Nichterlangung nichts Schimpfliches für sich, sondern nur für die, welche ihn nicht gewählt haben. Vgl. IV, 9, 39. Die Ämter hatten seit Augustus' Alleinherrschaft an Wert und Bedeutung sehr verloren. Mäcen, Horaz, Virgil, Livius verzichteten auf Staatsämter. — 20. *aurae*] enthält den Grund. — 21. *virtus*] Die Anaphora ersetzt hier das prosaische „sondern vielmehr", aber man übersetze nicht so. — *recludens*] „erschliefst". — *immeritis mori*] Litotes d. h. denen, welche die Unsterblichkeit verdienen. — 22. *negata via*] „versagter Bahn" nämlich dem Pöbel. Vgl. I, 22, 22. Zu vergleichen Schillers: „Froh des neuen ungewohnten Strebens Steigt er aufwärts und des Erdenlebens Schweres Traumbild sinkt und sinkt." — *udam humum*] „Der Erde Dunstkreis" im Gegensatz zu den „lichten Höhen".

III. 25—32. Auch die Frömmigkeit wird von den Göttern belohnt. — 25. *fideli silentio*] vgl. IV, 5, 20: „culpari metuit fides". — 26. *vetabo*] mit dem Konj. statt des Accus. c. Inf. — 27. *arcanae*] Enallage adi. für *arcanum*. Gemeint sind die Eleusinischen Mysterien. — 28. *fragilemve*] Das Ganze allegorisch für: defs Freund will ich nicht sein. — 29. *saepe*] begründender Zusatz. — 30. *neglectus*] „beleidigt". — *Diespiter*] als „Vater des Lichts". — *addidit*] „beigesellt". — *incesto ... integrum*] „dem Unreinen den Unschuldigen". —

raro antecedentem scelestum
deseruit pede Poena claudo.

III.

iustum et tenacem propositi virum
non civium ardor prava iubentium,
non voltus instantis tyranni
mente quatit solida neque auster,
5 dux inquieti turbidus Hadriae,
nec fulminantis magna manus Iovis:
si fractus inlabatur orbis,
impavidum ferient ruinae.

---

31. *raro*] Asyndet. enumerativum. — *deseruit*] „liefs entschlüpfen". — 32. *pede claudo*] gehört als Abl. qual. zu *Poena*. Vgl. „Gottes Mühlen mahlen langsam" u. s. w. — Die letzten Worte können durch das Schicksal des Antonius, für den der Dichter früher nicht ohne Sympathie gewesen war, ihre besondere Färbung erhalten haben.

Carm. III, 3. Nein, nicht dem Gottlosen gilt mein Lied, das Heldentum will ich preisen. Es überwindet die Welt (1—17). Selbst die feindliche Gottheit Junos beugte sich vor ihm, als sie von den Thaten unseres Gründers hörte (18—36). Sie weigerte seinen Nachkommen nicht mehr die Weltherrschaft (37—56): wenn nur die Römer von dem Schicksal ihrer meineidigen, in Unsittlichkeit versunkenen Vaterstadt Troja lernen wollten und ein sittliches Heldentum bewährten (57—72 incl. der Schlufsstrophe). 36. 36 (18. 18). Man vgl. Virgil, Aen. XII, 791 ff., wo Juno ihren Hafs gegen Äneas aufgiebt, aber auch dort nicht ohne Bedingung: „occidit, occideritque sinas cum nomine Troia" (828).

A. 1—17½. 1. *iustum*] enthält den Hauptbegriff, zu welchem das folgende *prop. tenacem*, „seinem Vorsatz treuen", die Ergänzung giebt. Man beachte, wie in der Schilderung der Trojaner gerade die *iniustitia* lebhaft hervorgehoben wird. Diese Worte des Dichters recitierte Cornelius de Witt 1672 auf der Folter. — 2. *prava*] „Gesetzbruch". Denke an Sokrates und sein Verhalten im Prozefs der zehn Feldherren! — 3. *voltus inst. tyr.*] Auch eine Art Enallage: „Drohblick". Fabricius bei Pyrrhus! — *auster*] ohne besondere Beziehung gesetzt. Nicht Mensch, nicht Natur zwingt den Helden. — 4. *quatit*] = *excutit*, eigentl. „schüttelt ihn heraus aus seiner festen Denkart". — 5. *dux*] „Gebieter". — 6. *fulminantis*] στεροπηγερέτα. — 7. *fractus*] „geborsten". Achte auf die Lautmalerei im „Trümmersturz". Man übersetze *si* nur durch Inversion. E. M. Arndt: „Wer ist ein Mann? Wer beten kann und Gott dem Herrn vertraut; Wenn alles bricht, er zaget nicht; dem Frommen nimmer graut!" — 8. *impavidum*] „einen Helden". —

hac arte Pollux et vagus Hercules
10 enisus arces attigit igneas,
quos inter Augustus recumbens
purpureo bibet ore nectar,

hac te merentem, Bacche pater, tuae
vexere tigres indocili iugum
15 collo trahentes, hac Quirinus
Martis equis Acheronta fugit,

gratum elocuta consiliantibus
Iunone divis. „Ilion, Ilion
fatalis incestusque iudex
20 et mulier peregrina vertit

in pulverem, ex quo destituit deos
mercede pacta Laomedon, mihi

---

9. *hac arte*] „das war die Kunst, durch welche“. — *Pollux*] Pollux und Herkules stehen zu Rom in besonderer Beziehung. Tempel des Pollux am Forum! — *vagus*] πολύπλαγκτος „ruhelos“ — geht auch auf Pollux. — 10. *enisus*] „sich aufschwingend“. Vgl. *nititur pennis*] IV, 2, 2. In *niti* liegt die Mühe angedeutet („genu“). Goethe: „Dem er die Wege zum Olymp hinauf sich nacharbeitet.“ — 11. *recumbens*] wie die Alten es bei Tisch thaten. — 12. *purpureo ore*] „strahlenden Antlitzes“. Auch die Beleuchtung in der Unterwelt ist *purpureus*. — *bibet*] eine Prophezeiung des Dichters, welche der Verheifsung der Unsterblichkeit bei unsern Dichtern gleichartig ist. Auch von Augustus hätte es heifsen können: *hac arte*. Die Änderung des Ausdrucks wurde durch das Streben nach Abwechselung veranlafst. Zum Namen Augustus: πάντα τὰ ἐντιμότατα και τὰ ἱερώτατα αὔγουστα προςαγορεύεται. Dio Cass. 53, 16. — 13. *hac (arte) merentem*] „um dieses Verdienstes willen“. — *tigres*] „Pantherpaar“. Auf Panthern läfst ihn die griech. Kunst umherfahren zur Ausbreitung des Weinkultus. — 14. *indocili*] frei: „stolz“. — *Quirinus*] nicht ohne Grund wird gerade Romulus erwähnt, denn Augustus ἐπεθύμει ἰσχυρῶς Ῥωμύλος ὀνομασθῆναι. — *Martis equis*] ohne Bild: durch kriegerische Tüchtigkeit. — 17. *consiliantibus divis*] abhängig von *gratum* (willkommnes).

18—36. 19. *fatalis iudex*] Paris. Vgl. für die folgende Stelle Il. XXIV, 25: ἔνθ' ἄλλοις μὲν πᾶσιν ἑήνδανεν, οὐδέ ποθ' Ἥρῃ οὐδὲ Ποσειδάων' οὐδὲ γλαυκώπιδι κούρῃ, ἀλλ' ἔχον, ὥς σφιν πρῶτον ἀπήχθετο Ἴλιος ἱρὴ καὶ Πρίαμος καὶ λαὸς Ἀλεξάνδρου ἕνεκ' ἄτης, ὃς νείκεσσε θεάς κτλ. „ein Richter“ — *peregrina*] „hergelaufen“. — 21. *ex quo*] gehört zu *damnatum*. Horaz gebraucht häufiger das Neutrum Ilium als das Femininum Ilios: dieses nur 4, 9, 18. — *damnatus* „verfallen“. — 22. *Laomedon*] Il. XXI,

castaeque damnatum Minervae
cum populo et duce fraudulento.

25 iam nec Lacaenae splendet adulterae
famosus hospes nec Priami domus
periura pugnaces Achivos
Hectoreis opibus refringit,

nostrisque ductum seditionibus
30 bellum resedit: protinus et graves
iras et invisum nepotem,
Troica quem peperit sacerdos,

Marti redonabo. illum ego lucidas
inire sedes, discere nectaris
35 sucos et adscribi quietis
ordinibus patiar deorum.

dum longus inter saeviat Ilion
Romamque pontus, qualibet exsules
in parte regnanto beati;
40 dum Priami Paridisque busto

---

442 u. s. w. — 23. *castae*] betont im Gegensatz zu *in*... *cestus*. — 25. *Lacaenae ad.*] Dat. comm. In der Zusammenstellung von *Lacaenae* und *adulterae* liegt Absicht. Auch in *hospes* liegt das Schmähliche angedeutet. — *splendet*] „strahlt“. Il. III, 392: *κάλλεΐ τε στίλλων καὶ εἵμασιν.* Vgl. 4, 9, 13—16. — *adulterae*] „Dirne“. — 27. *periura*] Juno urteilt natürlich sehr scharf. — *pugnaces*] „streitbar“, ein Epitheton aus homerischem Geiste. — 29. *seditionibus*] „Hader“. — 30. *resedit*] Vergleicht den Krieg mit einer sturmgepeitschten Welle. — 33. *redonabo*] eigentlich „zurückschenken“, als „Gegengabe darbringen“, wie mir Troja gegeben wurde. Von einer albanischen Königsgeschichte weiſs Horaz hier wie I, 2 nichts, sondern knüpft wie Nävius und Ennius die römische Gründungssage unmittelbar an Äneas und die troische Einwanderung an. Romulus, Sohn des Mars, des Sohnes Junos. Ilia, Tochter des Äneas und Vestalin in Rom. — *discere*] „schlürfen“. — 35. *quietis ordinibus deorum*] Enallage adiect. „den seligen Götterchören“. Bei Homer heiſsen die Götter: *ῥεῖα ζώντες.* — 35. *adscribi*] eine vox propria aus dem Staatsleben.

B. 37—72. a. 37—56. 37. *inter*] zu Ilion und Romam. — 39. *parte* (mundi). — *beati*] bildet mit *exsules* ein Oxymoron. — 40. *busto insultet*] Vgl. Il. IV, 176: *καί κέ τις ὧδ' ἐρέει Τρώων ὑπηνορεόντων τύμβῳ ἐπιθρώ-*

insultet armentum et catulos ferae
celent inultae, stet Capitolium
fulgens triumphatisque possit
Roma ferox dare iura Medis:

45 horrenda late nomen in ultimas
extendat oras, qua medius liquor
secernit Europen ab Afro,
qua tumidus rigat arva Nilus.

aurum inrepertum et sic melius situm,
50 cum terra celat, spernere fortior
quam cogere humanos in usus
omne sacrum rapiente dextra,

quicumque mundo terminus obstitit,
hunc tangat armis, visere gestiens
55 qua parte debacchentur ignes,
qua nebulae pluviique rores.

sed bellicosis fata Quiritibus
hac lege dico, ne nimium pii
rebusque fidentes avitae
60 tecta velint reparare Troiae.

σχων Μενελάου κυδαλίμοιο. — 42. *inultae*] „straflos“. — *stet*] „ragen“. — 43. *fulgens triumphatisque*] = *devictis*, was übrigens bei Abfassung des Gedichtes noch nicht geschehen zu sein braucht. — 45. *horrenda late*] gehört zusammen: „Ein Schrecken weithin.“ — 46. Konstr.: *fortior* (ὤν) *spernere* (ad spernendum) *aurum quam cogere* (aur.) *tangat hunc terminum, quicunque* „so lange er mehr Mut zeigt in der Verachtung“. — *cogere*] „zusammenwühlen“. — 49. *inrepertum*] proleptisch: „so dafs er es nicht aufwühlt“. — *sic*] durch *cum terra celat* erklärt. — *humanos in usus* gehört zu *cogere*, ergänzt sich leicht zu *rapiente*. Denke an die *auri sacra fames!* — 53. *obstitit*] = *oppositus est*. — 55. *ignes*] „Gluten“: *nebulae* „Nebelmeer“. Zeugma: ergänze zu *nebulae:* „lagert“. Geographische Poesie, wie sie auch unseren Dichtern in der Beschreibung der Grenzen Deutschlands so lieb war.

b. 57—68. 58. *nimium pii*] „allzu ergeben“. — *rebus*] „Macht“. — *avitae Troiae*] von *tecta* abhängig. Cäsar hat einmal die Absicht gehabt, die Residenz nach Troja zu verlegen. Und dieses Ereignis mag auf die Einkleidung des dem Dichter vorschwebenden Gedankens eingewirkt haben. Die Aufforderung selbst aber bezieht

Troiae renascens alite lugubri
fortuna tristi clade iterabitur,
ducente victrices catervas
coniuge me Iovis et sorore.

65 ter si resurgat murus aeneus
auctore Phoebo, ter pereat meis
excisus Argivis, ter uxor
capta virum puerosque ploret." —

non hoc iocosae conveniet lyrae.
70 quo, musa, tendis? desine pervicax
referre sermones deorum et
magna modis tenuare parvis.

---

sich allegorisch auf Ablegung der Eigenschaften, welche Troja vernichtet haben. — 61. *fortuna renascens Troiae*] Die Enallage adi. aufzulösen durch: „Wenn sich". „Der Dichter hat Byzanz geahnt, die *nova Roma* an den Dardanellen". (Mommsen). — 64. *me Iovis coniuge et sorore*] Il. XVI, 432: Ἥρην δὲ προςέειπε κασιγνήτην ἄλοχόν τε. — 65. *aeneus murus*] „selbst eine". — 67. *meis Argivis*] unterschieden von *a meis Arg.* — *ter uxor ... ploret*] im Andenken an die Klage Andromaches Il. XXIV, 734, vgl. auch XVIII, 10.

c. 69—72. 69. *conveniet*] „will dies geziemen". Vgl. Cic., Orat. § 85: „sed pleraque ex illis convenient etiam huic tenuitati". — *lyrae*] Der Grund liegt in *iocosae*. — 71. *sermones deorum*] Objekte der Epiker. — *deorum*] Bei *dei* denkt der Dichter auch an die Mächtigen der Erde: Augustus u. a., vgl. Sat. II, 6, 52. — 72. *tenuare*] schlicht darzustellen, dann „herabzuziehen". Roms Heldentum zu singen mufs einem Dichter im Genus grande aufgespart bleiben. — *parvis*] alcäische Verse im Gegensatz zu den *versus longi* (Hexametern).

Das Verbot des Wiederaufbaues von Troja ist symbolisch zu verstehen, wie in den Psalmen von dem Bauen Zions gesprochen wird. Das Gedicht ist durch die Erinnerung an Antonius und Kleopatra beeinflufst. Eine Neugründung Roms war erfolgt, ein neuer Romulus erstanden. Auch er wird in den Himmel aufgenommen werden, wenn er jedes Zurücksinken in troische Unsittlichkeit durch *iustitia* und *constantia* zurückdrängt.

Carm. III, 4. Musen, helft mir der Begeisterung für eure Gnade Ausdruck zu geben! (1—8.) Durchs ganze Leben habt ihr mich schützend geleitet, und in den gröfsten Gefahren würdet ihr bereitwillig stets meine Hilfe sein. So habt ihr auch jetzt Cäsar nach den Kriegswirren erquickt (9—40). Ja! wo ihr Berate-

IV.

Descende caelo et dic age tibia
regina longum Calliope melos,
seu voce nunc mavis acuta,
seu fidibus citharaque Phoebi.

5 auditis? an me ludit amabilis
insania? audire et videor pios
errare per lucos, amoenae
quos et aquae subeunt et aurae.

me fabulosae Volture in Apulo
10 altricis extra limina Pulliae
ludo fatigatumque somno
fronde nova puerum palumbes

---

rinnen seid, vermag die rohe Rotte nichts. Maſslosigkeit findet ewige Strafe (41—80). 40. (8. 12. 20) 40 (20. 12. 8).

A. 1—8. 1. *descende caelo*] mit Bezug auf den Schluſs von III, 3, wo sie den Reden der Götter unbefugt gelauscht hat. — *tibia*] Abl. instr., als ob die Flöte das Lied allein schon bliese; wir „zur" Fl. — 2. *regina*] „meine Königin". — *longum*] sonst würde er die Muse nicht rufen. Durch ihre Anrufung wird das Lied selbst in eine höhere Sphäre hinaufgezogen. — 5. *seu voce*] Konstruiere: *vel dic* („singe") *(melos) voce acuta* (λιγεῖα) *sive nunc mavis*. — 4. *fidibus citharaque*] Der Teil ist zum Ganzen gesetzt. — 6. *insania*] μανία (μάντις, *mens*, *mentiri*), „Des Dichters Aug' in schönem Wahnsinn rollend". Konstr.: *videor (mihi) audire et errare*. — 8. *quos subeunt*] weil bei den Hainen an die Baumwipfel gedacht wird: „unter denen hinrauschen"; zu *aurae* zeugmatisch. — Der Spaziergang in den Musenhainen trägt ihm das folgende Gedicht gewissermaſsen als Frucht ein. Vgl. I, 12 Anfang.

9—20. 9. *me fabulosae*] „sagenumwoben". Dazu gehört am Schluſs der Strophe *puerum palumbes*. Adjektiva wie hier *fabulosae* beziehen sich bei Horaz oft nicht bloſs auf das dabeistehende Substantivum, sondern auf den ganzen Gedanken, dem sie dadurch eine andere Wendung geben. Das Erzählte ist aber aus Wahrheit und Dichtung gewoben. — *Pulliae*] war vielleicht die Amme Horazens. — 11. *fatigatumque*] *que* ist hier wie v. 19 dem Verb angeschlossen, während es bei *somno* stehen sollte. — *lud. fat. somn.*] nachgebildet dem Hom. ὕπνῳ (sopno) καὶ καμάτῳ ἀρημένος. *somnus* ist übrigens „Müdigkeit", *fatigatus* „ermattet", vgl. IV, 14, 19. —

texere, mirum quod foret omnibus,
quicumque celsae nidum Acherontiae
15 saltusque Bantinos et arvum
pingue tenent humilis Forenti,

ut tuto ab atris corpore viperis
dormirem et ursis, ut premerer sacra
lauroque collataque myrto,
20 non sine dis animosus infans.

vester, Camenae, vester in arduos
tollor Sabinos, seu mihi frigidum
Praeneste, seu Tibur supinum,
seu liquidae placuere Baiae.

25 vestris amicum fontibus et choris
non me Philippis versa acies retro,
devota non exstinxit arbos,
nec Sicula Palinurus unda.

utcumque mecum vos eritis, libens
30 insanientem navita Bosphorum

---

13. *quod foret*] Relativsatz der Absicht aus dem Sinne des Schicksals. — 14. *celsae nidum Acherontiae*] Enall. adi. *Acherontiae* Gen. epexeg. Diese Ortschaften liegen teils auf der Höhe (1 u. 2), teils im Thal südlich von Venusia. — 17. *viperis*] „Schlangengezücht“. — *sacr. laur. coll. m.*] „in der heiligen Hut des Lorbeers und der Myrte“. — 20. *non sine dis*] Vgl. Ilias V, 185: *οὐχ ὅ γ' ἄνευθε θεοῦ τάδε μαίνεται.* — Erlebt hat der Dichter gewifs etwas Ähnliches; erzählt aber hätte er es nicht, wenn er nicht ein Dichter des Lorbeers und der Myrte geworden wäre. Auf die Einkleidung des Erlebnisses haben ähnliche Erzählungen bei Pindar und Stesichorus Einflufs gehabt.

21—28. „So“. 22. *seu mihi*] wie v. 3, d. h. „vel tollor frigidum Praeneste ... si placuere“. — 23. *Praeneste*] jetzt Palestrina im Albanergebirge. — 24. *liquidae*] „strahlend“, vom leuchtenden Meeresglanz. — *Baiae*] damaliges Modebad bei Neapel. — *placuere*] sei es, dafs es mir angethan hat. — 25. *vestr. am. font. et chor.*] Umschreibung für *vester.* Vgl. I, 26. — *choris*] denn die Musen antworteten im Wechselgesang dem Spiel Apolls. — 26. *retro versa*] ist der Hauptbegriff, nicht *acies.* — 28. *Palinurus*] jetzt Kap Spartimento.

29—40. 29. *utcumque ... amnem*] Beispiele der Freude der Dichter an dem fremdartigen Reiz entfernter Gegenden, die der Phantasie grofsen Spielraum lassen. (Geographische Poesie!) — 30. *navita*] Denke an Arion! — 32. *via-*

temptabo et urentes arenas
litoris Assyrii viator,

visam Britannos hospitibus feros
et laetum equino sanguine Concanum,
35 visam pharetratos Gelonos
et Scythicum inviolatus amnem.

vos Caesarem altum, militia simul
fessas cohortes abdidit oppidis,
finire quaerentem labores
40 Pierio recreatis antro.

vos lene consilium et datis et dato
gaudetis, almae. scimus, ut impios
Titanas immanemque turbam
fulmine sustulerit caduco,

45 qui terram inertem, qui mare temperat
ventosum, et urbes regnaque tristia

---

tor] „ein Wandersmann". — 33. *visam*] Dazu gehört ebenfalls: *utcumque ... eritis.* — *hospitibus feros*] mit Schwächung des Ausdrucks für „gastfreundmordend". — 34. *laetum equi. sang.*] = roſsbluttrunken. Die Konkaner sind ein Volk Spaniens. Gelonen sind Scythen. — 35. *pharetratos*] ist betont; es enthält den Grund, warum es gefährlich ist, zu ihnen zu gehen. — 36. *inviolatus*] gehört zu allen vier Gliedern. Macht der Begeisterung! Vgl. Ode I, 22 mit ihrer Dichterseligkeit, die ihn auch dort alle Gefahren einer Reise verachten läſst. — 37. *vos*] „ihr seid es auch, die". — *altum*] „hochgesinnt". — *simul*] für das gewöhnlichere *simulatque*, vgl. I, 4, 17. 12, 27. — 38. *labores*] hier Krieg, *finire labores* heiſst „ein Leben der Wissenschaften und der Geisteserneuerung beginnen, mit dem praktischen Leben ein Ende machen", vgl. I, 7, 17. — 40. *antro*] vgl. II, 1, 39, wo Dionäus gewiſs auf Augustus als Abkömmling der Venus geht. Pierien ist eine Landschaft in Macedonien.

B. 40—42. 41. *lene consilium*] = *lenitatem. consilium* ist dreisilbig (mit Verhärtung des *i* zu *j*) zu lesen. — 42. *almae*] „Ihr Segnenden", von *alere.*

43—64. 43. *Titanas*] Den Plural übers. durch „Brut". Augustus hatte eine Darstellung der Gigantomachie an dem Juppitertempel anbringen lassen, den er auf dem Kapitol zur Seite des alten Tempels anbauen lieſs. Es ist auch möglich, daſs H. selbst auf seinem Feldzuge unter Brutus nach Pergamon gekommen ist und hier einiges aus seinen Erinnerungen an den Zeusaltar in Pergamum verwertet. — *immanem*] „ungeschlacht". — 46. *urbes*] steht hier für die Oberwelt = Staaten. — *tri-*

divosque mortalesque turmas
imperio regit unus aequo. —

magnum illa terrorem intulerat Iovi
50 fidens iuventus horrida bracchiis
fratresque tendentes opaco
Pelion imposuisse Olympo:

sed quid Typhoeus et validus Mimas,
aut quid minaci Porphyrion statu,
55 quid Rhoetus evolsisque truncis
Enceladus iaculator audax

contra sonantem Palladis aegida
possent ruentes? hinc avidus stetit
Volcanus, hinc matrona Iuno et
60 numquam umeris positurus arcum,

qui rore puro Castaliae lavit
crines solutos, qui Lyciae tenet
dumeta natalemque silvam,
Delius et Patareus Apollo. —

---

stia] „düstere“, weil des Sonnenlichts entbehrend. — 48. *aequo*] mit Bezug auf *impios Titanas*. — 49. *magnum*] „Ja, grofsen“. — 50. *fidens*] zu *bracchiis* = χείρεσσι πεποιθότες. — 51. *fratresque*] Otus u. Ephialtes, die Aloiden. — 52. *imposuisse*] Bei den Verben, deren Thätigkeit auf die Zukunft geht, steht der Inf. Perf., um das Ungestüme derselben zu bezeichnen, indem das Zukünftige schon als vergangen gedacht wird. — 54. *minaci statu*] konzessiv. — 55. *evolsisque truncis*] zu *iaculator*. — 57. *contra ... aegida*] Achte auf den Klang dieses Verses im Gegensatz zu dem vorhergehenden! — 58. *possent*] voller: „hätten ausrichten sollen“. — *avidus*] ποιπνύων, wie das seine Natur ist. — *matrona*] πότνια. — 60. *positurus*] So zeigen ihn berühmte Statuen! Das Verweilen bei der Schilderung Apollos geschieht gewifs mit Rücksicht darauf, dafs Augustus sich für einen Sohn Apollos ausgab. — 61. *qui rore* etc.] Diese Strophe führt uns aus dem rohen Kriegsgewühl in die Auen der Musen zurück. Das ausführliche Lob Apollos ist auf den „Apollo auf Erden“, Augustus gemünzt. — *Castaliae*] Die Musenquelle am Parnafs. — *lavit*] „badet“. — 62. *Lyciae*] gehört nicht zu *silvam*. — 64. *Delius et Patareus*] Je mehr Epitheta man dem Gotte gab, um so mehr glaubte man ihn zu ehren. Schon in der Nennung derselben liegt eine Art von Verehrung. — *Patareus*] von Patara, einer Stadt Lyciens.

65 vis consili expers mole ruit sua:
vim temperatam di quoque provehunt
in maius; idem odere vires
omne nefas animo moventes.

testis mearum centimanus Gyas
70 sententiarum, notus et integrae
temptator Orion Dianae
virginea domitus sagitta;

iniecta monstris Terra dolet suis
maeretque partus fulmine luridum
75 missos ad Orcum; nec peredit
impositam celer ignis Aetnam,

incontinentis nec Tityi iecur
reliquit ales, nequitiae additus
custos; amatorem trecentae
80 Pirithoum cohibent catenae.

65—80. 65. *vir cons. exp.*] „Kraft der Weisheit bar". Denke an: „Wo rohe Kräfte sinnlos walten, da kann sich kein Gebild gestalten." Auch der die *νέμεσις* herausfordernde Achill kann als Beispiel gelten. — 69. *Testis*] Für unser poetisches Gefühl zu rhetorisch, doch entschuldigt auch die Art der Dichtung, welcher unser Gedicht angehört, solche Figuren. — 70. *notus et*] = *et notus*. — *integrae*] derb für „keusch". — 73. *iniecta dolet*] kehre um! „schmerzvoll lagert sich über ihre eigenen". Müller: „Auf der pergamenischen Gigantomachie ragt unter der auf die Athene zuschwebenden Nike aus dem Boden mit halbem Leibe die Gestalt der Erdgöttin auf. Ihr lockenreiches Haupt ist klagend emporgewendet; denn ihre Söhne, die Giganten, erliegen den olympischen Göttern." — 76. *celer ignis*] bei Homer *ἀκάματον πῦρ*. — 78. *reliquit*] Aor. gnom. Tityos, Sohn des Zeus und der Elara, verging sich gegen Leto. — 79. *amatorem*] „verbuhlt", wohl eine Anspielung auf Antonius. Sonst würde es nicht an der bedeutungsvollsten Stelle des Gedichtes stehen. — Einen in Unsittlichkeit Versunkenen kann selbst ein Herkules nicht retten.

Das Gedicht enthält einen in der Anordnung Pindars verlaufenden Dithyrambus auf die *temperantia:* die von H. ersehnte Kardinaltugend des Neurömertums und der beginnenden neuen Zeit unter Augustus.

Carm. III, 5. Merzet die Schande aus, welche Crassus' Soldaten im Kampfe gegen die Parther auf sich

V.

Caelo tonantem credidimus Iovem
regnare: praesens divus habebitur
Augustus adiectis Britannis
imperio gravibusque Persis.

5 milesne Crassi coniuge barbara
turpis maritus vixit et hostium
(pro curia inversique mores!)
consenuit socerorum in armis

sub rege Medo Marsus et Apulus,
10 anciliorum et nominis et togae
oblitus aeternaeque Vestae,
incolumi Iove et urbe Roma?

hoc caverat mens provida Reguli
dissentientis condicionibus

---

geladen! (1—17½.) Regulus hatte recht, wenn er Feiglinge nicht geschont wissen will (18—40). Ja, Regulus war ein Held (41—56). 16. 24 (12+12) 16.

1—17½. 1. *caelo ... regnare*] Logischer wäre statt der Beiordnung: *caelo ... praesens* die Unterordnung: wie wir für den Gott im Himmel den donnernden Juppiter glauben gelernt haben, so. — *tonantem*] τερπικέραυνον (= τρεπικ.). — *credidimus*] „zu dem Glauben gelangt sind". — 2. *praesens*] „auf Erden", aber zugleich auch mit der Bedeutung des hilfreichen und gnädigen Gottes. — *habebitur*] Das Futurum zu beachten! Also keine Schmeichelei, eher noch Freimütigkeit. — 3. *adiectis*] konditional aufzulösen. — 4. *gravibus*] „lästig" von den Parthern. — 5. *milesne*] begründend. In Prosa: *an non*. — *Crassi*] in der Schlacht von Carrhä. — *uixit*] „das Leben geliebt". — *coniuge barbara*] zu *turpis*, Alb. instr. in häſslicher Ehe mit Sat. I, 6, 36: „quo patre sit natus, num ignota matre inhonestus". — 6. *maritus*] wir besser „in der Ehe". Denke an Labienus! — 8. *consenuit*] „ergraut". Er trägt nicht mit Ehren sein graues Haupt. — *socerorum*] zu *hostium*; abhängig von *armis*. — 9. *rege*] für einen Römer unser „Tyrann, Despot". — *Marsus et Apulus*] bedeutungsvolle Apposition zu *miles*. *Marsus* steht neben *Medo*, weil der Dichter das Unsinnige der Handlungsweise dadurch hervorheben will. Apulus verdankt seine ehrende Erwähnung dem Heimatsstolz des Dichters. — 11. *aeternae*] ist hier stark betont. — 12. *incolumi ... Roma*] konzessiv zum Ganzen! — 13. *hoc*] stark betont: „Solche Schmach". — 15. *et*

15 foedis et exemplo trahenti
perniciem veniens in aevum,

si non periret inmiserabilis
captiva pubes. „signa ego Punicis
adfixa delubris et arma
20 militibus sine caede“ dixit

„derepta vidi, vidi ego civium
retorta tergo bracchia libero
portasque non clausas et arva
Marte coli populata nostro.

25 auro repensus scilicet acrior
miles redibit. flagitio additis
damnum: neque amissos colores
lana refert medicata fuco,

nec vera virtus, cum semel excidit,
30 curat reponi deterioribus.

---

exemplo] In Prosa würde genauer stehen: *ut exemplo.* — *trahenti*] ist Particip für *quod traheret.* — 16. *veniens*] konst.: *in aevum veniens.* — 17. *periret*] Hier ist der im Metrum ursprüngliche Trochäus nicht durch den sonst üblichen Spondeus ersetzt worden. Nachwirkung des Altlateins. — *immiserabilis*] erbarmungslos. — 18. *pubes*] „Heer“ bei Clupea im ersten punischen Krieg.

18½—40. 19. *adfixa*] „Unsere Adler sah ich als Zier“. — 20. *sine caede*] „ohne Mordkampf“. — 21. *civium*] *tergo libero.* Man übersetze *bracchia liberorum civium in tergo.* — *vidi*] Absichtliche Nebeneinanderstellung. *videre* hier „erleben“. — 23. *portas non clausas*] Zeichen völliger Sicherheit und Verachtung seitens Feinde. — 24. *populata*] passivisch. — 25. *repensus*] in dem gehässigen Sinne unseres „erhandelt“. — *scilicet*] „natürlich“ höhnisch. — 26. *flagitio* ... *damnum*] „Schande ... Schaden“. — *flagitium*] ist das, was auf der Ehre brennt. — 27. *neque* ... *neque*] während wir Unterordnung des ersten Gliedes erwarten: „wie ... so“. — 28. *medicata*] aktiv: „welchen der Purpur gefärbt“. Der Sinn ist: Purpurgewänder, wenn sie verschossen oder sonstwie verdorben sind, lassen sich durch Auffärben mit Flechtensaft nicht zu ihrer ursprünglichen Farbenpracht wiederherstellen. — 29. *vera*] „echte“, unser „Ehre“ in „Ehre verloren — alles verloren, da wäre dir besser, nimmer geboren“. — *virtus*] steht als der betonte Begriff gerade in der Mitte des Gedichts. — 30. *deterioribus*] „entartet“ (Nauck). — Dativ des

si pugnat extricata densis
cerva plagis, erit ille fortis

qui perfidis se credidit hostibus,
et Marte Poenos proteret altero,
35 qui lora restrictis lacertis
sensit iners timuitque mortem.

hic, unde vitam sumeret inscius,
pacem duello miscuit? o pudor!
o magna Carthago probrosis
40 altior Italiae ruinis!"

fertur pudicae coniugis osculum
parvosque natos ut capitis minor
ab se removisse et virilem
torvus humi posuisse voltum,

45 donec labantes consilio patres
firmaret auctor numquam alias dato,
interque maerentes amicos
egregius properaret exsul.

atqui sciebat, quae sibi barbarus
50 tortor pararet: non aliter tamen

Masculins. — 31. *si*] führt ein *ἀδύνατον* ein, da die *cerva* so feige ist, wie unser „Hase". — 33. *perfidis credidit*] zeigt durch den Gegens. das Unkluge der Handlung. — *credidit*] nicht *tradidit:* „leichtgläubig sich anvertraute". — 34. *proteret*] ein starker Ausdruck der Ironie. — *altero*] näml. Marte: „in erneuertem Kampfe". — 35. *restrictis lacertis*] homerische Situation! vgl. Il. XI, 105. — 36. *iners*] wie oben *sine caede.* — *timuitque mortem*] machen wir zum adverbiellen Ausdruck. — 37. *unde uitam sumeret*] „Und setzest du nicht das Leben ein, nie wird dir das Leben gewonnen sein". — 40. *probrosis ruinis*] nicht Abl. compar. — *altior*] „dem beschieden war noch zu steigen durch".

41—56. 41. *pudicae*] Epithet. ornans aus homer. Geiste *αἰδοίη*. — 42. *ut*] subj. begründend. — *capitis minor*] ein „bürgerlich ehrloser". — 45. *consilio*] nicht zu *labantes.* — 46. *firmaret*] Der Konjunktiv, um das Absichtliche seines Handelns stärker zu bezeichnen. — *auctor*] hier gleich *ipse.* — 48. *egregius exsul*] ein Oxymoron. — 49. *barbarus*] das Wort zu *tortor,* der Begriff zu *quae:* „die Barbarei seines Folterers". Historisch ist

dimovit obstantes propinquos
et populum reditus morantem,

quam si clientum longa negotia
diiudicata lite relinqueret,
55 tendens Venafranos in agros
aut Lacedaemonium Tarentum.

VI.

Delicta maiorum inmeritus lues,
Romane, donec templa refeceris
aedesque labentes deorum et
foeda nigro simulacra fumo.

5 dis te minorem quod geris, imperas.
hinc omne principium; huc refer exitum.

---

eine solche Behandlung des Regulus nicht erwiesen. — 52. *reditus*] Der Plural durch „jedesmal" beim Part. zu geben! — *morantem*] Part. Impf. de conatu. — 55. *tendens*] in futuraler Bedeutung. — *Venafranos in agros*] Venafrum (in Campanien) und Tarent (II, 6) stehen als Beispiele einer wonnigen Villeggiatur.

Einige Erklärer wollen in dem Gedichte eine Abmahnung von einem Zuge gegen die Parther erkennen. Aus höfischer" Gesinnung habe der Dichter die Abneigung des Kaisers gegen einen neuen Partherfeldzug schön bemäntelt. Dann wäre H. sehr inkonsequent gewesen (vgl. I, 2, 51. 35, 40 u. a.).

Carm. III, 6. Die Götter zürnen unserer Gottlosigkeit (1—8). Das zeigten sie in dem schmählichen Verlauf unserer äuſseren Kriege (9—16); besonders aber in der alles denkbare Maſs überschreitenden Sittenlosigkeit (17—32). Es war eine kräftigere Jugend, die unsere Erbfeinde besiegte: wir aber werden ihr nie mehr gleichen (33—48).

1—8. 1. *delicta*] „Schuld", weil sie durch Bürgerkriege den Staat schwächten. Der Dichter denkt an die grause That des Romulus und Remus, welche als Fluch auf Rom lastete: Epod. 7, 17: „acerba fata Romanos agunt scelusque fraternae necis, ut immerentis fluxit in terram Remi sacer nepotibus cruor". — *lues*] Das Futur ist durch „muſs" zu übers. — 2. *templa* und *aedes* sind zu unterscheiden. *deorum* gehört zu beiden Gliedern. — 4. *nigro*] „schwärzend". Diese Vorschrift steht in Beziehung zu der Anordnung Augustus', neue Tempel zu erbauen und die alten zu verbessern. — 5. *minorem*] „unterthänig". — *quod*] „nur insoweit als". — 6. *hinc*] geht auf den im folgenden Verse liegenden Gedanken der Frömmigkeit (Demut?). —

di multa neglecti dederunt
Hesperiae mala luctuosae.

iam bis Monaeses et Pacori manus
10 non auspicatos contudit impetus
nostros et adiecisse praedam
torquibus exiguis renidet.

paene occupatam seditionibus
delevit urbem Dacus et Aethiops,
15 hic classe formidatus, ille
missilibus melior sagittis. —

fecunda culpae saecula nuptias
primum inquinavere et genus et domos:
hoc fonte derivata clades
20 in patriam populumque fluxit.

motus doceri gaudet Ionicos
matura virgo et fingitur artibus
iam nunc et incestos amores
de tenero meditatur ungui:

25 mox iuniores quaerit adulteros
inter mariti vina, neque eligit,
cui donet impermissa raptim
gaudia luminibus remotis,

sed iussa coram non sine conscio
30 surgit marito, seu vocat institor

---

7. *neglecti*] vgl. III, 2, 30; prosaisch durch ein Substantiv auf „ung" zu übersetzen. — 8. *Hesperia*] hier nur „Italien". — *luctuosae*] proleptisch.

9—16. 9. *bis*] nicht etwa allein auf *Monaes.* zu beziehen. — 10. *non auspicatos*] wodurch *neglecti di* erklärt wird. — 11. *adiecisse renidet*] = *ridens adiecit.* — 13. *occupatam seditionibus*] Ein Kompositum! = 14. *Dacus*] „ein Daker", geringschätzig wie das Folgende. — 16. *melior*] ohne rechte Komparativbedeutung (eigentl. „als der Äthiopier").

16—32. 17. *fecunda culpae*] Die klassische Prosa setzt zu *fecundus* noch nicht den Genetiv. — 18. *domos*] „Familien". — 20. *clades fluxit*] „überschwemmte die Unglückswoge". — 22. *matura*] für das Adverb = frühzeitig. — 23. *iam nunc*] zu *fingitur,* wie *de tenero ungui* zu *meditatur.* — 24. *de tenero ungui*] sprichwörtlich: „von zarter Kindheit an".

seu navis Hispanae magister,
dedecorum pretiosus emptor. —

non his iuventus orta parentibus
infecit aequor sanguine Punico
35 Pyrrhumque et ingentem cecidit
Antiochum Hannibalemque dirum,

sed rusticorum mascula militum
proles, Sabellis docta ligonibus
versare glaebas et severae
40 matris ad arbitrium recisos

portare fustes, sol ubi montium
mutaret umbras et iuga demeret
bobus fatigatis, amicum
tempus agens abeunte curru. —

45 damnosa quid non imminuit dies?
aetas parentum peior avis tulit
nos nequiores, mox daturos
progeniem vitiosiorem.

33—48. 33. *non his orta infecit*] Wir bilden zwei Sätze: „Nein, von solchen Eltern stammte nicht die . . ., welche“. — 35. *ingentem*] Er nannte sich „Grofskönig“. — *cecidit*] „fällte“ (Nauck). — 36. *dirum*] der den Römern wie der „leibhaftige Teufel“ erschien. Der Dichter stellt der Schilderung des zerstörten Familienlebens ein erhebendes Bild der alten Familienzucht gegenüber. — 38. *Sabellis*] ist durch eine Enallage zu *ligonibus* gezogen, während es besser zu *glaebas* zu passen scheint: etwa „im Sabellerlande“. — 40. *matris*] die sich also um andere Dinge kümmerte, wie die Römerin. — 42. *mutaret*] Der Konj. aus dem Sinne der befehlenden Mutter. — 44. *amicum tempus*] Feierabend. — *abeunte curru*] bildet mit *agens* ein Oxymoron. — Für das Gleichnis vgl. Odyss. XVII, 31: ὡς δ' ὅτ' ἀνὴρ δόρποιο λιλαίεται, ᾧ τε πανῆμαρ νειὸν ἀν' ἕλκητον βόε οἴνοπε πηκτὸν ἄροτρον. ἀσπασίως δ' ἄρα τῷ κατέδυ φάος ἠελίοιο κτλ. — 45. *imminuit*] Der Dichter denkt an die Sage vom goldenen, silbernen u. s. w. Zeitalter. — 46. *peior avis*] Die Vergleichung ist in einer uns nicht geläufigen Weise abgekürzt aus *peior aetate avorum*. — 46. *tulit*] „schuf“; vgl. I, 12, 42, eine Stelle, deren Sinn überhaupt für unsere Ode wichtig ist. — 47. *daturos*] „Leben geben“, nach dem Willen des Schicksals: „bestimmt sind . . . zu“. — 48. *vitiosiorem*] Es sind vier Generationen in einer Strophe zusammengefafst.

VII.

Quid fles, Asterie, quem tibi candidi
primo restituent vere favonii
Thyna merce beatum,
constantis iuvenem fide,

5 Gygen? ille notis actus ad Oricum
post insana Caprae sidera frigidas
noctes non sine multis
insomnis lacrimis agit.

atqui sollicitae nuntius hospitae,
10 suspirare Chloen et miseram tuis
dicens ignibus uri,
temptat mille vafer modis.

ut Proetum mulier perfida credulum
falsis impulerit criminibus nimis
15 casto Bellerophonti
maturare necem refert;

Der Dichter weifs leider aus eigener Lebenserfahrung, dafs der Mensch bei solcher Not nicht viel ausrichten wird. So ist die freudige Zuversicht des Beginns der sechs Römeroden einer traurigen Besorgnis gewichen. Tragischer Humor durchzieht namentl. das sechste Lied. Der „Prophet der Monarchie“, wie Mommsen Horaz genannt hat, gab dem Neubau des Reiches zwar die Weihe, aber er that dies nicht mit freudig-hoffendem Herzen.

Carm. III, 7. An Asterie. Du weinst um ihn? (1—8.) Er ist ganz treu (9—21). Du aber bewahre ihm dein Herz in Treue (22—32).

A. 1—8. 1. *fles*] Das Objekt steht den Appositionen nach: „um ihn“. — 3. *beatum*] von äufserem Reichtum. — 4. Konstr.: *fide* konzessiv zu *fles*. — 5. *notis . . . sidera*] gehört zusammen. — 6. *post insana . . . sidera*] ergänze *orta*.

B. 9—21. 9. *atqui*] „und doch“. — *sollicit.*] „liebeskrank“. — 10. *Chloen*] ist eben die *hospita*. — *tuis ignibus uri*] sie werde durch deinen Geliebten in leidenschaftlicher Liebe *(miseram)* verzehrt, *ignes* wie *flamma* I, 27, 20, für den Gegenstand der Liebe. Die Begriffe für Liebe sind mit Absicht gehäuft. — 12. *temptat*] nämlich *illum*. — *mille modis*] gehört sowohl zu *vafer* wie zu *temptat*. — 13. *ut Proetum*] indirekter Fragesatz. Vgl. Hom., Il. VI, 16: *τῷ δὲ γυνὴ Προίτου ἐπεμήνατο, δῖ' Ἄντεια . . . ἀλλὰ τὸν οὔτι πεῖθ' ἀγαθὰ φρονέοντα, δαίφρονα Βελλεροφόντην*. — 14. *nimis*] zu *casto*, weil der *vafer nuntius* seinen Zweck erreichen will. — 16. *maturare*] von *impulerit* abhängig. Der Inf. statt des prosaischen *ut*. —

narrat paene datum Pelea Tartaro,
Magnessam Hippolyten dum fugit abstinens;
et peccare docentes
20 fallax historias monet.

frustra: nam scopulis surdior Icari
voces audit adhuc integer. at tibi
ne vicinus Enipeus
plus iusto placeat cave,

25 quamvis non alius flectere equum sciens
aeque conspicitur gramine Martio
nec quisquam citus aeque
Tusco denatat alveo!

prima nocte domum claude neque in vias
30 sub cantu querulae despice tibiae,
et te saepe vocanti
duram difficilis mane.

VIII.

Martiis caelebs quid agam Kalendis,
quid velint flores et acerra turis

---

17. *narrat*] folgt auf *refert* wie 5, 21: *vidi; vidi.* — *paene datum Tartaro*] absichtlich übertreibend. — 18. *dum*] geht in die kausale Bedeutung über. — 19. *peccare*] „Sünde" in sittlicher Beziehung. — 20. *fallax*] „um ihn zu täuschen". — *monet*] = *monendo adfert.* — 21. *frustra*] „umsonst", erinnert an die Homerische Wendung: *νήπιος· γάρ.* — *scopulis surdior* kommt auf das prosaische „stocktaub" hinaus. — *Icari*] gehört zu *scopulis.* Icaros ist eine Insel. — 22. *integer*] „treu".

C. 22—32. Verbinde: *quamvis non alius (nemo alius) conspicitur aeque sciens flectere equum*, ergänze: atque Enipeus. *quamvis* wird bei H. zuweilen, wie bei den Schriftstellern der silbernen Latinität überhaupt, mit dem Indikativ konstruiert. — 26. *gramine Martio*] = *in gr. M.* — 27. *citus aeque*] Wir würden es umgestellt erwarten. Welche Vorzüge des Mannes werden sonst als liebenswert angegeben? — 30. *sub cantu*] „beim Spiel". — *querulae*] Auch von der Musik der Vögel heifst es: *queruntur.* — 32. *duram*] zu *vocanti.* — *difficilis*] „unerbittlich" (Nauck).

Carm. III, 8. An Mäcenas. Was ich treibe? (1—5). Ich habe heute meinen Erinnerungstag (6—16). Wir wollen ihn feiern ohne politisches Gesorge. Stete Sorge verkümmert das Leben (17—28). Zeit der Ode: 1. März 29.

A. 1—5. 1. *caelebs*] „obwohl ein Hagestolz". — 2. *velint*] „bedeu-

plena miraris positusque carbo in
caespite vivo,
5 docte sermones utriusque linguae.
voveram dulces epulas et album
Libero caprum prope funeratus
arboris ictu.

hic dies anno redeunte festus
10 corticem adstrictum pice dimovebit
amphorae fumum bibere institutae
consule Tullo.

sume, Maecenas, cyathos amici
sospitis centum, et vigiles lucernas
15 perfer in lucem! procul omnis esto
clamor et ira. —

mitte civiles super urbe curas:
occidit Daci Cotisonis agmen,

---

ten". — 3. *miraris*] ist mitten in den abhäng. Satz gestellt. — 4. *caespite vivo*] näml. dem daraus erbauten Altar. Übers.: „auf grünem Altare" (Kayser). — 5. *docte*] Die Anrede steht konzessiv zu *miraris:* „Du Kenner". — *sermones*] „Schriftwerk", dann „Schulweisheit". Die Begründung meines Festes kennst du dennoch nicht. Gerade für Erklärung von alten Gebräuchen zeigte die damalige Zeit grofse Vorliebe. Vgl. IV, 4, 18.

B. 6—16. 6. *voveram*] Plusq. für unser Perf. wie im Briefstiel. „Ein Gelübde ist's mit". — 7. *Libero*] Auch Liber ist ein Gott der Dichter. — *funeratus*] „begraben". — 9. *hic dies*] „darum soll dieser festliche Tag". — 11. *fumum bibere*] mit sinnlicher Belebung der *amphora*. *bibere* ist Inf. des Zwecks für *ad bibendum*. Der Rauch drang nicht in die *amphora;* der Wein bekommt davon keinen Geschmack. Nur die Erwärmung machte und macht den Wein haltbarer. Zur Erwärmung wurde der Wein aus der *cella vinaria* (unter der Erde) ins *fumarium* gebracht. — *institutae*] „welcher aufgestellt wurde". — *Tullo*] Konsul d. J. 33. — 13. *sume*] „Trink". — *cyathos*] *cyathus* ist eine Schale mit einem Griff, mit der man aus dem *κρατήρ* in den Becher schöpfte. — *amici sospitis*] „auf das Wohl des". Diese Bedeutung entwickelt sich aus der gewöhnlichen des Genet. subi., indem *sospitis* den besonderen Ton hat. Becher, die der Freund aufstellt, weil er gerettet ist! III, 19, 9. — 15. *perfer*] wozu allerdings bei der schlechten Beschaffenheit der qualmenden Ampeln Kraft gehörte. Die Alten löschten keine Lampen aus. — *procul*] „doch fern sei!" — 16. *clamor et ira*] „Lärm und Streit".

C. 16—28. 17. *mitte*] = *omitte.* — *civiles*] „politisch". — *super urbe*] = *de.* — 18. *occidit*] Die folgenden

Medus infestus sibi luctuosis
20 dissidet armis,

servit Hispanae vetus hostis orae
Cantaber sera domitus catena,
iam Scythae laxo meditantur arcu
cedere campis.

25 neglegens, ne qua populus laboret
parce privatus nimium cavere et
dona praesentis cape laetus horae,
linque severa.

IX.

Donec gratus eram tibi
nec quisquam potior bracchia candidae

Verba sind chiastisch aufgestellt. Beiordnung der Sätze statt Unterordnung! — *Daci Cotisonis*] Dafs die mächtigen Römer solche unbedeutende Völker wirklich fürchten konnten, nimmt uns wunder, erklärt sich aber aus ihrem Volkscharakter. — *Cotiso*] ein Fürst der Dacier, wurde 30 von Crassus in Pannonien besiegt. — 19. Konstr.: *Medus infestus dissidet sibi (= discors est) luctuosis armis* geht auf die Bürgerkriege bei den Parthern. — *Orodes ... Pacorus ... Phraates*] dessen Gegenkönig Tiridates 30 zu Oktavian flüchtet. — *luctuosis*] ein unparteiischer Zusatz nach epischer Weise. Jeder Bürgerkrieg ist ein Unglück. — 22. *sera*] Wir schieben ein „leider" ein und wählen das Adverb. Die Cantabrer wurden 29 besiegt, dann wieder 25 — 20. — 23. *laxo arcu*] enthält einen dem *meditantur* gleichgeordneten Begriff: „schon hängt schlaff der Bogen". — 24. *campis*] „ihren Steppen". — 25. *neglegens*] „sorglos". — *ne qua (parte) ... laboret*] hängt von *cavere* ab. — 26. *privatus*] enthält den Grund, warum der Dichter es ihm rät. Mäcen war nie wirklicher Beamter, auch nicht, als er Stadtpräfekt war. Daran erinnert H. ihn, natürlich nur scherzhaft. — 27. *praesentis*] kann im D. fehlen, weil sein Begriff schon in „Stunde" enthalten ist; er steht dem Begriff der Zukunft in *cavere* gegenüber. — 28. *severa*] „den leidigen Ernst".

Carm. III, 9. Wir waren in unserer Liebe so glücklich (1—8). Wir sind ja scheinbar auch jetzt glücklich, wo wir zu anderen uns wandten (9—16). Wir werden von neuem zusammen und dauernd glücklich sein (17—24). Das Urbild für solches Überbieten der Liebesbeteuerungen ist wohl das Abschiedsgespräch zwischen Nausikaa und Odysseus. 8. 8. 8.

1—8. 1. *gratus*] „willkommen". — 2. *potior iuvenis*] Apposition zu *quis-*

cervici iuvenis dabat,
Persarum vigui rege beatior.

5 „donec non alia magis
arsisti neque erat Lydia post Chloen,
multi Lydia nominis,
Romana vigui clarior Ilia."

me nunc Thressa Chloe regit,
10 dulces docta modos et citharae sciens,
pro qua non metuam mori,
si parcent animae fata superstiti.

„me torret face mutua
Thurini Calais filius Ornyti,
15 pro quo bis patiar mori,
si parcent puero fata superstiti."

quid si prisca redit Venus
diductosque iugo cogit aeneo,
si flava excutitur Chloe,
20 reiectaeque patet ianua Lydiae?

„quamquam sidere pulchrior
ille est, tu levior cortice et improbo

---

quam: „als der Bevorzugte". — 3. *dabat*] „legte um". — 4. *Persarum rege*] ist sprichwörtlich. Der „Schah" von Persien galt wie der indische „Nabob" immer für reich und glücklich. Hier kann man für Perser nicht Parther einsetzen. — 5. *donec*] Die Geliebte wiederholt schnippisch stets dieselben Worte, um sie zu überbieten. — *non alia*] Abl. instr. Wir „für". — 6. *Lydia*] ist mit Absicht für „ich" gesetzt, weil Lydia für „eine Chloe" sich für zu gut hält. — *post*] wörtlich. — 7. *multi nominis*] „gefeiert".

9—16. 9. *me regit*] „meine Königin ist". — *Thressa*] mit Stolz hinzugesetzt; sie stammt aus dem Lande der Musen. — 11. *mori*] „in den Tod gehen". — 12. *animae superstiti*] *anima* „die Seele", als ehrende Umschreibung der geliebten Person; *superstiti* proleptisch. — 13. *face mutua*] „mit erwiderter Glut"; bei dem Jüngling war das nicht der Fall. — 14. *Thurini*] ist gewissermaſsen die Antwort auf v. 10. — 15. *bis*] mit komischem Pathos.

17—24. 18. *diductos cogit* und *iugo aeneo* gehören einem Bilde an. Dasselbe Bild steckt in *coniuges!* — 19. *excutitur*] Das Bild erklärt sich aus dem voranstehenden *iugum.* — 20. *reiectaeque*] *reiectae* ist Genetiv, von *ianua* abhängig. — 21. *sidere pulchrior*] Il. VI, 401: ἐναλίγκιον ἀστέρι καλῷ. — 22. *ille*] „Er". —

iracundior Hadria:
tecum vivere amem, tecum obeam libens"

X.

Extremum Tanain si biberes, Lyce,
saevo nupta viro, me tamen asperas
porrectum ante fores obicere incolis
plorares aquilonibus.

5 audis quo strepitu ianua, quo nemus
inter pulchra satum tecta remugiat
ventis, et positas ut glaciet nives
puro numine Iuppiter?

ingratam Veneri pone superbiam,
10 ne currente retro funis eat rota.
non te Penelopen difficilem procis
Tyrrhenus genuit parens.

---

cortice] sprichwörtlich. — 23. *Hadria*] mit einer wirkungsvollen Individualisierung. — 24. *(tamen) tecum*] eine Stimmungsanaphora: „Mit dir möchte ich lieben zu leben, mit dir auch stürb' ich so gern!"

Es ist müſsig zu fragen, ob Horaz selbst der Sprechende ist, oder ob er einen anderen mit Lydia sprechen läſst. So sprechen z. B. bei Goethe alle die Schäfer, Ritter, Nonnen, Soldaten doch nur des Dichters Empfindung aus, der sich in ihre Gedanken hineingelebt hat.

Carm. III, 10. Selbst eine Scythin hätte Mitleid mit mir (1—4). Habe auch Du es (5—18), ehe es zu spät ist (19—20)!

1—4. 1. *Extremum ... biberet*] poetische, signifikantere Bezeichnung für: wenn du wohntest am ..., oder: wenn du wärest eine ... — 2. *saevo nupta*] ebenso wichtig wie *biberes*. — *asperas*] eigentlich und bildlich. — 3. *incolis*] „einheimisch". — 4. *plorares* „müſste es dich jammern".

5—18. 7. *ventis*] Dativ zu *remugiat*. Winde und Bäume kämpfen miteinander. — *et*] Konstruktion: *et ut Iuppiter glaciet positas naves puro numine*, ebenfalls von *audis* abhängig. Denn wenn ein Gott handelt, so kann man es auch hören. Mache den Satz selbständig! — *positas*] „fallend". — 8. *puro numine*] eigentlich: durch seine entwölkte Kraft; dann: „mit entwölkender Kraft", „bei unbewölktem Himmel". Knirschenden Schnee erlebt der moderne Römer nicht mehr. — 9. *ingratam Veneri*] enthält den Grund zu *pone superbiam*. — 10. *ne currente ... rota*] sprichwörtlich für unser „allzu fest reiſst". — *retro*] gehört zu *currente* und zu *eat*, „damit es nicht plötzlich ganz anders komme". — 11. *difficilem procis*]

o quamvis neque te munera nec preces
nec tinctus viola pallor amantium
15 nec vir Pieria pelice saucius
curvat: supplicibus tuis

parcas, nec rigida mollior aesculo
nec Mauris animum mitior anguibus.
non hoc semper erit liminis aut aquae
20 caelestis patiens latus.

XI.

Mercuri (nam te docilis magistro
movit Amphion lapides canendo)
tuque testudo resonare septem
callida nervis,

„spröde". — 13. *munera*] „der Geschenke Fülle". — 15. *nec vir*] brachyl. für: noch der Gedanke an ... — *saucius*] von der Liebe: „sterblich verliebt in". — 16. *curvat*] „wankend macht". — 17. *nec mollior*] Apposition zu dem ausgelassenen Subjekt in *parcas*. — 18. *animum*] Accusativ der Beziehung zu *mitior*.

19—20. Konstr.: *hoc latus non semper erit patiens liminis aut aquae caelestis*. — 19. *hoc latus*] Diese Sprache und Bilder, welche, bezeichneten sie Wahres, die gröfste Leidenschaftlichkeit verraten würden, sind durch häufigen Gebrauch in der Liebespoesie zu Formeln geworden und im einzelnen nicht allzu ernsthaft zu nehmen. Freilich ist eine Drohung in den Worten enthalten. — *liminis*] ist prägnant für *duri liminis*. — 20. *aquae caelestis*] „Schnee".

Ein solches *παρακλαυσίθυρον* ist bei den Griechen und Römern ebenso in Form und Gedanken formelhaft, wie es die „Tagelieder" bei den Deutschen im Mittelalter waren.

Carm. III, 11. An Lyde. Ich möchte ein Lied singen, welches meine Lyde zur Liebe stimmen könnte (1—12). Lieder sind ja allmächtig (13—24). Ich will ihr von den Strafen singen, mit welchen die Lieblosigkeit bestraft (25—29) und die Liebe belohnt wird (30—52). 24. 4. 24.

A. 1—12. 1. *nam*] Dieses *nam* nach der Anrede ist dem Homerischen Gebrauche des *γὰρ* (zur Begründung eines ausgelassenen Gedankens) nachgebildet. Vgl. *Φήμιε, πολλὰ γὰρ ἄλλα βροτῶν θελκτήρια οἶδας*. — *te docilis magistro*] „als dein gelehriger Schüler". — 3. *resonare*] „tönen" eigentlich „entgegenzutönen", nämlich dem, der in die Saiten greift. — *septem nervis*] Abl. — 5. *nunc*] adversativ zu *olim*. Die Lyra wurde allmählich

5 nec loquax olim neque grata, nunc et
divitum mensis et amica templis,
dic modos, Lyde quibus obstinatas
applicet aures,

quae velut latis equa trima campis
10 ludit exsultim metuitque tangi,
nuptiarum expers et adhuc protervo
cruda marito.

tu potes tigres comitesque silvas
ducere et rivos celeres morari;
15 cessit immanis tibi blandienti
ianitor aulae

Cerberus, quamvis furiale centum
muniant angues caput eius atque
spiritus taeter saniesque manet
20 ore trilingui;

quin et Ixion Tityosque voltu
risit invito; stetit urna paulum

---

zur Cithara umgestaltet, welche sich zu einander verhalten „wie ein Pianino zu einem Konzertflügel“ (v. Jan). — 6. *mensis*] vgl. Odyss. ϱ, 270: *ἐν δέ τε φόρμιγξ Ἠπύει, ἣν ἄρα δαιτὶ θεοὶ ποίησαν ἑταίρην.* — 7. *dic*] „lafs ertönen“, als ob das Spiel der Saiten auch ohne Worte verständlich wäre! — 9. *quae velut*] Ein in Homerischem Geiste gehaltener, epischer Vergleich, in welchem nur die Handlungen verglichen werden, nicht die Personen. — 10. *metuitque tangi*] „vor der Berührung bebt“. — 11. *nupt. ... marito*] gehen noch auf die *equa trima*. — 12. *cruda*] Wir weniger derb: „spröde“. — *marito*] „Buhlen“.

12—24. 13. *tu*] nämlich *testudo:* der Begriff aber erweitert sich dann unmerklich zu dem allgemeineren: Musik. — *comites*] ebenso zu *tigres* wie zu *silvas*. — 14. *rivos*] „Waldbäche“: denn das hast du in Orpheus' Hand bewiesen, vgl. I, 12. — 15. *cessit*] „unterlag“. — *immanis*] zu *ianitor*. — *tibi blandienti*] „deinen Schmeicheltönen“. — 17. *quamvis ... trilingui*] malt das fürchterliche Aussehen des Höllenhundes zum gröfseren Ruhme der Leier. — 18. *eius*] dazu steht in partitivem Verhältnis: *caput* und *ore trilingui*. Die Gedichte in der sapphischen Strophe ähneln in metrischer Form und in den Ausdrücken mehr der prosaischen Rede als Gedichte in anderen Strophen. — 19. *taeter*] *ἀπὸ κοινοῦ* zu *spiritus* und *sanies*. — 21. *voltu invito*] erinnert an Odyss. 20, 347: *οἱ δ' ἤδη γναθμοῖσι γελώων ἀλλοτρίοισιν.* — 22. *stetit*] Dazu gehört *sicca*.

sicca, dum grato Danai puellas
carmine mulces.
25 audiat Lyde scelus atque notas
virginum poenas et inane lymphae
dolium fundo pereuntis imo
seraque fata,

quae manent culpas etiam sub Orco.
30 impiae (nam quid potuere maius?)
impiae sponsos potuere duro
perdere ferro.

una de multis face nuptiali
digna periurum fuit in parentem
35 splendide mendax, et in omne virgo
nobilis aevum,

„surge!“ quae dixit iuveni marito
„surge, ne longus tibi somnus, unde
non times, detur: socerum et scelestas
40 falle sorores,

quae velut nactae vitulos leaenae
singulos eheu lacerant: ego illis
mollior nec te feriam neque intra
claustra tenebo.

45 me pater saevis oneret catenis,
quod viro clemens misero peperci,
me vel extremus Numidarum in agros
classe releget.

B. 25—29. 25. *scelus*] Sowohl *virginum* als *notas* sind beiden Gliedern gemeinsam. — 26. *et inane*] erklärt das Vorhergehende. — 27. *pereuntis*] begründend zu *lymphae*, welches von *inane* abhängt. *perire* wörtlich „hindurchgehen“ wie *evenire*. 4, 4, 65 „herauskommen“. — 29. *culpas*] „Verschuldung“. — *sub*] bezeichnet „tief im“.

C. 30—52. 30. *quid maius*] „welch' gröfsere Unthat“. — 31. *duro ferro*] *νηλέι χαλκῷ*. — 33. *face nuptiali*] prägnant und anschaulich für *nuptiis digna*, damit steht parallel: *et nobilis in omne aevum;* zu beiden *fuit*. — 35. *splendide mendax*] „in ehrender Lüge“. *mentiri* hat nach seiner Etymologie nicht die häfsliche Bedeutung unseres „lügen“. — 39. *socerum et sorores*] dem Schwäher und den (meinen) Schwestern. — 40. *falle*] „suche zu entkommen“. — 47. *Numidarum*]

i, pedes quo te rapiunt et aurae,
50 dum favet nox et Venus, i secundo
omine et nostri memorem sepulcro
scalpe querellam."

XII.

Miserarum et neque amori dare ludum neque dulci
mala vino lavere aut exanimari metuentes
patruae verbera linguae.

tibi qualum Cythereae puer ales, tibi telas
5 operosaeque Minervae studium aufert, Neobule,
Liparaei nitor Hebri,

simul unctos Tiberinis umeros lavit in undis,
eques ipso melior Bellerophonte, neque pugno
neque segni pede victus,

10 catus idem per apertum fugientes agitato
grege cervos iaculari et celer arto latitantem
fruticeto excipere aprum.

Darin steckt wohl eine Art Anachronismus. — 51. *sepulcro*] nämlich *meo*.

Eine versifizierte Geschichte, deren Nutzanwendung sich von selbst ergiebt: Sei eine Hypermnestra! Auch dies Gedicht scheint, wie das vorhergehende und folgende, ein Ständchen.

Carm. III, 12. An Neobule. Ein Monolog Neobules, die sich über das Hangen und Bangen der Liebe beklagt und sich dann, in Träumerei versunken, die Erscheinung der Geliebten ausmalt. (Vielleicht die Rede einer Verführerin).

1—12. 1. *miserarum est dare*] „nur Unglückliche geben", erinnert an Il. VI, 127: *δυστήνων δέ τε παῖδες ἐμῷ μένει ἀντιόωσιν*. — *amori dare ludum*] ist aus *operam dare* leicht verändert; *ludus* ist = *opera suavis*. — 2. *lavere*] „Hinunterspülen". — *exanimari*] von allzu grofser Erregung. — 3. *patruus*] welcher strenger ist als der Vater, während *avunculus* (*ove* = heim) freundlicher ist. Deshalb steht *patruus* oft im übertragenen Sinne = strenger Sittenrichter. — 4. *Cythereae*] zu *puer ales*. — *operosaeque Min. stud.*] „für die Künste der Min.". — 6. *nitor*] würde nicht einmal in Prosa Adjektiv sein. — 8. *eques* etc.] Appositionen zum Subj. in *lavit*. — *Bellerophonte*] Ablativ des nach der ersten Deklination gehenden Wortes. — 10. *catus iaculari*] = *ad iaculandum*, wie nachher *celer excipere*. — *idem*] „wohl aber". — *apertum*] „Blachfeld". — 11. *grege*] „Rudel". — *arto fruticeto*] vgl. Hom. Odyss. XIX, 439: *ἔνθα δ' ἄρ' ἐν λόχμῃ πυκινῇ κατέκειτο μέγας σῦς*. — 12. *excipere*] „abfangen".

XIII.

O fons Bandusiae, splendidior vitro,
dulci digne mero non sine floribus,
cras donaberis haedo,
cui frons turgida cornibus
5 primis et Venerem et proelia destinat.
frustra: nam gelidos inficiet tibi
rubro sanguine rivos
lascivi suboles gregis.

te flagrantis atrox hora Caniculae
10 nescit tangere, tu frigus amabile
fessis vomere tauris
praebes et pecori vago.

fies nobilium tu quoque fontium,
me dicente cavis impositam ilicem
15 saxis, unde loquaces
lymphae desiliunt tuae.

Carm. III, 13. An die Bandusia. Morgen soll dir, Bandusiaborn, eine Spende zuteil werden (1–8). Du verdienst es wegen der Kühle in deiner Nähe und der Schönheit deiner Lage (9—16). S. 8.

1—8. 1. *O* ...] So beginnen viele Horaz-Oden. Auch das ist charakteristisch für römische Poesie. — *Bandusiae*] Genet. epexeg. — *vitro*] „Krystall". Hölty: „silberblinkend". — 2. *non sine floribus*] „im Blütenkranz". — 3. *donaberis*] Das Futur durch „soll". — *cras*] an den Fontanalien am 13. Oktober. Die Quelle war also in seinem dauernden Besitz. — 4. *cui frons* ... *frustra*] epische Ausmalung des für uns Nebensächlichen. Dadurch wird das Bild plastischer und bestimmter, das Geschenk wertvoller. — *cornibus primis*] zu *turgida*. Nur junge Tiere werden Göttern geschenkt. — 6. *frustra*] zu dem vorangehenden Verse zu ziehen: „umsonst". — *frustra nam*] ähnlich bei Homer: *νήπιοι ... γάρ*, von denen, die, ohne zu ahnen, in ein trauriges Schicksal rennen. — *gelidos* und *rubro* bilden eine Art Gegensatz.

9—16. Begründend. — 9. *hora*] von der Zeit überhaupt. — 10. *frigus amabile*] Oxymoron. — 11. *fessis vomere tauris*] sehr beliebte, schon von Homer häufig geschilderte Lage, vgl. III, 6, 43. — 13. *nobilium*] „gefeierten". Arethusa, Castalia, Hippocrene. Man denke auch an die Wichtigkeit, die den Brunnen im Alten Testament beigelegt wird. — 14. *me dicente*] „denn ich will singen von", und diese Ankündigung macht die Quelle schon berühmt. — *impositam*] etwa: „auf der Höhe". — 15. *loquaces lymphae desiliunt*] enthalten eine ins Ohr fal-

XIV.

Herculis ritu modo dictus, o plebs,
morte venalem petiisse laurum
Caesar Hispana repetit penates
victor ab ora.

5 unico gaudens mulier marito
prodeat iustis operata divis,
et soror clari ducis et decorae
supplice vitta

virginum matres iuvenumque nuper
10 sospitum. vos, o pueri et puellae
iam virum expertae male ominatis
parcite verbis! —

---

lende Allitteration. — *loquaces lymphae*] „geschwätzig das Nafs".

Was hat das Gedicht zu viel und was fehlt ihm für ein modernes Gedicht zum Preise der Natur? Zu viel Thatsachen, zu wenig Stimmung, zu anschaulich, zu wenig gefühlerregend; der anlockende nixenhafte Reiz des Wassers tritt für unser Gefühl zu wenig hervor. Man vergleiche Goethes Werthers Leiden (12. Mai) und Höltys Bach.

Carm. III, 14. Der Cäsar kehrt von Spanien heim. Feiert ihn! (1—12.) Denn er giebt uns endlich das Gefühl der Ruhe und des Friedens (13—16). Darum will auch ich ihn in meiner Weise feiern (17—28). 12. 4. 12.

1—12. Konstr.: *Caesar dictus (quamquam modo dictus est) petiisse laurum venalem morte.* — Gehört *Herc. ritu* zu *petiisse* oder zum ganzen Gedanken: *Hispana ab ora repetit?* Augustus wird mit Hercules Victor verglichen. — 2. *morte venalem*] Augustus war in Spanien schwer erkrankt gewesen. — 3. *repetit penates*] vielleicht mit Anspielung auf den besonderen Kult, den Augustus den Laren widmete. — 5. *unico*] ist nicht dasselbe wie *uno*. — *gaudens*] „froh des". — 6. *operata*] von der feierlichen Opferhandlung, deutsch durch das Part. Praes. zu übersetzen. Es ist zu erklären, wie das Part. Perf. in *ratus* u. s. w. Der Anfang des Opferns liegt voraus, aber die Thätigkeit hört für unser Gefühl nicht auf. — *iustis*] „gehörigen". — 8. *supplice vitta*] mit geläufiger Personifikation der *vitta; decorae* prädikativ. Es wird ein Triumphzug derer beschrieben, an deren Sitten August am meisten Freude haben mufste. — 9. *virginum matres iuvenumque*] *virginum*, welches hier weniger gut hinzugefügt ist, soll den Begriff „Mütter" voll erschöpfen helfen. — 11. *iam virum expertae*] „schon Mannes-Genossinnen". — *male ominatis*] = *malis verbis* (δυσώνυμος), vgl. III, 1, 2.

hic dies vere mihi festus atras
exiget curas: ego nec tumultum
15 nec mori per vim metuam tenente
Caesare terras. —

i pete unguentum, puer, et coronas
et cadum Marsi memorem duelli,
Spartacum siqua potuit vagantem
20 fallere testa.

dic et argutae properet Neaerae
murreum nodo cohibere crinem:
si per invisum mora ianitorem
fiet, abito.

25 lenit albescens animos capillus
litium et rixae cupidos protervae:
non ego hoc ferrem calidus iuventa
consule Planco.

XV.

Uxor pauperis Ibyci,
tandem nequitiae fige modum tuae

13—16. 13. *vere*] zu *festus*. — 14. *exiget*] „verjagen". — *tumultum*] „Aufruhr", Krieg in Italien. Daher auch nachher die Erwähnung des Spartacus.

17—28. 18. *memorem*] mit sinnlicher Belebung des Kruges; prosaisch: aus der Zeit des. — 20. *fallere*] λανθάνειν. — 21. *et*] = *etiam*. — 22. *cohibere*] als Inf. des Zweckes von *properet* abhängig. — 23. *invisum*] So heifst jeder *ianitor*, wie c. 16 die *excubiae* stets *tristes* sind. — 24. *abito*] nämlich der Bote. — 25. *albescens*] „der Silberglanz". — 27. *non ego*] „freilich würde ich nicht". — *ferrem*] für *tulissem*, aber lebhafter und bestimmter als dieses. — *calidus iuventa*] „in der Glut der Jugend". — 28. *consule Planco*] ebensowohl zu *ferrem* wie zu *calidus*. Plancus war Konsul im Jahre der Schlacht bei Philippi.

Das Gedicht schliefst in einer Episode, wie dies so häufig geschieht. Es hat manche Ähnlichkeit mit III, 8, aber auch mit IV, 2.

Carm. III, 15. An Chloris. Alles hat seine Zeit, und nur dann erscheint es entschuldbar! Das merke dir, Chloris, die du zu alt bist für die Tändeleien der Liebe.

famosisque laboribus;
maturo propior desine funeri
5 inter ludere virgines
et stellis nebulam spargere candidis.
non, siquid Pholoen satis,
et te, Chlori, decet: filia rectius
expugnat iuvenum domos,
10 pulso thyias uti concita tympano.
illam cogit amor Nothi
lascivae similem ludere capreae:
te lanae prope nobilem
tonsae Luceriam, non citharae decent
15 nec flos purpureus rosae
nec poti vetulam faece tenus cadi.

XVI.

Inclusam Danaen turris aenea
robustaeque fores et vigilum canum
tristes excubiae munierant satis
nocturnis ab adulteris,
5 si non Acrisium virginis abditae
custodem pavidum Iuppiter et Venus

1—8. 3. *laboribus*] unser „Koketterie". — 5. *inter*] Tmesis. — 6. *et*] „und so". — *stellis*] steht für Mädchen. Tertium comparationis ist die Schönheit. — 7. *satis decet*] „gut steht".

9—16. 10. *Pulso Thyias ... tympano*] Antikes Bild für „in der Leidenschaft". — 11. *illam*] betontes „sie". — 12. *caprea*] ist ein besonders für junge Mädchen passender Vergleich. — 16. *vetulam*] ist betont: „da du alt geworden bist", steht dem *capreae* v. 12 gegenüber und enthält die Schlufspointe.

Carm. III, 16. An Mäcen. Die Macht des Goldes ist unwiderstehlich (1—16). Doch macht es nicht zufrieden; darum will ich es nicht besitzen (17 bis 28). Mir fehlt viel — doch preise ich dennoch mein bescheidenes Glück (29—44). 16. 12. 16.

1—16. 1. *aenea, robustae, vigilum*] Die Adjektiva sind betont. „Des Turmes Erz" u. s. w. — 2. *canum*] „Meute". — 3. *tristes*] Epithet. perpetuum, etwa „ärgerlich". — *munierant*] statt *munivissent*. Der Indikativ drückt die gröfsere Bestimmtheit aus. — 4. *adulteris*] „Buhlen". — 6. *pavidum*] „geängstigt". — *et Venus*] „im

risissent: fore enim tutum iter et patens
converso in pretium deo. —

aurum per medios ire satellites
10 et perrumpere amat saxa potentius
ictu fulmineo: concidit auguris
Argivi domus ob lucrum

demersa exitio; diffidit urbium
portas vir Macedo et subruit aemulos
15 reges muneribus; munera navium
saevos inlaqueant duces. —

crescentem sequitur cura pecuniam
maiorumque fames. iure perhorrui
late conspicuum tollere verticem,
20 Maecenas, equitum decus.

quanto quisque sibi plura negaverit,
ab dis plura feret: nihil cupientium

Bunde mit". — 7. *risissent*] *ridere* ist selten unser „lachen", meist „lächeln", hier „spotten". — *fore enim*] hängt von einem aus *risissent* zu entnehmenden Verb des Sagens ab. — 8. *pretium*] für *aurum*. „Geld" statt „Gold". — 9. *aurum*] Der Dichter bekräftigt die Worte Juppiters. „Ja, das Gold". — *satellites*] Übersetze den Plural durch „Scharen". — 10. *potentius ictu fulmineo*] „blitzstrahlgewaltig". — 11. *concidit, diffidit, subruit*] stehen voran, um den engen logischen Bezug zu dem Vorhergehenden, welches zu ihm gewissermaſsen der Vordersatz ist, zu bezeichnen: „darum muſste". Beachte die Komposition der Verba! Hier sind Amphiaraus von Argos und Philipp von Macedonien gemeint. — 12. *lucrum*] „Gewinnsucht". — 14. *subruit*] eigentlich „unterwühlte". — *aemulos reges*] prosaisch: Thronprätendenten. — 16. *saevos*] „rohe". — *inlaqueant*] „verstricken". Die Bemerkung geht wohl auf Menas, den Flottenführer Oktavians, einen verächtlichen Parteigänger; aber sie ist anderseits so allgemein gehalten, daſs sie auch z. B. auf den Spartanerkönig Pausanias gehen könnte.

17—28. 18. *maiorum*] Neutr. Verbindung: „Und doch". — *fames*] denke an Virgils *auri sacra fames.* — 19. *conspicuum*] übersetze adverbiell, weil es proleptisch gebraucht ist. — 20. *equitum decus*] hier mit Beziehung von Mäcenas gesagt; vgl. Sat. I, 6, 97: „demens iudicio volgi, sanus fortasse tuo, quod nollem onus haud umquam solitus portare molestum". — 22. *ab dis*] „von der Gottheit". Ein paradox klingender Satz aus der Lehre der Stoiker. — *feret*] „davontragen". — *nil cupientium*] „wunschlos". — 23. *nudus*] nämlich: ohne Schätze, ähnlich wie γυμνός, „und müſste ich

nudus castra peto et transfuga divitum
partes linquere gestio,
25 contemptae dominus splendidior rei
quam si quidquid arat impiger Apulus
occultare meis dicerer horreis,
magnas inter opes inops.

purae rivus aquae silvaque iugerum
30 paucorum et segetis certa fides meae
fulgentem imperio fertilis Africae
fallit sorte beatior.

quamquam nec Calabrae mella ferunt apes
nec Laestrygonia Bacchus in amphora
35 languescit mihi nec pinguia Gallicis
crescunt vellera pascuis,

importuna tamen pauperies abest,
nec, si plura velim, tu dare deneges.
contracto melius parva cupidine
40 vectigalia porrigam

quam si Mygdoniis regnum Alyattei
campis continuem. multa petentibus

---

mein Kleid fliehend zurücklassen". — 25. Konstr.: (ὡς) *splendidior* (ὤν) *dominus* (im Besitz) *contemptae (a volgo) rei.* — 26. *arat*] vgl. Sall. Cat., Kap. 2: „quae homines arant, navigant, aedificant". — 27. *dicerer occultare*] „von mir rühmte, dafs ich bärge". Dem Durchschnittsmenschen liegt am meisten an dem, was andere von ihm denken *(sapiunt ex alieno ore).* — 28. *magnas inter opes inops*] Dieses schöne Oxymoron steht noch in dem Bedingungssatze mit *si* (und dabei wäre) „zwischen Goldbarren ein Bettler".

29—44. 30. *certa fides*] nicht konditional; seine Saaten können ihn nicht täuschen, wenigstens nicht so oft und so schwer, wie die Saaten den, der gewaltige Strecken besitzt. *certa fides segetis* ist fast: meine nicht trügenden Saaten. — 31. *fertilis Africae*] wo grofse Latifundien sich befanden. — 32. „fallit" (λανθάνει); dazu sind *rivus, silva, fides* Subjekt. — *beatior* („glücklicher machend" oder „beglückender", *sorte* Ablativ der Beziehung = „dem Lose nach"). — 33. *Calabrae*] ist zu betonen. — 34. *Laestrygonia*] Enallage adiectivi. Die Lästrygonen dachte man sich in der Gegend von Formiae. — 35. *languescit*] voller und bedeutsamer als *est.* — 37. *abest*] „wohnt fern von mir". — 39. *contracto*] „doch wenn ...". — 41. *Mygdoniis*] *campis* = Phrygien. *regnum Alyattei* = Lydien. Individualisierung für „unersättlich in Eroberungen sein". — 42. *continuem*]

desunt multa: bene est, cui deus obtulit
parca, quod satis est, manu.

XVII.

Aeli vetusto nobilis ab Lamo, —
quando et priores hinc Lamias ferunt
denominatos et nepotum
per memores genus omne fastos
5 auctore ab illo ducit originem,
qui Formiarum moenia dicitur
princeps et innantem Maricae
litoribus tenuisse Lirim

late tyrannus — cras foliis nemus
10 multis et alga litus inutili
demissa tempestas ab Euro
sternet, aquae nisi fallit augur

annosa cornix. dum potes, aridum
compone lignum: cras genium mero

---

ist zugleich Konj. des Wunsches. — 13. *bene est*] adversativ zum Vorhergehenden. — *obtulit*] Aor. gnom.

V. 18 u. 19 zeigen, dafs die stoischen Gemeinplätze, welche das Gedicht behandelt, mit Rücksicht auf ein Ereignis aus dem Leben des Dichters niedergeschrieben sind.

Carm. III, 17. An Lamia. Hochadeliger Lamia! (1—8.) Morgen giebt es Regenwetter (9—16). 8. 8.

1—8. 1. *nobilis*] „edler Sprofs vom". — Die Römer der damaligen Zeit liebten es, ihren Stammbaum auf Könige der mythischen Zeit zurückzuführen. Auch Cicero und Mäcen machten diese Modethorheit mit, zu der vielleicht die Zurückführung der *gens Iulia* auf *Iulus*, des Äneas Sohn, den Anstofs gegeben hat. Horaz ironisiert diese Sitte, besonders in der Anrede. — 2. *quando ... originem*] begründet die Anrede. — *quando*] = „sintemal", „mafsen". — *et ... et*] wie ... so. — *priores*] = *prisci*. — *hinc*] = *ab illo*, nur mit Absicht unbestimmter. — 4. *memores*] „nichts vergessend". — 5. *auctore*] „Ahn". — 7. *innantem*] „versumpfend".

9—16. 9. *late* (weithin ein) *tyrannus*] εὐρυκρείων. Apposition zu *qui ... princeps*. — *nemus*] „Trift". — 10. *inutili*] sprichwörtlich. Sat. II, 5, 8: „et genus et virtus, nisi cum re, vilior alga". — 11. *Euro*] Er ist hier als herrschender Gott gedacht. — 12. *aquae augur*] „Regenprophetin". — 13. *dum*] „so lange noch!" — 14. *Genium*] Umschreibung für *te ipsum*.

15 curabis et porco bimenstri
cum famulis operum solutis.

XVIII.

Faune, Nympharum fugientum amator,
per meos fines et aprica rura
lenis incedas abeasque parvis
aequus alumnis,

5 si tener pleno cadit haedus anno,
larga nec desunt Veneris sodali
vina craterae, vetus ara multo
fumat odore.

ludit herboso pecus omne campo,
10 cum tibi nonae redeunt decembres;

Genius ist ein das sichtbare Ich des Menschen wiederholendes εἴδωλον und zweites Ich. — 15. *curabis*] Das Futurum hat nicht die Bedeutung des Befehls, sondern: „sollst du". oder „kannst du". — *curabis*] „gütlich thun". — 16. *cum*] „mitsamt". — *operum*] von *solutis* abhängig, welches wie *immunis, plenus* konstruiert ist.

Der Dichter verspottet die homerisch-pindarische Weise der förmlichen Titulaturen und fernliegenden Episoden in drastischer Weise, indem er an einen pathetischen Anfang nur ein unbedeutendes Ende knüpft.

Carm. III, 18. An Faunus. Faunus! Wir flehen dich mit Gaben an um Gnade für unser Jungvieh (1—8), damit dein Fest am Ende des Jahres ein Freudenfest werde (9—16). 8. 8.

1—8. 1. *fugientum*] dichterische Form für *fugientium*. — *amator*] „wenn du die flüchtigen Nymphen haschest". Faunus wird hier dem griechischen Gott Pan gleichgesetzt. — 2. *aprica*] gehört auch zu *fines*. — 3. *parvis aequus alumnis*] gehört nicht bloſs zu *abeas*; denn *incedas abeasque* bilden gewissermaſsen einen Begriff. — 5. *si*] führt keine eigentliche Bedingung ein, sondern entspricht in einem Gebete fast unserem „da ja"; es enthält das, was der Mensch leistet, um dafür Erfüllung seiner Wünsche zu erwarten. — 4. *pleno anno*] „wann vollendet (ist) das Jahr", d. h. alljährlich. — 7. *craterae*] Genetiv zu einem Nominativ *cratera*. — *Veneris sodali*] Dir „dem Genossen der Venus". Pan und Aphrodite wurden zusammen abgebildet. — *vetus ara*] asyndetisch als 3. Glied angefügt. — *fumat multo odore*] „dampft in den Wolken des Duftes".

9—16. 9. *ludit*] Das Verb steht voran: das bedeutet eine engere logische Beziehung zum Vorhergehenden. Eigentlich sollten *ludit, vacat, errat, spargit, gaudet* noch von *si* abhängig sein. So aber treten sie selbständig aus der

festus in pratis vacat otioso
cum bove pagus;

inter audaces lupus errat agnos;
spargit agrestes tibi silva frondes;
15 gaudet invisam pepulisse fossor
ter pede terram.

XIX.

Quantum distet ab Inacho
Codrus pro patria non timidus mori,
narras et genus Aeaci
et pugnata sacro bella sub Ilio:

5 quo Chium pretio cadum
mercemur, quis aquam temperet ignibus,
quo praebente domum et quota
Paelignis caream frigoribus, taces. —

Bedingung heraus: „Dann". — *omne*] „Herde". — 11. *otioso*] Sonst wird er meistens als *fatigatus* vorgeführt. — 13. *audaces*] „kühn geworden". — *errat*] „lustwandelt". Es herrscht „Gottesfriede". — 14. *tibi*] „zu deiner Ehre". — 15. *invisam*] „verhafst" ist zu stark, etwa „böse"; sie hat ihm so viel Mühe gemacht. — *pepulisse*] Der Lateiner denkt nur an den Anfang der Thätigkeit, wir an den dauernden Zustand. — *ter pede*] „im dröhnenden *(pepulisse)* Dreischritt".

Das Faunusfest fand am 13. Februar statt — ein zweites, nach diesem Gedicht zu schliefsen, am 5. Dezember. — Ein „Stilleben".

Carm. III, 19. Lafst uns trinken, der Musen und Grazien gedenkend! Ich mufs die Qualen der Liebe übertönen. 8. 12. 8.

1—12. Konstr.: *narras*] 1) *quantum distet;* 2) *genus Aeaci;* 3) *pugnata bella.* — 1. *quantum distet ab I.*] „welcher Zeitraum liegt". — Solche mythologische Fragen beschäftigten damals mit Vorliebe die Vornehmen Roms, so in späterer Zeit Tiberius. — 3. *genus*] „Stammbaum": Telamon, Peleus, Aiax, Achilleus. — 4. *sacro sub Ilio*] „unter den Mauern von I.". — 5. *quo Chium* etc.] von *taces* abhängig, steht adversativ zu *narras.* — 6. *aquam temperet ignibus*] wohl zur Mischung mit dem Weine. — 7. *quo praebente*] Die zwei Fragen: *quo temperat et quis praebet* sind in eine zusammengezogen, wie in dem Homerischen Vers: τίς πόθεν εἷς ἀνδρῶν. — *quota*] Ergänze *hora.* — 8. *Paelignis*] So hiefs damals unsere „sibirische" Kälte. Die Päligner wohnten im Hochland von Sulmo und Cor-

da lunae propere novae,
10 da noctis mediae, da, puer, auguris
Murenae: tribus aut novem
miscentor cyathis pocula commodis.

qui musas amat impares,
ternos ter cyathos attonitus petet
15 vates; tres prohibet supra
rixarum metuens tangere Gratia

nudis iuncta sororibus.
insanire iuvat: cur Berecyntiae
cessant flamina tibiae?
20 cur pendet tacita fistula cum lyra?

parcentes ego dexteras
odi: sparge rosas; audiat invidus
dementem strepitum Lycus
et vicina seni non habilis Lyco.

25 spissa te nitidum coma,
puro te similem, Telephe, vespero
tempestiva petit Rhode:
me lentus Glycerae torret amor meae.

---

finium. — 9. *lunae novae, noctis med. auguris Mur.*] sind kausale Genetive; „auf" — 10. *da*] nämlich *bibere*. — *puer*] So heifst der Schenk unter den Sklaven. — 12. *cyathis*] Zwölf gingen auf einen *sextarius*. — *commodis*] Wir übersetzen das Adjektiv durch das Adverb.

13—17. 13. *impares*] denn es sind neun. — 14. *attonitus* „ein verzückter". — 15. *tres. proh. sup.*] *supra* steht in der Anastrophe, gehört zu *tres*. — 16. *rixarum .metuens*] Suche der engen Verbindung der beiden Worte, die durch den Genetiv ausgedrückt ist, durch ein Kompositum gerecht zu werden; „streitscheue". — 17. *nudis*] „leichtgeschürzt".

18—28. 18. *insanire*] = *μαίνεσθαι*; er ist *attonitus vates*. — 20. *fistula*] natürlich auch *tacita*. — 21. *parcentes*] „kargend". — 24. *vicina*] ist wohl die Glycera des letzten Verses. — *Lyco*] Die Wiederholung des Namens zeigt Ärger. — 26. *puro*] „entwölkt". — 28. *me*] adversativ zum Vorhergehenden. — *lentus amor*] kurz für *lentus ignis amoris*. *lentus* „zäh". Dahn im „Kampf um Rom": „mit zähem Hafs". — Ob wir an ein Pickenick zu denken haben oder an ein Gastmahl im Hause des zum *augur*

XX.

Non vides quanto moveas periclo,
Pyrrhe, Gaetulae catulos leaenae?
dura post paulo fugies inaudax
proelia raptor,

5 cum per obstantes iuvenum catervas
ibit insignem repetens Nearchum,
grande certamen, tibi praeda cedat,
maior an illa. —

interim, dum tu celeres sagittas
10 promis, haec dentes acuit timendos,
arbiter pugnae posuisse nudo
sub pede palmam

fertur, et leni recreare vento
sparsum odoratis numerum capillis,
15 qualis aut Nireus fuit aut aquosa
raptus ab Ida.

---

gewählten Murena, hängt von der Auffassung des Konjunktivs in *mercemur, temperet* und *caream* ab.

Carm. III, 20. Ihr streitet euch um den Besitz des schönen Nearch (1—8) und er — pflegt gleichgültig seine Schönheit (9—16). 8. 8.

1—8. 1. *moveas*] „berührst". — 2. *catulos Gaetulae leaenae*] Es wird die Liebhaberin Nearchs mit einer Löwin verglichen, die von ihrem Jungen (Nearch) nicht lassen will. Dieser Vergleich wird weiter geführt. — 3. *post paulo*] Wir erwarten die umgekehrte Stellung. — *inaudax raptor*] eine Art von Oxymoron; konstr: *tu qui rapuisti paulo post fugies inaudax.* — 6. *ibit*] nämlich *leaena.* — *repetens*] mit der Bedeutung des Part. Fut. — 7. *grande certamen*] Nachsatz ergänze: *erit ... an illa (leaena) maior (futura sit).*

9—16. 9. *celeres*] bloſses Epitheton ornans. — 10. *haec*] steht noch in dem mit *dum* beginnenden Satze! — 11. *posuisse*] Inf. Perf. wie *pepulisse* III, 18. — *nudo sub pede palm. pon.*] sagt man sprichwörtlich von dem, der im stolzen Bewuſstsein des Sieges den Sieg selbst für nichts achtet (Düntzer). — 14. *sparsum*] „umflossen". — 15. *Nireus*] Ilias II. 673: *Νιρεύς, ὃς κάλλιστος ἀνὴρ ὑπὸ Ἴλιον ἦλθε Τῶν ἄλλων Δαναῶν μετ' ἀμύμονα Πηλείωνα.* — *aquosa*] *πολυπίδαξ*, doch mit *ταπείνωσις*.

Der Dichter tritt mit seinem subjektiven Urteil nicht hervor. Die Satire ergiebt sich von selbst aus den Thatsachen.

XXI.

O nata mecum consule Manlio,
seu tu querellas sive geris iocos
seu rixam et insanos amores
seu facilem, pia testa, somnum,

5 quocumque lectum nomine Massicum
servas, moveri digna bono die,
descende, Corvino iubente
promere languidiora vina.

non ille, quamquam Socraticis madet
10 sermonibus, te neglegit horridus.
narratur et prisci Catonis
saepe mero caluisse virtus.

tu lene tormentum ingenio admoves
plerumque duro; tu sapientium
15 curas et arcanum iocoso
consilium retegis Lyaeo;

Carm. III, 21. Wer verachtet edlen Wein? (1—12.) Ohne ihn kein Leben! (13—24.) 12. 12.

1—12. 1. *O*] angeredet wird die *pia testa*. Aus dem *fumarium*, welches über der Küche lag, wurde der Wein in die *apotheca* gebracht, die über der Erde lag. — 2. *geris*] „in dir tragen". Die Wirkungen des Weines sind in ihr gewissermaſsen enthalten. — 4. *pia*] „heilige". Der Wein ist ein Göttergeschenk. — 5. *quocumque servas*] Auf diese Weise sind zwei Sätze in einem zusammengezogen: zu welchem Zwecke auch immer der Massiker gelesen wurde, den du bewahrst. — 6. *digna*] konzessiv zu *lectum*. — *moveri*] = *quae moveatur* „vom Platze gerückt zu werden". — 9. *non ille*] die Negation ist zum Verb zu ziehen. — *ille*] „er". — *madet*] Dieser Ausdruck ist gewählt, damit er zugleich zu *vino* und *sermonibus* passe: „trieft". — 10. *horridus*] „ein ... (Eisbär)". — 11. *narratur*] begründend. In Prosa: *Quid? quod.* — *prisci*] übertreibend, bezeichnet das „Altfränkische". — 12. Die Umschreibung mit *virtus* ist hier ebenso passend, wie die mit „Macht" im „Grafen von Habsburg": „König Rudolfs heil'ge Macht".

13—24. 13. *lene tormentum*] ein Oxymoron. — 14. *duro*] „unergiebig". — 15. *iocoso Lyaeo*] Dativ: Der Wein teilt es dem Weingott mit, was er erfahren. — *iocoso*] bildet den Gegensatz zu *curas* und *arcanum*. —

tu spem reducis mentibus anxiis
viresque et addis cornua pauperi
post te neque iratos trementi
20 regum apices neque militum arma.

te Liber et, si laeta aderit, Venus
segnesque nodum solvere Gratiae
vivaeque producent lucernae,
dum rediens fugat astra Phoebus.

XXII.

Montium custos nemorumque virgo,
quae laborantes utero puellas
ter vocata audis adimisque leto,
diva triformis,

5 imminens villae tua pinus esto,
quam per exactos ego laetus annos
verris obliquum meditantis ictum
sanguine donem.

---

18. *viresque*] *que* verbindet hier die Sätze, *et* die beiden Begriffe *vires* und *cornua* (Nauck). — 19. *post te*] kurz: nach deinem Genufs, vgl. I, 18. — *iratos regum apices*] Enallage adi. Das Diadem nimmt gewissermafsen an dem Zorn des Königs teil. — 20. *militum*] „Schergen". — 21. *te*] Der Begriff der *testa* hat sich immer mehr verallgemeinert: Schale, Wein, Gelage. — 22. *segnesque nodum solvere*] = *ad nodum solvendum*. — *segnes*] ist eine poetische Negation „engverschlungen".

Die Ode ist im Mittelalter eine der berühmtesten gewesen und häufig nachgeahmt worden. In Bezug auf die poetische Form der Gedanken lohnt sich eine Vergleichung mit Bodenstedts: „Aus dem Feuerquell des Weines": Trinken wir, sind wir begeistert, Sprühen hohe Witzesfunken, Reden wie mit Engelzungen.

Carm. III, 22. Ich weihe dir, Diana, die Fichte.

1—4. 1. *custos virgo*] „jungfräuliche Hüterin". — 2. *laborantes utero puellas*] „die ächzenden Frauen".

5—8. 5. *tua*] zu *esto*: „sei Dir geweiht". — 7. *verris obliquum ... ictum*] mit homerischer Genauigkeit in der Beschreibung.

Carm. III, 23. An Phidyle. Auch ein kleines Opfer stimmt die Götter gnädig (1—8). Grofse und kostbare

XXIII.

Caelo supinas si tuleris manus
nascente luna, rustica Phidyle,
si ture placaris et horna
fruge lares avidaque porca:

5 nec pestilentem sentiet Africum
fecunda vitis nec sterilem seges
robiginem aut dulces alumni
pomifero grave tempus anno. —

nam quae nivali pascitur Algido
10 devota quercus inter et ilices
aut crescit Albanis in herbis
victima pontificum securim

cervice tinguet: te nihil attinet
temptare multa caede bidentium
15 parvos coronantem marino
rore deos fragilique myrto. —

---

ziemen Priestern und Reichen (9—16). Vor den Göttern gilt jede Gabe gleich (17—20). 8. 8. 4.

1—8. 1. *caelo*] Dativ des Ziels. — *supinas*] Denke an die Statue des betenden Knaben! — *manus*] bei Körperteilen wählt man im D. den Singular. — *rustica Phidyle*] Bäurin Phidyle! — 4. *avidaque*] *avidus* wie *nivalis* v. 9 sind nach homerischer Weise als blofse Epitheta ornantia beigefügt. — *porca*] „Frischling“, ein Gegensatz zu der *victima* der *pontifices*. — 5. *pestilentem*] „den Pesthauch des Scirocco“. — 6. *fecunda*] „tragend“. — 8. *grave*] *οὐλόμενον*. — *pomif. anno*] zu übersetzen nach Analogie von *summa arbor*. Gemeint ist der Spätherbst, die ungesundeste Jahreszeit.

9—16. 9. *Algido*] Der Algidus ist ein Berg bei Tusculum. Das Subjekt des Hauptsatzes *victima* ist in den vorangestellten Relativsatz gezogen. — 10. *quercus inter et ilices*] „im Dickicht der Eichenhaine“. — 13. *cervice*] „Nackenblut“. — *nihil attinet*] „du hast nicht nötig“. — 14. *bidentium*] „zweizähnig“ oder „zweischaufling“ geht auf das mittelste Zähnepaar der Schneidezähne. Der Zahnwechsel beginnt beim Schaf mit dem ersten, mittelsten Paar der Schneidezähne; dies geschieht im Alter von 1—1½ Jahren. „Jährling“. — 15. *coronantem*] begründend zu dem negativen Satze, woraus sich dann die Übersetzung „wenn nur“ ergiebt. — *parvos deos*] gehört zu *temptare* und ist zu *coronantem* zu ergänzen. — 16. *fragili*] macht auf die Kleinheit des Geschenkes aufmerksam.

immunis aram si tetigit manus,
non sumptuosa blandior hostia,
mollivit aversos Penates
20 farre pio et saliente mica.

XXIV.

Intactis opulentior
thesauris Arabum et divitis Indiae
caementis licet occupes
Tyrrhenum omne tuis et mare Apulicum:

5 si figit adamantinos
summis verticibus dira Necessitas
clavos, non animum metu,
non mortis laqueis expedies caput.

17—20. Begründend und abschliefsend. — 17. *immunis*] „selbst ohne Geschenke". — *tetigit* und *mollivit* sind gnomische Perfekte. — 18. *non sumptuosa . . . mica*] *sumptuosa hostia* mufs Ablat. sein, wenn der Dichter hier nicht von seinen gewöhnlichen metrischen Grundsätzen abgewichen ist. — *sumptuosa hostia*] ist abl. instr. zu *non blandior* („nicht lockender durch" = nicht wirkungsvoller durch). — 19. *aversos Penates*] „sich abwendende" ohne „die". — 20. *farre pio*] Ablat. instr. — *far pium*] = *mola salsa*, geschrotenes Korn von Spelt oder Dinkel, mit dem der Altar bestreut wurde. (Nach Duncker ist am Schlufs ein Fragezeichen zu setzen.)

Carm. III, 24. Reichtum hindert den Tod nicht, macht auch nicht glücklich. Dafs Sittenzucht Glück erzeugt, zeigt der Scythen Leben. — Darum mufs ein echter Staatsmann die freche Begier zu zügeln suchen (1—32). Machet den Anfang mit der Besserung! Werdet, wie die Alten waren! Sonst bleibt ihr Sklaven der Habsucht (33—64). 32. 32.

A. 1—32. 1. *opulentior*] Ergänze *ὤν* in kausalem Verhältnis zu *licet occupes;* „mehr besitzend". — *intactis* etc.] Abl. compar. — 2. *divitis Indiae*] Der Reichtum Indiens ist sprichwörtlich. — *thesauri*] „Schatzhäuser". — 4. *Tyrrhenum* und *Apulicum mare* stehen für *maria* überhaupt. — 5. *si figit*] = *quoniam figit.* — 6. *summis verticibus*] Dativ, *vertex* ist der Giebel, der „First" des Hauses. Auf dem berühmten Meleagrosspiegel schlägt Atropos über dem Kopfe des dem Tode Verfallenen Nägel ein. Das Nageleinschlagen ist bei den Römern eine symbolische Handlung für endgültiges Ordnen der Dinge. — *dira*] weil sie als Todesgöttin kommt. — 8. *laqueis*] Der Tod ist als Jäger gedacht. — Es folgt ein Idyll. — 9. *me-*

campestres melius Scythae,
10 quorum plaustra vagas rite trahunt domos,
vivunt et rigidi Getae,
immetata quibus iugera liberas

fruges et Cererem ferunt
nec cultura placet longior annua
15 defunctumque laboribus
aequali recreat sorte vicarius.

illic matre carentibus
privignis mulier temperat innocens
nec dotata regit virum
20 coniunx nec nitido fidit adultero;

dos est magna parentium
virtus et metuens alterius viri
certo foedere castitas,
et peccare nefas, aut pretium est mori.

25 o quisquis volet impias
caedes et rabiem tollere civicam,
si quaeret „Pater urbium"
subscribi statuis, indomitam audeat

---

lius] ist sehr allgemein in seiner Bedeutung: „glücklicher". — 10. *domos*] zu *quorum:* „Wohnungen". — *rite*] „ihrer Sitte entsprechend". — 12. *liberas fruges*] die sie nicht als Pächter oder Sklaven abzuliefern haben. — *liberas*] gehört auch zu *Cererem.* — 15. *nec cultura ... vicarius*] steht in dem mit *quibus* beginnenden Satze. — 15. *defunctumque*] *que* „wo". — 16. *aequali sorte*] Abl. qual. zu *vicarius.* — *recreat*] „zu seiner Freude erwartet". Eigentlich sollte es heifsen: *recreat, quod vicarius adest.* — 17. *matre carentibus*] „mutterlos". — 18. *innocens*] Adj. pro Adverb. als Particip gedacht. — 19. *dotata*] enthält den Grund des *regit. regit* und *coniunx* bilden eine Art Oxymoron. — 21. *magna*] gehört zu *virtus.* — 22. *virtus*] Sie hat also nur Gutes gesehen und thut es den Eltern nach. — *metuens*] bezeichnet die „Scheu". — *alterius*] Jeder Mann ist ihr „der andere, ein Fremder". — 23. *certo foedere*] Abl. absol. in kausaler Bedeutung. — *foedere*] „Bund", ist das Substantivum zu dem vorher erwähnten *fidit.* — 24. *peccare*] „Schwäche", so heifst es beschönigend bei den Römern. — 25. O darum: — 26. *caedes*] „Gemetzel". — 27. *si quaeret*] Der Satz mit *si* ist dem Sinne nach = *quisquis.* — 28. *subscribi statuis*] „prangen unter". *urbium* gehört zu *Pater.* Der amtliche Titel hiefs aller-

refrenare licentiam,
30 clarus postgenitis, quatenus, — heu nefas, —
virtutem incolumem odimus,
sublatam ex oculis quaerimus invidi. —

quid tristes querimoniae,
si non supplicio culpa reciditur,
35 quid leges sine moribus
vanae proficiunt, si neque fervidis

pars inclusa caloribus
mundi nec boreae finitimum latus
durataeque solo nives
40 mercatorem abigunt, horrida callidi

vincunt aequora navitae.
magnum pauperies opprobrium iubet
quidvis et facere et pati,
virtutisque viam deserit arduae.

45 vel nos in Capitolium,
quo clamor vocat et turba faventium,
vel nos in mare Ponticum
gemmas et lapides, aurum et inutile,

---

dings *patriae pater* oder *parens*, aber auch *pater urbis* findet sich. — *indomitam*] Die Übersetzung mit „bar" ist hier unmöglich. — 30. *clarus*] „ein Stern". — 31. *incolumem*] „so lange sie ...". — 32. *sublatam*] „entrückt". — *invidi*] „wir Neider" gehört mehr zu *odimus* als dem Hauptbegriff, als zu *quaerimus*. *odimus* „stofsen zurück". Vgl.: „Wenn unsre Deutschen einen Mann erst loben, Dann weilt er sicher schon im Himmel droben." (Greif.)

B. 33—64. 33. *querimoniae*] So heifsen die berechtigten Klagen. — 34. *reciditur*] Es schwebt das Bild vom Baume vor. — 35. *sine moribus vanae*] kausal zu *proficiunt* „fördern". Tac. Germ., Kap. 19: „plus ibi boni mores valent quam alibi bonae leges". „Ein zarter Sinn hat vor dem Laster sich gesträubt, Eh' noch ein Solon das Gesetz geschrieben, Das matte Blüten langsam treibt." — 39. *durataeque*] *que* „mit". — *solo*] = *in solo*. — 40. *horrida*] Der Satz mit *si* geht bis *arduae*. *horrida* „aufschauernd". — 42. *magnum opprobrium*] begründende Appos. zu *pauperies*. — 44. *arduae*] Eine schöne Enallage des Adjektivs: die Tugend thront auf hohem Schlosse. Übers. es seiner Stellung wegen als begründendes Epitheton. — 46. *clamor et turba faventium*] „Beifallsjubel des Haufens". — 48. *lapides*] „Perlen". — 51. *eradenda*]

summi materiem mali,
50 mittamus, scelerum si bene paenitet.
eradenda cupidinis
pravi sunt elementa, et tenerae nimis
mentes asperioribus
formandae studiis. nescit equo rudis
55 haerere ingenuus puer
venarique timet, ludere doctior,
seu Graeco iubeas trocho
seu malis vetita legibus alea,
cum periura patris fides
60 consortem socium fallat et hospites
indignoque pecuniam
heredi properet. scilicet improbae
crescunt divitiae: tamen
curtae nescio quid semper abest rei.

XXV.

Quo me, Bacche, rapis tui
plenum? quae nemora aut quos agor in specus

Das Verb. steht voran, weil dazu *scelerum si bene paenitet* als Vordersatz zu ergänzen ist. Vgl. Sall. Cat., Kap. 10: „igitur primo imperi, deinde pecuniae cupido crevit, ea quasi materies omnium scelerum fuere". — 52. *tenerae*] „verzärtelt". — 54. *nescit*] Wie ist die Voranstellung des Verbums wiederzugeben? — *rudis*] steht absolut. — 58. *malis*] entspricht dem *iubeas*. — 59. *cum*] „zur selbigen Zeit, wo". — 61. *pecuniam properet*] eine wirksame Prägnanz: *corradere properare*. — *indigno*] absolut, nicht „seinem Vater". — 62. *scilicet ... divitiae*] aber wir „unrecht Gut gedeihet nicht". — 64. *curtae rei*] Dativ *curtae* aus dem Sinne des Habgierigen. Vgl. Sall. Cat., Kap. 11: „(avaritia) quasi venenis malis imbuta corpus animumque virilem effeminat, semper infinita, insatiabilis est, neque copia neque inopia minuitur".

Die ihm so am Herzen liegende Besserung der Sitten hat der Dichter hier in jugendlich überschwenglicher Weise gefordert, aber auch in hervorragender Weise seine Kunst gezeigt, mit wenigen Strichen Hogarthsche Gemälde zu entwerfen. Man stelle das Gedicht mit 3, 1—6 und mit 4, 5 zusammen!

Carm. III, 25. An Bacchus. Ich will ein begeistertes, neues Lied singen zu Ehren des Cäsar (1—8). Ich bin verzückt wie eine Bacchantin (9—14½). Gieb Gelingen, Bacchus! (14½—20.)

1—8. 2. *quae nemora*] Ergänze aus dem folgenden Gliede auch hier *in*.

velox mente nova? quibus
antris egregii Caesaris audiar
5 aeternum meditans decus
stellis inserere et consilio Iovis?
dicam insigne, recens, adhuc
indictum ore alio. non secus in iugis
ex somnis stupet Euhias,
10 Hebrum prospiciens et nive candidam
Thracen ac pede barbaro
lustratam Rhodopen, ut mihi devio
ripas et vacuum nemus
mirari libet. o Naiadum potens
15 baccharumque valentium
proceras manibus vertere fraxinos,
nil parvum aut humili modo,
nil mortale loquar. dulce periculum est,
o Lenaee, sequi deum
20 cingentem viridi tempora pampino.

Das Ganze ist eine phantastisch-plastische Einkleidung des Gedankens: ich fühle neue Kräfte in mir. — 3. *mente nova*] „im Fluge ungewohnter Begeisterung". — *quibus antris*] Dativ statt des Ablativs zu *audiar*. Es sind zwei Gedanken in bekannter Weise in einen zusammengezogen: in welchen Grotten werde ich weilen — jetzt, wo ich beabsichtige. Dieser letzte (logisch der Hauptgedanke) ist zugleich auch den früheren Gliedern gemeinsam. — 4. *Caesaris decus*] „Strahlenglanz". Umschreibung des einfachen Begriffes „Cäsar", wie *Catonis virtus, Herculeus labor*, vielleicht mit Bezug auf die *stella crinita*. Ovid. Met. XV, 840 ff. — 7. *dicam*] begründend und steigernd. — 8. *indictum ore*] *alio* scheint auf die Form des Liedes zu gehen. Vgl. III, 1, 2.

8½—14½. Der Vergleich ist in poetischer Hinsicht das Herz des Liedes. — 9. *exsomnis*] ist ihrer Natur entsprechend. — 11. *pede barbaro*] Damit sind die wilden Bergstämme der Thracier gemeint. — 12. *ut mihi*] ist auf *non secus* zu beziehen, also = *quam*. Wir sind gewohnt, bei Vergleichungen das Verhältnis umzukehren. — *devio*] Alles bildlich zu verstehen. — 13. *vacuum*] „still geworden".

14½—20. Gebet. 14. *Naiadum*] In Gebeten werden die Götter oft auch mit den Epithetis angeredet, welche für die augenblickliche Lage nicht von Belang sind. — 16. *vertere*] Simplex pro Comp. — 17. *modo*] ist die „Weise" in der Musik. — 18. *dulce periculum est*] ein den Modernen sehr geläufiges Oxymoron. — 20. *cingentem*] geht auf das Subjekt in *sequi deum*.

XXVI.

Vixi puellis nuper idoneus
et militavi non sine gloria:
nunc arma defunctumque bello
barbiton hic paries habebit,

5 laevum marinae qui Veneris latus
custodit. hic, hic ponite lucida
funalia et vectes et arcus
oppositis foribus minaces.

o quae beatam diva tenes Cyprum et
10 Memphin carentem Sithonia nive,
regina, sublimi flagello
tange Chloen semel adrogantem.

Der Dithyrambus eignete sich zum Eingangsliede einer ganzen Sammlung, in welcher er ein grofsartiges Thema in einer neuen Versform besingen wollte (vielleicht Augustus' Thaten in alkäischer Strophe).

Carm. III, 26. An Chloe. Chloe hat in mir den Entschlufs, der Liebe zu entsagen, gereift (1—8). Dafür treffe sie Strafe ((9—12).

1—8. 1. *vixi*] Perf. Präs.; prägnante Stellung: „So ist's denn zu Ende mit dem Leben im Spiel mit den Mädchen!" — *idoneus*] zu *puellis*. — 2. *militavi*] unter den Fahnen der Venus. — 3. *arma*] bleibt im Bilde, bezieht sich aber auch auf das im siebenten Verse erwähnte. — *defunct. bello*] „ausgedient". *def.* gehört ebenso gut zu *arma*. — 4. *habebit*] „soll hinnehmen". — 5. *laevum*] weil Glück verheifsend. — *marinae*] „schaumgeboren". — 6. *ponite*] Anrede an die in Prozession folgenden Diener. — 8. *oppositis*] „hindernd". Alles in solchen Liebesliedern mit formelhafter Übertreibung.

9—12. Gebet. 9. *diva regina*] ist mit Absicht in den Relativsatz gezogen und zu *tenes* „als K." zu übersetzen. — 10. *carentem Sith. nive*] Litotes; prosaisch: „heifs". — 11. *sublimi flag.*] übersetze wie *summo flag.* „aus der Höhe". — 12. *semel*] zu *tange*. Wen die Göttin trifft, der liebt. Man denke auch daran, dafs Chloe bis dahin ἀδμής war. Dann wird die Möglichkeit der vom Dichter gewünschten Strafe noch mehr erhellen. — *adrogantem*] steht begründend am Ende.

Entschlüsse der Art sind für den Dichter nur da, um sie bei Gelegenheit wieder aufzugeben.

Carm. III, 27. An Galatea. Glückliche Reise! Denn du verdienst das Glück. Aber Gefahren harren dein

XXVII.

Impios parrae recinentis omen
ducat et praegnas canis aut ab agro
rava decurrens lupa Lanuvino
fetaque volpes.

5 rumpat et serpens iter institutum,
si per obliquum similis sagittae
terruit mannos. ego cui timebo
providus auspex,

antequam stantes repetat paludes
10 imbrium divina avis imminentum,
oscinem corvum prece suscitabo
solis ab ortu.

sis licet felix ubicumque mavis,
et memor nostri, Galatea, vivas;
15 teque nec laevus vetat ire picus
nec vaga cornix.

sed vides quanto trepidet tumultu
pronus Orion? ego quid sit ater
Hadriae novi sinus et quid albus
20 peccet Iapyx.

hostium uxores puerique caecos
sentiant motus orientis austri et
aequoris nigri fremitum et trementes
verbere ripas. —

(1—24). Denke an das Abenteuer Europas! (25—76.)

1—24. 1. *impios*] stark betont. Ihm steht im Folgenden *ego cui timebo* gegenüber. — 5. *rumpat et*] für *et rumpat eorum*, nämlich *impiorum*. — 8. *providus auspex*] Apposition in begründendem Sinne zu dem Subj. in *suscitabo*. — 10. *imbrium*] von *divinus* abhängig, welches ähnlich wie *prudens* mit dem Genetiv verbunden wird. — 15. *laevus*] adverbiell zu übersetzen: „zur linken Hand", bedeutet hier die unglückliche Seite; *laevus* ist auch zu *cornix* zu denken. — 18. *quid sit*] „was zu bedeuten hat". — 20. *peccet*] was man von ihm nicht erwarten sollte. — 21. *hostium uxores*] ein formelhafter Wunsch. Wir schieben „nur" ein.

25 sic et Europe niveum doloso
credidit tauro latus et scatentem
beluis pontum mediasque fraudes
palluit audax.

nuper in pratis studiosa florum et
30 debitae nymphis opifex coronae
nocte sublustri nihil astra praeter
vidit et undas.

quae simul centum tetigit potentem
oppidis Creten, „pater o relictum
35 filiae nomen pietasque“ dixit
„victa furore!

unde quo veni? levis una mors est
virginum culpae. vigilansne ploro
turpe commissum, an vitiis carentem
40 ludit imago

vana, quae porta fugiens eburna
somnium ducit? meliusne fluctus
ire per longos fuit, an recentis
carpere flores?

45 siquis infamem mihi nunc iuvencum
dedat iratae, lacerare ferro et

25—76. 25. *sic*] wird durch das im zweiten Gliede folgende *audax* näher bestimmt. — 27. *mediasque fraudes*] „vor dem vollen Trug“. — Wir erwarten *medias inter fr.* Auch dies ist eine Art Enallage adi. — 28. *palluit audax*] ein Oxymoron: „erblafste trotz seiner Kühnheit“. Gegensätze hat der Dichter in dieser Ode ganz besonders häufig aneinandergerückt. — 29. *nuper*] enthält den Grund. — 31. *astra praeter et undas*] Die Präposition steht in der Anastrophe, wie in der sapphischen Strophe überhaupt die Wortstellung von der gewöhnlichen häufig abweicht. — 33. *centum potentem oppidis*] ἑκατόμπολιν. — 34. *o relictum filiae nomen*] „Ach, warum habe ich aufgegeben?“ — 36. *furor*] „Leidenschaft“. — 37. *unde quo veni?*] nach Analogie des Homerischen: τίς πόθεν εἰς ἀνδρῶν: — 38. *vigilansque ploro*] *vigil.* enthält den Hauptbegriff: that ich wachend das ..., was ich nun beweine; ebenso nachher *carentem:* oder ich bin schuldlos und es. — 43. *an recentis*] Die zweite der Doppelfragen ist in der Regel die, für welche man sich entscheiden will. — 46. *lacerare ferro*] hängt von *enitar*

frangere enitar modo multum amati
cornua monstri.

impudens liqui patrios Penates:
50 impudens Orcum moror? o deorum
siquis haec audis, utinam inter errem
nuda leones;

antequam turpis macies decentes
occupet malas teneraeque sucus
55 defluat praedae, speciosa quaero
pascere tigres.

„vilis Europe“, pater urguet absens:
„quid mori cessas? potes hac ab orno
pendulum zona bene te secuta
60 laedere collum,

sive te rupes et acuta leto
saxa delectant, age te procellae
crede veloci; nisi erile mavis
carpere pensum

65 regius sanguis, dominaeque tradi
barbarae paelex.“ aderat querenti
perfidum ridens Venus et remisso
filius arcu.

mox ubi lusit satis, „abstineto“
70 dixit „irarum calidaeque rixae,
cum tibi invisus laceranda reddet
cornua taurus.

---

ab. — 48. *monstri*] näml. *iuvenci*. — 50. *Orcum moror*] Orcus oder Hades will sie herabholen. — 53. *turpis*] „entstellend“. — 55. *speciosa*] „im Glanz meiner Schönheit“. — 58. *hac ab orno*] von der nächsten besten. — 60. *laedere*] euphemistisch. Simplex pro composito: *elidere*. — 61. *leto*] zu *acuta* „gespitzt für“. — 65. *regius sanguis*] Apposition zu dem Subjekt in *mavis*. — 66. *aderat*] Gieb die Voranstellung des Verbs wieder mit: „da stand bei ihr“. — 67. *perfidum*] Accus. des Inhalts, ebenso derb: „sich ins Fäustchen lachend“. — 69. *lusit*] „ihr Spiel getrieben hatte“. — 70. *irarum*] Plur. intensiv; Genetiv wie bei *desinere*. — 71. *invisus*] „dein Verhaſster“. So hatte sie ihn eben genannt, aber nur im Zornes-

uxor invicti Iovis esse nescis?
mitte singultus, bene ferre magnam
75 disce fortunam: tua sectus orbis
nomina ducet."

XXVIII.

Festo quid potius die
Neptuni faciam? prome reconditum,
Lyde, strenua Caecubum,
munitaeque adhibe vim sapientiae.
5 inclinare meridiem
sentis, ac veluti stet volucris dies
parcis deripere horreo
cessantem Bibuli consulis amphoram.
nos cantabimus invicem
10 Neptunum et virides Nereidum comas:
tu curva recines lyra
Latonam et celeris spicula Cynthiae:

---

affekt. — 73. *nescis*] = *non vales.* Andere erklären: *οὐκ οἶσθα οὖσα.* — 76. *nomina*] Adonius zuliebe steht der Plural wie IV, 2.

Die ursprünglich nur zu einem Vergleich herangezogene Geschichte Europas ist schliefslich breit ausgeführt und die Rücksicht auf Galatea aus den Augen gelassen. Vgl. III, 11, und man wird auf den Gedanken kommen, dafs diese Gedichte einen formelhaften Bau zeigen.

Carm. III, 28. An Lyde. Den Festtag Neptuns wollen wir durch ein Gelage feiern, so lange wir es noch können (1—8). Unser Lied gelte besonders Venus (9—16). 8. 8.

1—8. 1. *potius*] Wir gebrauchen den Superlativ. Der Lateiner denkt sich nur zwei Möglichkeiten: 1) das Angemessene; 2) das Nichtangemessene; ähnlich wie *alterius* in III, 24, 22. — 3. *strenua*] statt des Adverbs. — 4. *munitae sapientiae*] *munitae* ist zu betonen: gegen das Hindernis, denn die *sapientia* besteht in dem Genusse der Zeit. — 4. *adhibe vim*] nämlich *vini*, wie *admoves* III, 21. — 6. *stet volucris*] steht absichtlich nebeneinander, wie *flumina constiterint* I, 9, 4. — 7. *deripere*] „eiligst zu entreifsen". — 8. *cessantem*] mit sinnlicher Belebung: Er scheint zu zaudern, weil er so weit hinten steht. — *Bibuli consulis*] Kürze des Ausdrucks für *vini Bibulo consule nati.* Als Konsul wird nicht ohne Absicht Bibulus genannt. Tiberius nannte man Biberius.

9—16. 12. *celeris spicula*] Enallage adiectivi. Das Ganze eine Umschreibung der Cynthia selbst. — *Cynthiae*] Achte auf den Parallelismus in

summo carmine, quae Cnidon
fulgentesque tenet Cycladas et Paphum
15 iunctis visit oloribus;
dicetur merita Nox quoque nenia.

XXIX.

Tyrrhena regum progenies, tibi
non ante verso lene merum cado
cum flore, Maecenas, rosarum et
pressa tuis balanus capillis

5 iamdudum apud me est. eripe te morae,
ne semper udum Tibur et Aefulae
declive contempleris arvum et
Telegoni iuga parricidae.

fastidiosam desere copiam et
10 molem propinquam nubibus arduis:

---

v. 10 u. 12. — 13. *summo carmine*] Das Gedicht auf seiner Höhe soll gelten. — 16. *merita*] in Prosa: *debita*. — *nenia*] weil sie den Freuden ein Ende macht und einschläfert.

Die Ankündigung ist das Gedicht.

Carm. III, 29. An Mäcen. Komm zu mir in die ländliche Stille aus dem königlichen Rom! (1—12). Die heifse Jahreszeit und der Wunsch nach Abwechslung müssen deiner Thätigkeit ein Ziel setzen (13—28). Bei der Allmacht des Veränderung liebenden Schicksals giebt es nur ein Mittel, sich ein stetes Glücksgefühl zu erhalten: die Kunst der Bedürfnislosigkeit und Entsagung (29—56). Das ist das Glück meines Lebens (57—64). (28. 28. 8.)

1—12. 1. *Tyrrhena*] Enallage adi. — *tibi*] zu *iamdudum apud me est*. — 2. *non ante verso cado*] Abl. absol. in modalem Sinne (aus noch nicht geneigtem Fasse); zur Zeit der Rosenblüte wurde der Wein aus den grofsen Stückfässern auf die *amphorae* gefüllt. *verso* ist seiner Bedeutung nach ein Part. Präs. Pass., das Ganze ebenso ehrend wie *tuis capillis*. — *lene*] „gezehrter". — *merum* nicht wörtlich zu nehmen, sondern nur der Abwechslung wegen statt *vinum*. — 3. *cum flore*] *cum* bezeichnet keine engere Verbindung mit *merum*, also = *et*. — 5. *morae, ne*] dem, was dich hindert, immer zu betrachten. — 6. *udum*] „die Wasserfälle" Tiburs. Vgl. I, 7. — *Aefulae*] Stadt bei Präneste. — 8. *Telegoni iuga parricidae*] Tusculum. — 9. *desere*] „entlauf". — *fastidiosam*] enthält den Grund: Überdrufs weckende Fülle; drum lafs sie. — 10. *molem propinquam*] „den Riesenbau nah' den Wol-

omitte mirari beatae
fumum et opes strepitumque Romae.

plerumque gratae divitibus vices
mundaeque parvo sub lare pauperum
15 cenae sine aulaeis et ostro
sollicitam explicuere frontem.

iam clarus occultum Andromedae pater
ostendit ignem, iam procyon furit
et stella vesani leonis
20 sole dies referente siccos;

iam pastor umbras cum grege languido
rivumque fessus quaerit et horridi
dumeta Silvani caretque
ripa vagis taciturna ventis.

25 tu civitatem quis deceat status
curas et urbi sollicitus times,
quid Seres et regnata Cyro
Bactra parent Tanaisque discors. —

---

ken". Mäcen hatte einen Turm auf dem collis Esquilinus. — 11. *omitte*] Die Anakruse ist hier kurz. — *mirari*] „dein Herz zu hängen". — *beatae*] mit *fumum* zeigt, dafs der Dichter Rom nicht nach seinem Geschmack *beata* nannte. — 12. *fumum et opes*] stehen als Paar neben dem *strepitum*, etwa: „qualmige Pracht (und Rauschen)".

13. *plerumque*] zu *explicuere*; in der silbernen Latinität = *saepe*. — 14. *sub*] „unter dem Schutze des kl. Hausgottes", so viel wie „in der Hütte". — 15. *sine aulaeis et ostro*] (οὖσαι) zu *cenae*. — 16. *sollicitam*] die „Sorgenfalten der Stirn". — 17. *clarus*] „strahlend". Der Vater Andromedas ist Cepheus. — 20. *sole dies*] Knüpfe den Abl. absol. mit „und" an. — 21. *umbras rivumque*] bilden ein ἓν διὰ δυοῖν. — 22. *horridi Silv. dumeta*] Auch hier kann man eine Enallage adiect. annehmen. — 23. *caretque*] beginnt das zweite Glied. Das erste bestand aus *umbras rivumque et dumeta*. — 24. *taciturna*] „schweigend", mit sinnlicher Belebung des Ufers.

25—48. 25. *quid deceat status*] „für die Ehre des Staats". — 26. *urbi*] von *parent* abhängig; zu *times* es zu ziehen, ist nicht rätlich, weil der Dichter dann dasselbe zweimal sagen würde. — *sollicitus*] „unruhvoll". — 27. *regnata*] wie II, 6. — 28. *Tanais*] Der Flufs steht für seine Anwohner. — *discors*] sagt, warum diese Sorge

prudens futuri temporis exitum
30 caliginosa nocte premit deus,
ridetque, si mortalis ultra
fas trepidat. quod adest memento

componere aequus: cetera fluminis
ritu feruntur, nunc medio alveo
35 cum pace delabentis Etruscum
in mare, nunc lapides adesos

stirpesque raptas et pecus et domos
volventis una, non sine montium
clamore vicinaeque silvae,
40 cum fera diluvies quietos

irritat amnis. ille potens sui
laetusque deget, cui licet in diem
dixisse „vixi: cras vel atra
nube polum pater occupato

45 vel sole puro: non tamen irritum
quodcumque retro est efficiet neque
diffinget infectumque reddet,
quod fugiens semel hora vexit." —

übertrieben ist; vgl. III, 8, 19. — 29. *prudens*] ergänze „und doch, vorsorgend". — 30. *premit*] wir bestimmter: „hüllt in". Schiller: „Nur der Irrtum ist das Leben, Und das Wissen ist der Tod." — 31. *mortalis*] enthält den Grund des Lachens. — 32. *trepidat*] „hastet". — *quod adest*] in scharfem Gegensatz. — 33. *aequus*] „in billiger Gesinnung". — 34. *feruntur*] „rollt". — 35. *Etruscum*] eine uns in solchem Zusammenhange ungewohnte Individualisierung. Das Gleichnis hat homer. Charakter. — 37. *et pecus et domos*] Das Polysyndeton malt die Menge, ähnl. wie: „Und es wallet und siedet" u. s. w. — 39. *clamore*] „Gebrüll". — 40. *quietos*] „die Ruhe der". — 42. *deget*] näml. *aetatem.* — 43. *dixisse*] Wir übersetzen *dicere,* weil wir in diesem Zusammenhange wie so oft die Zeit weniger genau angeben. — 44. *occupato*] „umsäumen". — 46. *neque*] „auch nicht einmal". — 48. *semel vexit*] = *advexit* entsprechend: *quod retro est* = das Vergangene.

49—64. 49. *Fortuna* bis *benigna* wiederholt prägnant die vorhergehende Erörterung und bildet den logischen Vordersatz zu *laudo manentem.* Periodenbildung durch augenfällige Unterordnung und Konjunktionen vermeiden die Dichter möglichst. Im v. 29 stand

Fortuna saevo laeta negotio et
50 ludum insolentem ludere pertinax,
transmutat incertos honores
nunc mihi, nunc alii benigna:

laudo manentem; si celeres quatit
pennas, resigno quae dedit et mea
55 virtute me involvo probamque
pauperiem sine dote quaero.

non est meum, si mugiat Africis
malus procellis, ad miseras preces
decurrere et votis pacisci,
60 ne Cypriae Tyriaeque merces

addant avaro divitias mari.
tum me biremis praesidio scaphae
tutum per Aegaeos tumultus
aura feret geminusque Pollux.

---

der logisch untergeordnete Satz *prudens ... trepidat* dem Hauptsatze: *tu civitatem* nach. — 49. *saevo laeta*] ist wie oben *clarus occultum* absichtlich nebeneinandergestellt. — *negotio*] „Schergenamt", „zu traurigem Dienste gern bereit". — 50. *ludum ludere*] *ludere* abhängig von *pertinax* = *ad ludendum*. — 51. *transmutat*] = *mutando efficit*, prägn. — 53. *manentem*] Durch „so lange als" aufzulösen: ergänze *Fortunam*. — *si celeres*] Damit beginnt der Umschlag. — 55. *virtute me*] wie in einen Mantel. — 56. *sine dote*] gehört zu *pauperiem:* als neue Braut, mit Rücksicht auf *quae dedit*. — *virtute*] „Erkenntnis" des epikureischen Philosophen. Auch die Epikureer lehren: *εὐπόριστος ὁ τῆς φύσεως πλοῦτος*. — 56. *pauperiem*] „Jungfer Armut". — 57. *non est meum*] Eine für den Dichter charakteristische, sarkastische Ausführung des letzten Gedankens an konkreten Verhältnissen. — 59. *pacisci*] „feilschen", wie die Kaufherren es machen. — 60. *ne*] „etwa damit nicht". — 62. *tum*] Dem Dichter schwebte im vorigen Verse eine Seefahrt, die er mit einem Reichen unternommen habe, vor; doch verallgemeinert sich ihm das Bild zu einer Reise durch das Leben. — *biremis praesidio scaphae* zu *tutum* ohne Bild und aus der Allegorie heraustretend: durch meine eigne Kraft. — 63. *Aegaeos*] vgl. *Etruscum* v. 35. — 64. *aura geminusque P.*] können wir als Hendiadyoin fassen, doch ist es nicht so zu übersetzen. — *geminus*] „Doppelstern".

Das Muster einer „Ode", die, von persönlichen Verhältnissen ausgehend, das allgemeine Lebensprinzip der Epikureer logisch und bilderreich ent-

XXX.

Exegi monumentum aere perennius
regalique situ pyramydum altius,
quod non imber edax, non aquilo impotens
possit diruere aut innumerabilis
5 annorum series et fuga temporum.
non omnis moriar, multaque pars mei
vitabit Libitinam: usque ego postera
crescam laude recens, dum Capitolium
scandet cum tacita virgine pontifex.
10 dicar, qua violens obstrepit Aufidus
et qua pauper aquae Daunus agrestium
regnavit populorum, ex humili potens,

---

wickelt, wobei sich in den einzelnen Teilen allgemeinere Gedanken ergeben.

Carm. III, 30. An Melpomene. I. Vollendet ist mein unsterbliches Werk (1—5). Mit ihm wird mein Ruhm wachsen und ewig leben, der Ruhm des lateinischen Alkäus (6—14½). II. Ich bin stolz, denn ich darf es sein (14½—16).

1—14½. 1. *aere perennius*] Eine Ausführung dieses Gedankens ist IV, 8. — 2. *regalique situ pyramidum*] prosaisch: *monumentum regalibus pyramidibus situ obductis altius*. Durch die Enallage des Adjektivs aber ergiebt sich ein schönes Oxymoron: als die „verwitterte Pracht" (Nauck). In *situ* spricht der Dichter zugleich in seiner humoristischen Weise sein Urteil über den Wert dieser Monumente aus. — 4. *innumerabilis ann. series*] enthält ebenfalls eine Enallage. — 5. *fuga temporum*] Prosaisch: *fugientia tempora* „Flucht der Zeiten". — 6. *non omnis*] begründend zu dem Vorhergehenden. — *multaque*] *que* nach der Negation = „sondern". — *multaque pars mei* enthält eine uns in der Dichtersprache fremde Anschauung, wir: „mein edleres Ich". — 7. *Libitina*] Venus, die Göttin der Lust, zugleich die Todesgöttin. In ihrem Tempel wurde jeder Todesfall gemeldet. — *postera*] = *posterorum*. — *usque*] zu *crescam*. — 8. *recens*] „verjüngt". — *dum*] also bis zur Unendlichkeit. — 10. *dicar deduxisse*] *dicere* ist „rühmend sagen". — 11. *qua violens*] gehört zu *ex humili potens*. Der Umstand, daſs er aus einem kleinen Municipium Apuliens stammte, wirkte erschwerend für seinen Ruhm. So hebt Cicero pro Archia § 22 hervor, daſs die Römer selbst einem *homo Rudinus* das Bürgerrecht verliehen haben. — *pauper aquae*] *pauper* wie *dives* werden vom Dichter als Adj. rel. angesehen und mit dem Genet. konstruiert. Das Epitheton geht natürlich mehr auf das Volk. — *agrestium populorum*] hängt ab von *regnavit*, „waltete des Scepters", welches in griech. Weise mit dem Genet. konstruiert ist. — 12. *ex humili potens*] Die niedrige Geburt wurde ihm also zum Vorwurf gemacht. Bei Virgil

princeps Aeolium carmen ad Italos
deduxisse modos. sume superbiam
15 quaesitam meritis et mihi Delphica
lauro cinge volens, Melpomene, comam.

---

heifst Fabricius: *parvo potens* „sich mit Kleinem reich fühlend". — 13. *Aeolium*] Das Lied des Alkäus und der Sappho. — 14. *deduxisse*] Auch Catull hatte dies versucht, doch nicht mit dieser Konsequenz und dieser Geschicklichkeit in der Vermählung der griechischen mit der lateinischen Melodie.

14½ bis Schlufs. 14. *sume*] zieht die Folgerung; „Darum nimm an". — *superbiam*] (Auszeichnung) ist konkret zu denken als Kranz; vgl. Sall. Cat., Kap. 31: „superbia atque deliciis omissis". — 16. *volens*] „gnädig". — *Melpomene*] ist seine eigene, in ihm wohnende Muse, die erst später zur Muse der Tragödie gestempelt wird. Also prosaisch: ich darf mir den Lorbeer nehmen. Vgl. Platen: „Ich rühmte den Genius, welcher besucht mich, nicht mein sterbliches, mein flüchtiges, irdisches Nichts! Weil ich bescheiden und still mich selbst für viel zu gering hielt, staunt' ich in meinem Gemüt über den göttlichen Gast." Von Anmafsung kann in diesem Gedichte nicht die Rede sein. Bei den Römern ist, wie noch jetzt bei den Italienern, die Sprache kühner als der Gedanke, bei uns Deutschen dagegen der Gedanke kühner als die Sprache.

Von der verständnislosen Gegenwart appelliert der Dichter an eine besser zu unterrichtende Nachwelt. Es ist ein Kampflied.

LIBER QUARTUS.

I.

Intermissa, Venus, diu
rursus bella moves? parce precor, precor.
non sum qualis eram bonae
sub regno Cinarae. desine, dulcium
5 mater saeva cupidinum,
circa lustra decem flectere mollibus
iam durum imperiis; abi,
quo blandae iuvenum te revocant preces

tempestivius in domum
10 Paulli, purpureis ales oloribus,
commissabere Maximi,
si torrere iecur quaeris idoneum:

namque et nobilis et decens
et pro sollicitis non tacitus reis

Carm. IV, 1. An Venus. Ich bin zu alt, um zu lieben! Schone mein, Venus! (1—8.) Ziehe ein in Paullus Maximus Pallast, der deinen Besuch mehr zu schätzen weiſs als ich! (9—32.) Aber ach! ich täuschte mich, ich bin nicht zu alt, um zu lieben (33—40).

1—8. 2. *bella*] vgl. zu diesem Bild: I, 19. Die Phantasie des Dichters sieht Venus plastisch vor sich. — 4. *desine dulcium*] Das inständige Bitten findet auch in der Allitteration seinen Ausdruck. — *dulcium mater saeva Cupid.*] Vielleicht wiederholt der Dichter mit Absicht dies Oxymoron aus I, 19, 1: Du bist immer noch dieselbe, aber nicht ich derselbe. — 6. *circa lustra decem*] ergänze *me ὄντα*. — *mollibus imperiis*] zu *durum* (gehärtet gegen). — 8. *revocant*] weil du dich verirrt hast.

9—32. 10. *purp. al. olor.*] gleichsam im Triumphzuge. — 12. *iecur*] „Leber“ als Sitz der Leidenschaften, wir „Herz“. — *torrere*] „verzehren“. —

15 et centum puer artium
late signa feret militiae tuae,

et quandoque potentior
largi muneribus riserit aemuli,
Albanos prope te lacus
20 ponet marmoream sub trabe citrea.

illic plurima naribus
duces tura, lyraeque et Berecyntiae
delectabere tibiae
mixtis carminibus non sine fistula;

25 illic bis pueri die
numen cum teneris virginibus tuum
laudantes pede candido
in morem Salium ter quatient humum.

me nec femina nec puer,
30 iam nec spes animi credula mutui
nec certare iuvat mero
nec vincire novis tempora floribus.

sed cur, heu, Ligurine, cur
manat rara meas lacrima per genas?
35 cur facunda parum decoro
inter verba cadit lingua silentio?

---

15. *puer cent. art.*] „als ein Meister in". — 16. *late sign. feret milit. tuae*] Folgende Ordnung der Worte *late militiae signa feret tuae* würde der gewohnten Wortstellung des Dichters in asklepiadeischen Versen mehr entsprechen. — *signa*] „Panier". — 18. *muneribus*] hängt von *potentior* ab. Prosaisch würde es heifsen: den reichen Rivalen trotz seiner Geschenke verlacht hat. — 19. Konstr.: *te ponet prope Albanos lacus.* — 21. *naribus*] nicht zu übersetzen. — 23. Konstr.: *delectabere carminibus mixtis lyrae et Berecynthiae tibiae non sine fistula,* letzteres = *et fistulae.* — *lyrae et tibiae*] Genetive; *carmina* hier „Weisen". I, 18 wird *Berec. cornu* erwähnt (an der phrygischen Flöte zur Verstärkung des tiefsten Tones). — 29. *me*] adversativ hinzutretend. — *nec femina*] *(iuvat).* — 30. *animi mutui*] „Erwiderung der Neigung". — 32. *novis*] „jungen" des Lenzes.

33—40. 35. *parum*] blofs „wenig". — 36. *inter verba*] „im Rede-

nocturnis ego somniis
iam captum teneo, iam volucrem sequor
te per gramina Martii
40 campi, te per aquas, dure, volubiles.

II.

Pindarum quisquis studet aemulari,
Iulle, ceratis ope Daedalea
nititur pennis, vitreo daturus
nomina ponto.

---

strom". — *cadit*] „stockt". — 37. *somniis*] bezieht sich auch auf *volucrem*. — 38. Zu *captum teneo* gehört das folgende *te*. — 40. *dure*] Jetzt ist der Knabe „hart", im Anfang war es der Dichter. — *volubiles*] „kreisend" steht passend am Ende und enthält die Pointe. Einen solchen *κύκλος* hat der Dichter an sich erfahren. Vgl. Goethe: „Nur das Herz, es ist von Dauer, schwillt in jugendlichstem Flor; unter Schnee und Nebelschauer rast ein Ätna dir hervor. Du beschaust wie Morgenröte jener Gipfel ernste Wand, und noch einmal fühlet Goethe Frühlingshauch und Sonnenbrand." Für *docti poetae* war es seit der alexandrinischen Zeit geradezu Sitte, sich auch in Liedern an schöne Knaben zu versuchen; sie enthalten aber wesentlich formelhafte Gedanken und Ausdrücke.

Carm. IV, 2. Wollte ich mit Pindar wetteifern, würde mich verdiente Strafe für meine Vermessenheit erwarten. Denn auf welchem Gebiet ist er überhaupt erreichbar? Er ist ein Genie im Genus grande (1—26). Ich bin nur ein fleifsiges, empfängliches Talent im Genus tenue (27—32). Feiere du ihn — denn du bist ein epischer Dichter. Dann kann ich mit lyrischem Zuruf einstimmen, und dem Triumphus zujauchzend wollen wir alle den Göttern danken, du mit Hekatomben, ich mit einem schön gezeichneten Kälblein (33—60). (30 (24. 8) 30 (20. 8). Jullus Antonius, ein Sohn des Triumvirs, der durch seine edle Stiefmutter Oktavia, die Schwester Octavians, Mitglied der kaiserlichen Familie geworden war, forderte den Horaz auf, anläfslich der Rückkehr des Augustus aus Gallien (Abwesenheit von 16—13 v. C.) eine Festkantate zu dichten.

1—26. 1. *aemulari*] „wetteifern", um ihn zu übertreffen. — 2. *Iulle*] zweisilbig. Die lateinische, zweisilbige Form *Iullus* ist erst durch Virgils Epos in *parvos Iulus* gräcisiert, also dreisilbig geworden. — *ope Daedalea*] gehört zu *ceratis*, auf „dädaleischem, wachsgefügtem Fittich". — 3. *nititur*] „schwingt sich zur Höhe" *(niti von genu)*. — *vitreo*] „krystallenen". — *daturus*] ist nicht wirkliche Absicht des sich in die Höhe Schwingenden, sondern wird ihm als Absicht untergeschoben. Das Ganze ist individualisierend und malend für „wird eine traurige Berühmtheit werden", wie

5 monte decurrens velut amnis, imbres
quem super notas aluere ripas,
fervet immensusque ruit profundo
Pindarus ore,

laurea donandus Apollinari,
10 seu per audaces nova dithyrambos
verba devolvit numerisque fertur
lege solutis,

seu deos regesve canit, deorum
sanguinem, per quos cecidere iusta
15 morte Centauri, cecidit tremendae
flamma Chimaerae,

sive quos Elea domum reducit
palma caelestes pugilemve equumve
dicit et centum potiore signis
20 munere donat,

flebili sponsae iuvenemve raptum
plorat et vires animumque moresque

Ikarus. — 7. *fervet*] ist Prädikat zu *Pindar,* aber zu *amnis* zu denken. — *ore*] geht auf Pindar und den Strom (Mund, Mündung): „in tiefem Bette". — 10. *per audaces*] *per* örtlich „über ... hin". — *nova verba*] „nimmer gehörte Worte"; gemeint sind besonders Composita. — *dithyrambi*] sind stürmische, bacchische Festlieder. Die bedeutendsten deutschen Dithyramben sind von Klopstock und Goethe (Grenzen der Menschheit. Ganymed u. s. w.). — 11. *devolvit* und *fertur* setzen das Bild vom Flusse fort. — *numeris*] „Rhythmen". — 12. *lege solutis*] „entfesselt". — 13. *seu deos* etc.] Es folgen die Inhaltsandeutungen folgender Gedichtarten Pindars: Hymnen und Päane, Epinikien und Enkomien, endlich: Threnoi. — 15. *Centauri*] Gerade dieser Kampf der Lapithen mit den Centauren, der Bildung mit der Roheit, erfreute sich wie der Gigantenkampf damals besonderer Beliebtheit. (Parthenonfries!) — *cecidit*] Die Anaphora vertritt in lebhafter Weise die Verbindung. — 16. *flamma*] steht für das Adjektiv: „das feuerschnaubende Ungetüm der". — *Elea*] weil zu Olympia erworben. — *reducit*] Die Siegesehre läfst sie über die Erde nur schweben. — 18. *caelestes*] zu *quos* „wie Götter", weil ihrer grofse Ehren harrten. — *pugilemve equumve*] sind dem Relativsatz erläuternd beigefügt. — 19. *dicit*] „besingt", „preist". — *signis*] Die Olympioniken wurden durch Statuen geehrt. — 21. *flebili sponsae iuvenemve*] *ve* steht für *sive* (*plorat iuvenem raptum sponsae flebili* [weinend]). — 22. *et vires*] ist durch Hen-

aureos educit in astra nigroque
invidet Orco. —
25 multa Dircaeum levat aura cycnum,
tendit, Antoni, quotiens in altos
nubium tractus: ego apis Matinae
more modoque,
grata carpentis thyma per laborem,
30 plurimum circa nemus uvidique
Tiburis ripas operosa parvus
carmina fingo.
concines maiore poeta plectro
Caesarem, quandoque trahet feroces

---

diadyoin mit *iuvenem* zu verbinden: den Jüngling in seiner Vollkraft. — *animumque moresque aureos*] „das Gold seines Herzens und Sinnes". — 23. *aureos*] Zwischen *aureos* und *nigros* findet eine beabsichtigte Gegenüberstellung statt. — *nigroque invidet*] ausführendes *que:* die Beute nicht gönnend der Nacht des ... — 25. *multa aura*] s. v. eine Allegorie für den Gedanken: ihm strömen die Gedanken zu. „Ja! reich ist der Lufthauch, der". — *levat*] „hebt, trägt empor". — *cycni*] sind die Dichter des Genus grande, in der Zeit der Nachahmung des Horaz wurde es Sitte, auch weniger grofsartige Dichter so zu bezeichnen. Martin Opitz, der Boberschwan! Der Elbschwanenorden! Dirke ist ein See bei Theben. — 26. *tendit*] gehört in den Satz mit *quotiens.* „Den Flug nimmt". — *Antoni*] Doppelte Anreden finden sich auch bei Homer.

27—32. Selbstcharakteristik des Dichters. (Das Herz des Liedes.) Vgl. die Selbstcharakteristik Lessings in der Hamburger Dramaturgie: „Ich fühle die lebendige Quelle nicht in mir, die durch eigene Kraft sich emporgearbeitet, durch eigene Kraft in so reichen frischen, so neuen Strahlen aufschiefst; ich mufs alles durch Druckwerk und Röhren in mir herauspressen." — 27. *Matinae*] hebt *Dircaeum* gegenüber die Bergheimat unseres Dichters hervor, ohne für das Folgende beachtet zu werden. — *apis* ist der Hauptbegriff. — 30. *plurimum*] zu *laborem:* „mit saurer Mühe" geht noch auf die Biene; *circa nemus* (dazu ist auch *uvidi* zu beziehen) auf den Dichter. „Waldufer". — *circa*] übertragen fast gleich *de*; prosaisch „beschäftigt um"; diese Stoffe stellt der Dichter als seine den Motiven Pindars entgegen. — 31. *Tiburis*] gehört zu *ripas* und *nemus.* — *ripas*] des Anio. S. das folgende Gedicht. — *parvus*] „ein kleiner Dichter", weil er sich nur im Genus tenue versucht. — 32. *fingo*] „bilde", erinnert an die Thätigkeit der Bienen.

33—60. 33. *concines*] nämlich der angeredete Antonius. — *maiore plectro*] „vollerem Anschlag", d. h. von der Musik auf den Stoff übertragen: „gröfserer Stoffe". Damit ist Jullus Antonius, der

35 per sacrum clivum merita decorus
fronde Sygambros:

quo nihil maius meliusve terris
fata donavere bonique divi
nec dabunt, quamvis redeant in aurum
40 tempora priscum.

concines laetosque dies et urbis
publicum ludum super impetrato
fortis Augusti reditu forumque
litibus orbum.

45 tum meae, si quid loquor audiendum,
vocis accedet bona pars, et „o sol
pulcher, o laudande" canam recepto
Caesare felix.

tuque, dum procedis, „io Triumphe!"
50 non semel dicemus, „io Triumphe!"
civitas omnis, dabimusque divis
tura benignis. —

te decem tauri totidemque vaccae,
me tener solvet vitulus, relicta

---

ein Heldenlied auf Diomedes gesungen haben soll, als epischer, nicht als berühmterer Dichter gekennzeichnet. — 34. *quandoque*] „wann einmal". Das Gedicht liegt also sehr weit vor Augustus' Rückkehr. *trahere* ist nicht *ducere*. — 36. *quo nihil maius*] bezieht sich auf *Caesarem*. Besinge ihn „als das Gröfste und Beste, was". — 39. *nec dabunt*] „für alle Zukunft". — *aurum priscum*] dichterische Kürze für die *aurea aetas*. Diese und die folgenden Worte enthalten das gewünschte Lied, nur in der dem kleineren lyrischen Liede eigentümlichen Form. Man vgl. I, 6. — 41. *laetosque*] *que* und *et* entsprechen sich. — 42. *super*] = *de*. — 43. *fortis*] „Held". — 44. *orbum*] ist der Hauptbegriff „von Prozessen feiernd". — 45. *loquor*] bescheidene Hindeutung auf seinen Dichterruhm. — 47. *recepto Caes.*] gehört eng zu *felix*. — 49. *procedis*] Du, nämlich Antonius, welcher gleichsam vorangehend im Zuge gedacht wird, weil er das Hauptgedicht machen soll. — *io triumphe*] ist malerisch wiederholt, um das Freudengelärm des Triumphes zu schildern. — 50. *dicemus*] eingeschoben, ähnlich wie *inquit*. — 51. *civitas omnis*] Apposition zum Subjekt in *dabimus*. — 53. *te decem*] Den Schlufs des Triumphes bildet das Opfer. — 54. *solvet*] nämlich *voto*. — *relicta matre* etc.] Konstr.: *qui relicta matre largis herbis iuvenescit*, epische Verweilung

55 matre qui largis iuvenescit herbis
in mea vota,

fronte curvatos imitatus ignes
tertium lunae referentis ortum,
qua notam duxit niveus videri,
60 cetera fulvus.

III.

Quem tu, Melpomene, semel
nascentem placido lumine videris,
illum non labor Isthmius
clarabit pugilem, non equus impiger

5 curru ducet Achaico
victorem, neque res bellica Deliis
ornatum foliis ducem,
quod regum tumidas contuderit minas,

---

in der Beschreibung des *vitulus*, um dem Freunde eine Probe seiner Kunst und seiner Stoffe zu geben. — 55. *largis (in) herbis* „in wucherndem Grase". — Konstr.: *in fronte imitatus* (wie nachgebildet trägt) *ignes curvatos Lunae referentis* (wenn er) *tertium* (zum drittenmal) *ortum niveus videri* (λευκὸς ἰδέσθαι) *qua notam duxit*. — 60. *fulvus (videri) cetera* (Accusativ der Beziehung). Man vergleiche für diese Opfersymbolik, welches die Gröfse und Erhabenheit des Epos über die „kleinspurige" Elegie hervorheben soll, das Gebet Virgils an Venus: wenn ich die Äneis fertig bringe, dann werden dir nicht die gewöhnlichen Opfergaben zuteil, *sed maxima taurus victima*.

Carm. IV, 3. An Melpomene. Lieblinge Melpomenes bedürfen keiner anderen Leistungen, um berühmt zu werden, als ihres Liedes (1—12). So bin auch ich als Sänger anerkannt worden und danke es dir, Melpomene (13—24). 12. 12. — ÄufsereVeranlassung des Gedichtes scheint die Übertragung des *C. saeculare* im J. 17 v. C. an ihn.

1—12. 1. *tu*] ist betont, *semel* unbetont. — 2. *placido lumine*] „wohlwollenden Auges". — 3. *labor*] = πόνος „Ringen". — 4. *clarabit*] Die Worte auf *-are* werden vom Dichter im vierten Buche besonders häufig gewählt. — *pugilem*] prädikativ. — 5/6. *victorem ducet*] „als Sieger tragen". — *curru Achaico*] Abl. instr. zu *victorem*. Er hat mit der Quadriga in der Wettfahrt gesiegt. — *neque*] enthält das dritte Glied. Der Dichter liebt es drei Beispiele anzuführen, davon in der Regel eins aus römischen Verhältnissen. — *res bellica*] „Kriegsleben". — *Deliis*] *Delia folia* = Palme. „Palmblätter" auf der gestickten Tunika. — 8. *minas*] „Dräuen". —

ostendet Capitolio:
10 sed quae Tibur aquae fertile praefluunt
et spissae nemorum comae
fingent Aeolio carmine nobilem.

Romae, principis urbium,
dignatur suboles inter amabiles
15 vatum ponere me choros,
et iam dente minus mordeor invido.

o testudinis aureae
dulcem quae strepitum, Pieri, temperas,
o mutis quoque piscibus
20 donatura cycni, si libeat, sonum,

totum muneris hoc tuist,
quod monstror digito praetereuntium
Romanae fidicen lyrae;
quod spiro et placeo, si placeo, tuumst.

Fut. II *contuderit* (zu schanden gemacht) passend mit Bezug auf das Bild in *tumidas* (schwellend). — 10. *praefluunt*] = *praeterfluunt*. — 11. *comae*] „Haar, Gelock" der Bäume; vgl. über das, was hier als Stoff der Lyrik angegeben wird, IV, 2, 30. Was wird in den ersten drei Büchern als Stoff angegeben? — 12. *Aeolio carmine*] Kürze des Audrucks: werden ihn zum äolischen Liede begeistern und dadurch berühmt machen.

13—24. 14. *suboles*] Darum sang er (III, 1, 1): „virginibus puerisque". — 15. *amabiles choros*] eine schöne Enall. des Adjekt. — *ponere*] „einreihen". — 16. *minus*] schwache Negation wie in *quominus, si minus*. — 18. *strepitum*] „Geräusch". — *Pieri*] So werden die Musen mit Rücksicht auf Pierien genannt, einen Teil Mazedoniens, wo sie auf ihrem Eroberungszuge von Thrazien aus sich aufhielten. — 19. *mutis quoque pisc.*] Um so weniger grofs ist mein Verdienst, je mächtiger du bist. — 20. *donatura*] „schenken würdest (könntest)". Konstr.: *totum hoc est tui muneris*, Genet. des Bereichs. — 22. *monstror digito*] galt damals für ehrenvoll. — 24. *quod spiro* etc.] schliefst verallgemeinernd und doch pointiert das Gedicht ab, da *spirare* damals noch in seiner vollen Bedeutung gefühlt wurde. — *quod*] ist adverbial gebrauchter Akkus. zu *spiro* u. *placeo*. — Wenn *Romanae fidicen lyrae* in den Satz mit *quod spiro* gezogen würde, wäre *si placeo* nicht passend.

Hatte das vorige Gedicht lehren sollen, was der Dichter nicht zu können glaubt, so zeigt er hier, auf welchem Gebiete er sich der Anerkennung zu erfreuen hat. Nachgeahmt ist das Lied z. B. von Geibel: Dichterleben,

IV.

Qualem ministrum fulminis alitem,
cui rex deorum regnum in aves vagas
permisit expertus fidelem
Iuppiter in Ganymede flavo,

5 olim iuventas et patrius vigor
nido laborum propulit inscium,
vernique iam nimbis remotis
insolitos docuere nisus

venti paventem, mox in ovilia
10 demisit hostem vividus impetus,

---

und von Klopstock: Lehrling der Griechen.

Carm. IV, 4. An Drusus Nero. Einem flügge gewordenen Adler gleich, ja wie ein junger Leu stürzte sich Drusus auf die streitbaren, wilden Vindelicier (Vintschgau), würdig seiner Geburt und Erziehung (1—36). Denn die Neronen waren immer für die Geschichte Roms entscheidend, und ohne sie war die Erhebung Italiens aus der groſsen Hannibalischen Niederlage unmöglich (37—76). — Äuſsere Veranlassung des Gedichtes: Die Erfolge des Drusus im Kriege gegen die Räter und Vindeliker im Jahre 15, als er von der Etsch aus auf Augustus Befehl gegen sie aufbrach, während sein älterer Bruder Tiberius etwas später ihm zur Hilfe vom Bodensee her gegen denselben Feind entsandt wurde (IV, 14). Höhepunkte des Liedes in der Mitte, dann noch in 18. 57.

A. 1—16. 1. *qualem*] Dazu Prädikate: *propulit, docuere, demisit, egit.* Es fehlt das *talem* in v. 17. Übersetze: „Dem Adler gleich, dem geflügelten Träger des Blitzes, welchen, als ihm der Götterkönig" u. s. w., ebenso v. 13: „Dem Leuen gleich, den." — 2. *cui*] Der Relativsatz geht bis *flavo.* Der mit *qualem* beginnende Vergleich enthält drei mit *olim, mox, nunc* beginnende Teile mit drei Subjekten: *iuventus (et vigor), divinus impetus, amor dapis,* welche eine Steigerung zeigen. Der Satz *vernique ... paventem* ist eine Erweiterung des mit *olim* beginnenden Teils; wir übersetzen ihn parenthetisch. — *aves vagas*] Assonanz: schweifendes Gefieder. — 4. *Juppiter*] zu *rex deorum* zu übersetzen. — *in Ganymede flavo*] „beim Raube des" gehört zu *expertus; propulit, docuere, demisit, egit* gnomische Aoriste. Denn es ist kein bestimmter Adler mehr gemeint. — 5. *patrius*] „ererbt". — 6. *nido*] „Horst". — *laborum inscium*] „des Schwingens noch ungewöhnt". — 7. *vernique*] Dazu gehört *venti.* Genauer müſste es *aestivi* für *verni* heiſsen. — 8. *nisus*] „Aufschwung". Vgl. IV, 2, 3. — Zu *paventem* ist wegen des folgenden *mox* ein *primo* zu denken. — 10. *demisit*] „niederstöſst". — *vividus impetus*]

nunc in reluctantes dracones
egit amor dapis atque pugnae,
qualemve laetis caprea pascuis
intenta fulvae matris ab ubere
15 iam lacte depulsum leonem
dente novo peritura vidit:
videre Raetis bella sub Alpibus
Drusum gerentem Vindelici — quibus
mos unde deductus per omne
20 tempus Amazonia securi
dextras obarmet, quaerere distuli,
nec scire fas est omnia — sed diu
lateque victrices catervae
consiliis iuvenis revictae

„feuriges Ungestüm". — 11. *dracones*] Übers. den Plural durch ein Kompositum, etwa „Schlangenbrut". — *reluctantes*] „aufzüngelnd". — 12. *amor*] „Gier". — 13. *qualemve laetis*] Eine solche Häufung der Vergleiche haben wir auch z. B. Il. II, 455, wo fünf Vergleiche aufeinander folgen. Homer wendet eine gröfsere Zahl derselben an, wenn ein strahlender Held im Beginn seiner Thätigkeit geschildert werden soll. — *caprea*] „Reh". In Homerischen Vergleichen (dies Gedicht ist eine lyrische Ilias) werden nur Handlungen und Zustände verglichen: die Einzelheiten dienen nur zur Vervollständigung des Bildes. — *laetis pascuis*] von *intenta* abhängig. — *fulvae matris*] ist mit dem Folgenden zu verbinden. — 15. *ab ubere iam lacte depulsum*] „den von der reichen Milch (dem strotzenden Euter) der Mutter schon entwöhnten". — 16. *vidit peritura*] „nur sah, um". — *novo*] „jung".

17—28. 17. *videre*] ergänze: *talem;* epanaleptisch zu *vidit,* näml. ebenfalls *perituri.* — *Raetis*] zu *Alpibus.* Das Gebiet der Vindelicier lag in den Rätischen Alpen. — 17/18. *quibus mos unde*] aus welchem Grunde diesen die durch alle Jahrhunderte bewahrte (altersgraue) Sitte die Rechte mit . . . bewaffnete; auf diese Weise sind zwei Sätze in einen zusammengezogen. Es ist dies nicht die einzige Episode dieses im Pindarischen Stile gehaltenen Gedichts. Episoden wurden nach Pindars Vorgang geradezu für notwendig bei „Oden" gehalten. Sie malt die Furchtbarkeit des Volkes, mit dem des Dichters Held siegreich kämpft. Sie benutzt die Gelegenheit, das teilweise lächerliche Forschen in Antiquitäten (Tiberius!) zu verspotten: „nec scire fas est omnia", „nicht gottgewollt ist". — *sed*] nach der Episode: „genug". — *Amazonia securi*] die *bipennis*, Doppelaxt. — 21. *obarmet*] Neubildung des Horaz. — 24. *consiliis*] Plur. durch „Taktik" zu übers. — *revictae*] *re-* bezieht sich auf *victrices*

25 sensere, quid mens rite, quid indoles
nutrita faustis sub penetralibus
posset, quid Augusti paternus
in pueros animus Nerones.

fortes creantur fortibus et bonis;
30 est in iuvencis, est in equis patrum
virtus, neque imbellem feroces
progenerant aquilae columbam:

doctrina sed vim promovet insitam,
rectique cultus pectora roborant:
35 utcumque defecere mores,
dedecorant bene nata culpae. —

quid debeas, o Roma, Neronibus,
testis Metaurum flumen et Hasdrubal
devictus et pulcher fugatis
40 ille dies Latio tenebris,

qui primus alma risit adorea,
dirus per urbes Afer ut Italas
ceu flamma per taedas vel Eurus
per Siculas equitavit undas.

„auch ihrerseits besiegt". — Zu *rite* ergänze *nutrita*; dem *rite* steht im zweiten Gliede parallel: *faustis sub penetr.* — *rite*] „nach frommer Väter Weise". — *faustis penetr.* „an einem segensvollen Herd". — 26. *nutrita*] „gepflegt". — 27/28. *posset*] Wir setzen das Präsens.

29—36. 29. *fortes*] knüpft sich epanaleptisch an *Nerones*, das im Sabinischen so viel als *fortes* bedeutet. — *fortibus et bonis*] Ablativ, wie bei *natus, ortus*. Der Ausdruck entspricht dem καλὸς κἀγαθός. — 30. *est*] „es lebt". — 33. *doctrina*] „Unterweisung" steht betont dem *sed* voran. — *promovet ... insitam*] Man beachte die Präpositionen in den Kompositionen. — 34. *recti*] Genet. Sing. — *cultus*] „Pflege". — *roborant*] macht eichenhart. — 35. *mores*] „Gesittung". — 36. *culpae*] Plur. intens. „Laster".

B. 37—49. Hier kehrt der Dichter zum Thema zurück: die Abschweifung besagte, dafs für die Verdienste des Drusus auch Augustus Lob verdiene. — 38. *Metaurum*] adjektivisch wie II, 9, 21 Medum flumen. — 39. *devictus*] „Sturz". — *pulcher*] „strahlend". — 40. *Latio*] der Stellung wegen zu *fugatis*. — 41. *dirus per urbes* etc.] Konstr.: „*ut dirus Afer equitavit* (brauste) *per urbes Italas.*" — *adorea*] „in holder Siegespracht". — 44. *equitavit*] zeugmatisch auch zu *flamma*. Das Perfektum zu *Afer*, das

45 post hoc secundis usque laboribus
Romana pubes crevit, et impio
vastata Poenorum tumultu
fana deos habuere rectos,

dixitque tandem perfidus Hannibal
50 „cervi, luporum praeda rapacium,
sectamur ultro, quos opimus
fallere et effugere est triumphus.

gens, quae cremato fortis ab Ilio
iactata Tuscis aequoribus sacra
55 natosque maturosque patres
pertulit Ausonias ad urbes,

duris ut ilex tonsa bipennibus
nigrae feraci frondis in Algido,
per damna, per caedes, ab ipso
60 ducit opes animumque ferro.

non hydra secto corpore firmior
vinci dolentem crevit in Herculem,
monstrumve submisere Colchi
maius Echioniaeve Thebae.

Präsens (rast und reitet) zu *flamma* und *Eurus*. — 46. *crevit*] „erstarkte". — *pubes*] „Heer, Wehrkraft". — 47. *tumultu*] ist ein Krieg um die Existenz. — 48. *habuere*] „erhielten". — *rectos*] „aufgerichtet".

50—76. 50. *cervi*] Abgekürzter Vergleich! Kräftiger als *ut cervi*. — *luporum*] mit Anspielung auf die Abstammung der Römer. — 51. *opimus*] ähnl. wie *iustus* bei *triumphus* „voller, reicher". — 53. *fortis*] „heldenhaft", zu pertulit. *fortis* = *qui fert*. — 54. *Tuscis aequoribus*] „über ... hin". An dieser Auffassung könnte irre machen, dafs ja die Trojaner nicht immer auf den tuskischen Wogen umhergeschleudert wurden; aber der Dichter ist hier ungenau, was auch aus *maturos* (welk) *patres* hervorgeht, wobei er doch gewifs an Anchises denkt, der Italien nicht mehr erreichte. — *sacra*] Penaten. — 56. *pertulit*] *per* ist betont. — *Ausonias*] Alter Name für Latium. — 59. *damna ... caedes*] beziehen sich sowohl auf *ilex* als auf *gens*. — 60. *ducit*] „gewinnt". — *animum*] „Leben". — Konstr.: *Hydra non crevit firmior (quam pubes Rom. in Hannibalem)*. — 62. *vinci dolentem*] *dolere* hat fast die Bedeutung einer Negation: „am Siege verzweifelnd". — 63. *monstrumve*] Die Negation wirkt auf den ganzen Satz fort; *monstrum* „Wunder". — 64. *Echioniae*] Adj. von Echion. Dieser war

65 merses profundo, pulchrior evenit;
luctere, multa proruet integrum
cum laude victorem, geretque
proelia coniugibus loquenda.

Carthagini iam non ego nuntios
70 mittam superbos: occidit, occidit
spes omnis et fortuna nostri
nominis Hasdrubale interempto." —

nil Claudiae non perficiunt manus,
quas et benigno numine Iuppiter
75 defendit et curae sagaces
expediunt per acuta belli.

V.

Divis orte bonis, optime Romulae
custos gentis, abes iam nimium diu:

---

einer der fünf von Kadmos nicht getöteten Sparten, die aus den Drachenzähnen entstanden. — 65. *merses*] lebhaftere Verbindung statt eines Bedingungssatzes, ebenso *luctere*. — *profundo*] Dativ des Ziels = *in altum*. — *pulchrior*] heifst im Altlatein. „mächtiger". — *proruet*] Es schwebt das Bild vom gefällten Baume vor: „zu Fall bringen". — *integrum*] „selbst einen noch unversehrten". — 68. *coniugibus loquenda*] „den Weibern zu preisen". — 69. *Carthagini*] Dativ des Interesses.

72—76. Diese Strophe können wir, trotzdem bei Horaz die Oden gern in eine Rede ausgehen, nicht zu einer solchen rechnen: „So vermögen denn alles". — 73. *Claudiae manus*] „Claudierarme". — *numine benigno*] „durch gnädiges Walten". — 76. *acuta belli*] „Klippen des Krieges" (Nauck); Homer: ὀξὺν Ἄρηα: „und spürendes Sorgen steuert durch die ...".

Das Gedicht gleicht einem Bouquet, dessen Blumen durch ein fast unsichtbares Band zusammengehalten werden. Die einzelnen Blumen sind: 1) „Drusus gleicht einem jungen Adler oder Löwen. 2) Seine Thaten sind das Resultat der häuslichen Erziehung des Augustus und der angebornen Claudischen Kraft. 3) Die Claudier waren stets ein Segen Roms, 4) und werden Rom zu einer *aeterna* machen. Das unsichtbare Band, welches die Perlen zusammenhält, ist die begeisterte Liebe zu Rom und seinem Herrscher.

Carm. IV, 5. An Augustus. Kehre zu deinem Volke wieder, das dich erwartet, wie eine Mutter ihren Sohn! (1—16.) Denn d u gabst dem Staate Ordnung und Frieden (17—28), und

maturum reditum pollicitus patrum
sancto consilio, r e d i.

5 lucem redde tuae, dux bone, patriae:
instar veris enim voltus ubi tuus
adfulsit populo, gratior it dies
et soles melius nitent.

ut mater iuvenem, quem Notus invido
10 flatu Carpathii trans maris aequora
cunctantem spatio longius annuo
dulci distinet a domo,

votis ominibusque et precibus vocat,
curvo nec faciem litore dimovet,
15 sic desideriis icta fidelibus
quaerit p a t r i a Caesarem. —

tutus bos etenim rura perambulat,
nutrit rura Ceres almaque Faustitas,

---

das Gebet deines Volkes tönt von Segenswünschen für dich (29—40). 16. 16. 12.

Veranlassung: Augustus war 16 v. C. nach Gallien und Spanien gegangen. Er kehrte erst 13 v. C. zurück.

1—16. 1. *Romulae*] = *Romuleae.* Vor *nimium* würden wir eine Interjektion einschieben. — 5. *lucem*] = *φάος*, vgl. Livius IX, 10, 2: „lux quaedam adfulsisse civitati visa est". — 6. *ubi*] ist die den Satz von *instar* an einleitende Konjunktion. — *melius*] „milder". Der ganze Gedanke von *gratior it dies ... nitent* klingt wie ein Echo des Rufes in 2, 46. *gratior* „beglückender". — 9. *ut mater iuvenem*] Vgl. Odyss. XVI, 17: *ὡς δὲ πατὴρ ὃν παῖδα φίλα φρονέων ἀγαπάζει ἐλθόντ᾽ ἐξ ἀπίης γαίης δεκάτῳ ἐνιαυτῷ, μοῦνον τηλύγετον, τῷ ἔπ᾽ ἄλγεα πολλὰ μογήσῃ* etc. — 9/10. *invido flatu*] Der Notus mißgönnt ihm, die Heimat wieder zu begrüßen. — 11. *cunctantem*] nach dem Gefühl der Mutter. — *spatio long. annuo*] zu *cunctantem.* — 13. *votis om.*] Wir haben zwei Glieder: 1) *votis,* 2) *ominibus et precibus. ominibus* „mit Vorzeichen" giebt mit *precibus* zusammen den Begriff „frommen Gebeten". — 14 *nec*] eigentlich „ohne zu". — *curvo*] hinter dem sie das Segel hervortauchend wähnt. — 15. *desideriis*] Plur. intens. — 16. *Caesarem*] „seinen C.". Hier ist der Fürst der Sohn des Vaterlandes, bei uns der „Landesvater".

17—32. 17. *etenim* an dritter Stelle ist nicht gewöhnlich. — *tutus* und *pacatum*] sind stark betont. — 18. *Faustitas*] ist von H. nach *Fausta Felicitas,* dem Namen einer Göttin, gebildet, welche die Römer verehrten,

pacatum volitant per mare navitae,
20 culpari metuit fides,

nullis polluitur casta domus stupris,
mos et lex maculosum edomuit nefas,
laudantur simili prole puerperae,
culpam poena premit comes.

25 quis Parthum paveat, quis gelidum Scythen,
quis Germania quos horrida parturit
fetus, incolumi Caesare? quis ferae
bellum curet Hiberiae? —

condit quisque diem collibus in suis
30 et vitem viduas ducit ad arbores;
hinc ad vina redit laetus et alteris
te mensis adhibet deum;

te multa prece, te prosequitur mero
defuso pateris, et laribus tuum

„des Segens gütige Gottheit". — 19. *pacatum*] geht auf die Vernichtung der Seeräuber und des Sext. Pompejus. — *volitant navitae*] „es flattern die Segel". — 20. *culpari*] Die Voranstellung des Verbs erfordert die Hinzufügung eines die Modifikation des Gedankens ausdrückenden Adverbs. — *fides*] das Kreditwesen in Handelsangelegenheiten, wie die Zusammenstellung mit *navitae* lehrt. — 21. *polluitur*] „befleckt sich der Glanz". — 22. *edomuit*] „hat mit der Wurzel entfernt"; *mos* ist hinzugefügt, denn die *lex* allein nützt ja nichts 3, 24, 35. — *maculosum*] übers. durch das Substantiv, vgl. I, 3 *vetitum nefas*. — 23. *simili prole*] Hesiod, Ἔργα 232: *Τίκτουσιν δὲ γυναῖκες ἐοικότα τέκνα γονεῦσιν*, „finden ihr Lob in der Ähnlichkeit der K." — 24. *culpam*] geht auf sittliche Mängel. — *comes*] aus *com-es* „auf dem Fuſse". Vgl. dagegen III, 2 am Schluſs. Das Gerichtsverfahren wurde summarischer. — Die vorhergehende Strophe enthielt die Wohlthaten der *leges Iuliae*, die nun folgende erwähnt die Waffenthaten unter dem Regiment des Kaisers. — 26. *horrida*] „vor der Brut, mit der die wilde Germania kreist". — 27. *incolumi Caesare*] gehört zu allen drei Gliedern und ist der Hauptbegriff. — 29. *condit*] „beschlieſst". — 30. *viduas*] „vereinsamten"; sie haben während der Bürgerkriege die Reben (ihre Gattinnen) verloren, die sich um ihre Stämme schlangen. — 31. *ad vina redit*] „Tages Arbeit, abends Gäste, Saure Wochen, frohe Feste" (Goethe). — *alteris mensis*] „Nachtisch".

33. *multa prece*] „innigem Gebet". — *prosequitur*] „geleitet er". — *laribus*] Augustus war zuerst in den italischen

35 miscet numen, uti Graecia Castoris
et magni memor Herculis.

„longas o utinam, dux bone, ferias
praestes Hesperiae“ dicimus integro
sicci mane die, dicimus uvidi,
40 cum sol Oceano subest.

VI.

Dive, quem proles Niobea magnae
vindicem linguae Tityosque raptor
sensit et Troiae prope victor altae
Phthius Achilles,

5 ceteris maior, tibi miles impar,
filius quamvis Thetidis marinae
Dardanas turres quateret tremenda
cuspide pugnax.

Landstädten, dann in Rom unter die Haus- und Schutzgötter aufgenommen. — 35. *miscet*] „gesellt (bei)“. — *uti Graecia*] nämlich *miscet*. — 36. *memor*] „erkenntlich“. — 37. *Longas*] Der betonte Begriff steht am Anfange des Verses. — *ferias*] entweder „Ruhetage, Friedenstage“ oder „Feierzeit“, bei dem Triumphe, der Augusts wartete. — 38. *integro die*] „noch ehe der Tag angebrochen ist“. — 39. *uvidi*] „beim Abendtrunk“.

Das Gedicht, das voll einschmeichelnder Allitterationen und Assonanzen ist *(diuis bonis (duonis), dux bone, ueris uoltus, dulci distinet a domo)*, ist ein *κύκλος*, der Schlufs bezieht sich auf den Anfang zurück! Man vergleiche inbezug auf den Inhalt Schillers Loblied des Friedens in der „Braut von Messina“: „Schön ist der Friede“, auch Tacit. ann. I, 2.

Carm. IV, 6. **An Phöbus.** Phöbus, mächtiger Gott, dem auch Rom sein Bestehen verdankt (1—24), der du mir den Dichtergeist verliehest, hilf mir und lafs die Knaben und Mädchen mein Lied zu deiner und deiner Schwester Ehre würdig vortragen (25—44). Höhepunkt nach 22 u. 23.

1—24. 1/2. *magnae linguae*] „ungemessener Rede“ oder allgemeiner: des Hochmuts, vgl. Il. XXIV, 601—617. — 3. *altae*] *αἰπεινή*. — *prope*] würden wir nach unserem Gefühl gern entbehren. — 4. *Phthius Achilles*] Bei diesem verweilt der Dichter, weil er nach der Sage beinahe Roms Entstehen unmöglich gemacht hätte. — 5. *ceteris maior*] hat nur den Zweck, das zweite Glied zu heben. — *miles*] „als Kämpfer“, vgl. Il. X, 358. — 7/8. *tremenda cusp. pugn.*] ähnlich *ἐγχεσίμωρος*. — Der Gedanke: Retter Roms,

ille, mordaci velut icta ferro
10 pinus aut impulsa cupressus Euro,
procidit late posuitque collum in
pulvere Teucro.

ille non inclusus equo Minervae
sacra mentito male feriatos
15 Troas et laetam Priami choreis
falleret aulam,

sed palam captis gravis, — heu nefas heu, —
nescios fari pueros Achivis
ureret flammis, etiam latentem
20 matris in alvo,

ni tuis flexus Venerisque gratae
vocibus divum pater adnuisset
rebus Aeneae potiore ductos
alite muros.

25 doctor argutae fidicen Thaliae,
Phoebe, qui Xantho lavis amne crines,

---

wird im Folgenden in epischer Commoratio in seinen einzelnen Stadien vorgeführt. — 9. *velut*] Dazu gehört *pinus icta mord. ferro.* — *mordaci*] Wir können nicht im Bilde bleiben: „mordend". — *icta*] giebt der *pinus* Leben, vgl. 5, 15. Das Gleichnis ist Homerisch, vgl. Il. XVI, 482: ἤριπε δ' ὡς ὅτε τις δρῦς ἤριπεν ἢ ἀχερωίς ἠὲ πίτυς βλωθρή, τήν τ' οὔρεσι. τέκτονες ἄνδρες ἐξέταμον πελέκεσσι νεήκεσι νήιον εἶναι. — 10. *impulsa*] „gelockert". — 11. *late procidit*] Odyss. XXIV, 39: σὺ δ' ἐν στροφάλιγγι κονίης κεῖσο μέγας μεγαλωστί. — 12. *Teucro*] für *Troico.* — 13. *ille non inclusus falleret*] = *ille non includeretur falleretque*, wo das Imperfekt der Anschaulichkeit wegen statt des Plusqpf. gesetzt ist. — 14. *male*] „zur Unzeit". — 15. *choreis*] zu *laetam.* — 17. *palam*] zu *captis*; ist des Gegensatzes wegen stark betont. — *gravis*] οὐλόμενος. — *heu nefas*] geht auf das Folgende. — 18. *nescios fari*] = νήπιος. — *Achivis*] nach unserem Gefühl besser: feindlich. — 19/20. *etiam lat. matr. in alvo*] ahmt Il. VI, 58 nach: μηδ' ὅντινα γαστέρι μήτερ κοῦρον ἐόντα φέροι. — 21. *tuis*] Davon weiſs Homer und Virgil nichts. — *gratae*] bei Horaz (vgl. 8, 1) oft absolut. — 22. *adnuisset*] übersetzt κατανεύειν. — 23. *rebus*] „Geschick", wie III, 3, 59, dient zur Umschreibung. — 24. *alite*] vgl. III, 3, 61.

25—44. 25. *fidicen*] adjektivisch zu *doctor.* — 26. *qui Xantho*] Der Zusatz erklärt sich aus der epischen Natur und dem gottesdienstlichen Cha-

Dauniae defende decus Camenae,
levis Agyieu.

spiritum Phoebus mihi, Phoebus artem
30 carminis nomenque dedit poetae.
virginum primae puerique claris
patribus orti,

Deliae tutela deae, fugaces
lyncas et cervos cohibentis arcu,
35 Lesbium servate pedem meique
pollicis ictum,

rite Latonae puerum canentes,
rite crescentem face Noctilucam,
prosperam frugum celeremque pronos
40 volvere menses.

nupta iam dices „ego dis amicum,
saeculo festas referente luces,
reddidi carmen docilis modorum
vatis Horati“.

VII.

Diffugere nives, redeunt iam gramina campis
arboribusque comae;

---

rakter des Gedichts. — *lavis*] „badest“. — 28. *levis*] ἀκερσεκόμης. — *Phoebus*] Warum ist hier kein Widerspruch zu 3, 24 anzunehmen? — 33. *tutela*] Apposition zu *orti*. — 37. *rite*] dem frommen Herkommen entsprechend, dem sich auch der Dichter in der Abfassung des Gedichtes, namentlich in der Heranziehung entlegener Götterprädikate genähert hat. — 39. *prosper. fug.*] „Spenderin der“. — *pronos*] „eilend“. — 39/40. *celerem volvere*] = *celerem ad volvendum*. — 43. *reddidi*] „wiedergegeben“. — 44. *vatis Horati*] vgl. den Schlufs von II, 6. Feierlicher Schlufs.

Carm. IV, 7. An Torquatus. Wieder nahet der Frühling, und alles erneut sich in der Natur (1—13). Nur wir Menschen kommen nicht wieder; darum lafst uns die kurze Spanne Zeit geniefsen (14—28). 14. 14.

1—13. 1. *diffugere*] „zerflossen ist“. Betonte Stellung des Verbums wie 3, 8, 6: *voveram* „ein Gelübde war's“. — *redeunt*] „wiederkehrt“ (ohne „es“) das Gras schon dem An-

mutat terra vices, et decrescentia ripas
flumina praetereunt;
5 gratia cum nymphis geminisque sororibus audet
ducere nuda choros.
immortalia ne speres monet annus et almum
quae rapit hora diem.

frigora mitescunt zephyris, ver proterit aestas
10 interitura, simul
pomifer autumnus fruges effuderit, et mox
bruma recurrit iners.

damna tamen celeres reparant caelestia lunae:
nos ubi decidimus
15 quo pater Aeneas, quo dives Tullus et Ancus,
pulvis et umbra sumus. —

quis scit an adiciant hodiernae crastina summae
tempora di superi?

---

ger. — 3. *mutat vices*] *mut.* steht prägnant für *mutando perficit:* vollzieht im Wechsel den Wechsel, „verjüngt ihr Antlitz". — *decrescentia*] prädikativ und betont. — 6. *nuda*] „in leichtem Gewande". — 7. *immortalia*] „dauerndes". — 8. *rapit*] „rafft". — 9. *proterit*] eigentl.: reibt vor sich her auf, „zermalmt". — 10. *interitura*] „nur um (selbst) zu vergehen". — *simul*] = *simulatque*. — 11. *effuderit*] „der Früchte Segen ausschüttet". — 12. *bruma iners*] *bruma* = *breuissuma* „der Winter, der träge Gesell". Die Strophe enthält die rasche Schilderung der vier Jahreszeiten, wie die letzte in III, 6 die von vier Generationen. Ähnlich Goethe: „Jahre folgen auf Jahre, dem Frühling reichet der Sommer, Und dem reichlichen Herbst treulich der Winter die Hand". — 13. *tamen*] mit Rücksicht auf den sogleich folgenden Gegensatz. — *caelestia damna*] bezieht sich auf das Schwinden und Wiederanwachsen der Mondscheibe: „Schäden am Himmel".

14—26. 15. *pater*] „ehrwürdig". Äneas ist typisch für einen frommen Mann. — 16. *pulvis*] Vergleiche die Vokale in diesem Verse z. B. mit denen in v. 13. Das ist unwillkürliche, durch den Gedanken bewirkte Lautmalerei. „Es ist nur unsere Abgestumpftheit durch die grofsen und kleinen Angelegenheiten des Lebens, wenn wir für die ungeheuere Thatsache des Dahinsterbens der Menschen so wenig Sinn und Gefühl haben, dafs uns die Hinweisung darauf als Trivialität erscheint" (Schneidewin). — 17. *quis scit an*] Bei Horaz und den Schriftstellern der silbernen Latinität heifst *an* in solcher Verbindung oft „ob". — *summae*] Vgl. I,

cuncta manus avidas fugient heredis, amico
20 quae dederis animo.

cum semel occideris et de te splendida Minos
fecerit arbitria,
non, Torquate, genus, non te facundia, non te
restituet pietas.

25 infernis neque enim tenebris Diana pudicum
liberat Hippolytum,
nec Lethaea valet Theseus abrumpere caro
vincula Pirithoo.

VIII.

Donarem pateras grataque commodus,
Censorine, meis aera sodalibus,

4, 15. — 19. *avidas*] „gierig sich streckend". — *heres*] der lachende Erbe. — 19/20. *amico animo*] „dem lieben Ich", ähnlich φίλῃ ψυχῇ χαριζόμενος. — 21. *occideris*] ehrender Tropus für Torquatus. — *splendida*] ist durch eine Art von Enall. adi. von der herrlichen Erscheinung des Richters Minos auf *arbitria* übertragen, „feierlich". — 22. *arbitria*] „Spruch". — 23. *genus*] prägnant: „Adel". — *facundia*] bezeichnend für Torquatus, der Rechtsanwalt war, „Wortstrom". — 27. *abrumpet*] „sprengen". Die Erzählung vom Hippolytos stimmt nicht ganz mit der sonstigen Sage über ihn, da Diana wirklich den ihr lieben keuschen Hippolytos, der von seiner Stiefmutter mit Unrecht und aus Rache beschuldigt war, ihr nachgestellt zu haben, vom Tode erweckte. — Pirithous war mit Theseus in die Unterwelt hinabgestiegen, um Persephone zu rauben. Theseus wurde durch Herkules von dem Felsen befreit, an den sie gefesselt waren; bei Pirithous war dies nicht möglich. Beide waren übrigens entgegengesetzten Charakters.

Man vergleiche dies Frühlingslied mit I, 4. Der Dichter ist, das merkt man, älter geworden und dieses Lied in seiner Stimmung nach unserem Gefühl mehr ein Herbstlied. Nauck vergleicht Lenaus: „Welkt die Rose, kehrt sie wieder; Mit den lauen Frühlingswinden Kehren auch die Nachtigallen; Werden sie dich wiederfinden?"

Carm. IV, 8. An Censorinus. Mein Geschenk besteht in einem Liede (1—12). Lieder künden besser als Statuen die Thaten der Helden (13—24). Lieder machen Menschen zu Göttern, indem sie ihren Werken Unsterblichkeit verleihen (25—34). — Geschenk zum Saturnalienfest mit vielfach scherzhaften Wendungen.

1—12. 1. *commodus*] „gefällig". —

donarem tripodas, praemia fortium
Graiorum, neque tu pessima munerum
5 ferres, divite me scilicet artium
quas aut Parrhasius protulit aut Scopas,
hic saxo, liquidis ille coloribus
sollers nunc hominem ponere, nunc deum.
sed non haec mihi vis, nec tibi talium
10 res est aut animus deliciarum egens.
gaudes carminibus; c a r m i n a p o s s u m u s
donare, et pretium dicere muneri. —
non incisa notis marmora publicis,
per quae spiritus et vita redit bonis
15 post mortem ducibus, [non celeres fugae
reiectaeque retrorsum Hannibalis minae,
non incendia Carthaginis impiae

---

5. *ferres*] „davontragen“. — *dives* mit dem Genetiv. Prosa: *plenus*. — *Parrhasius*] berühmter Maler in Athen um 400. Wettstreit mit Zeuxis: gemalter Vorhang. — 6. *Scopas*] um 350. Dem Dichter schwebte vielleicht die Statue des Apollo citharoedus im palat. Apollotempel, ein Werk des Scopas, vor. Auch Liebesgötter, Mänaden, Nymphen waren in Rom von diesem Künstler zu sehen. — 8. *sollers ponere* („bilden“)] = *peritus ponendi*. — 9. *vis*] „Möglichkeit“. — 10. *res*] „Vermögen“. — *animus*] „Sinn“. *egens talium deliciarum*: verlangend nach solchen „Kleinodien“. *deliciae* sind es für Liebhaber. — 12. *pretium dic. mun.*] eigentl. für mein Geschenk einen Preis feststellen, d. h. dem Liede seinen Preis singen; scherzhaft hinzugesetzt, damit der Freund den Wert des Geschenkes ermesse.

13—24. 13. *marmora*] „Marmorblöcke“, wie oben *aera*; gemeint sind Statuen, wie sie Augustus seinen Helden auf dem Forum Augusti errichtete. — *incisa*] „behauen“. — 14. *per quae* etc.] prosaisch: die nicht blofs porträtähnlich sind, sondern auch den Geist jener Männer erraten lassen. — 15. *non celeres fugae*] Kurz für: die Erwähnung der . . . Thaten in den *notis publicis* oder in den Geschichtsbüchern; von Hadrumetum nach Carthago nach der Schl. bei Zama. — 16. *Hannib. minae*] Sein Zug nach Italien war eine Drohung, vgl. IV, 4. — 17. *non incendia*] („Riesenbrand“). Dem Vers fehlt die Diärese, doch geben Eigennamen dem Dichter eine Entschuldigung. — *Carthag.*] Damit kann nur die Verbrennung Karthagos unter Scipio Africanus m i n o r gemeint sein, während das sonst Erwähnte auf Afric. m a i o r geht. Der Dichter hat, wie auch aus *eius, qui dom.* hervorgeht, nur an Afric. maior gedacht und in *incend.* sich geirrt, wenn der Vers überhaupt von ihm herrührt. Mittel wie wir, um Geschichte zu lernen, hatte

eius qui domita nomen ab Africa
lucratus rediit,] clarius indicant
20 laudes quam Calabrae Pierides; neque
si chartae sileant quod bene feceris,
mercedem tuleris. quid foret Iliae
Mavortisque puer, si taciturnitas
obstaret meritis invida Romuli?
25 ereptum Stygiis fluctibus Aeacum
virtus et favor et lingua potentium
vatum divitibus consecrat insulis. —
dignum laude virum Musa vetat mori.
caelo Musa beat. sic Iovis interest
30 optatis epulis impiger Hercules,
clarum Tyndaridae sidus ab infimis
quassas eripiunt aequoribus rates,
ornatus viridi tempora pampino
Liber vota bonos ducit ad exitus.

H. nicht. Auch Lucian verwechselte (Dialog. mort. XII) die beiden Scipionen. — 18. *eius, qui dom. eius*] hängt von *laudes* ab. *rediit* ist nicht betont, sondern *lucratus* — 20. *Calabrae*] Gemeint sind die Annalen des Ennius (239—169 v. C.) aus Rudiae in Calabrien. — 21. *chartae*] „Blätter“ für Gedichte. — *feceris*] mufs allgemein gefafst werden: „man“. — 22. *mercedem*] „gebührenden Dank“. — 24. *obstaret*] lokal: sich stellte vor den Glanz der Verd., vgl. übrigens 3, 3. — *Romuli*] statt *eius*.

25—34. 25. *ereptum*] ist aufzulösen und mit *consecrat* durch „und“ zu verbinden. — 26. *virtus et favor et lingua*] können sich alle drei nur auf den Dichter beziehen: Können, Gunst und Kunst der Dichter. — 27. *divitibus*] „selig“. — 29. *caelo Musa*] betone nicht *Musa*, sondern *caelo*: „Sogar mit dem Himmel“ (Plüfs). — *sic*] „nur so“ (kam es, dafs) gehört auch — und ist bei *clarum et ornatus* zu übersetzen. — 31. *clar. Tynd. sidus*] statt der gewöhnlichen Stellung: *Tynd. clarum sidus*. — *ab infimis aequoribus*] „aus der grundlosen Tiefe“. — 33. *tempora*] Accus., nachdem er sich die Schläfe geschmückt hat. — *ornat. pampino*] ist ähnlich dem III, 25, 20. — 34. Liber gehörte ursprünglich nicht zu den olympischen Göttern. Erst die Dichter haben ihn zu der Götter Ruhm erhoben. Man vgl. zu der ganzen Stelle und zu der Auffassung des Dichters Cicero, Tuscul. I, § 28 ff.; besonders „hinc Liber, Semela natus, eademque famae celebritate Tyndaridae fratres“ etc. — *vota ducit ad exitus*] bezieht sich fein auf den Anfang des Gratulationsgedichtes zurück.

IX.

Ne forte credas interitura, quae
longe sonantem natus ad Aufidum
non ante volgatas per artes
verba loquor socianda chordis:

5 non, si priores Maeonius tenet
sedes Homerus, Pindaricae latent
Ceaeque et Alcaei minaces
Stesichorique graves Camenae;

nec siquid olim lusit Anacreon,
10 delevit aetas; spirat adhuc amor
vivuntque commissi calores
Aeoliae fidibus puellae.

Goethe singt am Schlufs des Vorspiels zum Faust: „Wer flicht die unbedeutend grünen Blätter zum Ehrenkranz Verdiensten jeder Art? Wer sichert den Olymp, vereinet Götter? — Des Menschen Kraft im Dichter offenbart!"

Carm. IV, 9. An Lollius. Nicht blofs Homers Gesänge, auch unsere, der kleinen Dichter Lieder machen unsterblich. Wessen Thaten aber keinen Sänger finden, der wird vergessen (1—29). Darum will ich dir ein Ruhmeslied singen und dich preisen, weil du stets die Ehre dem Nutzen vorzogst (30—52). Höhepunkt um die Mitte des Gedichts. — Äufsere Veranlassung: Lollius war von den Sygambrern geschlagen worden.

A. 1—29. 1—12. 2. *natus*] Es war und ist Gewohnheit, den Geburtsort der Dichter nach Flüssen anzugeben. — 3. *volgatas artes*] „gewohnte Weisen", gehört zu *socianda,* nicht zu *loquor.* — Was mufs zwischen Vordersatz und Nachsatz eingeschoben werden? — 5. *priores*] „Hochsitz". Dem Dichter gelten also alle aufser Homer für Dichter zweiten Ranges. — 6. *latent*] „bleibt darum im Dunkel". — 7. *minaces*] „kraftbewufste". Von den drei Gattungen, die Alkäus pflegte, schwebte H. hier die der *στασιωτικά* vor. — 8. *graves*] „ernst, feierlich". — 9. *si quid*] fast = *quidquid.* — *lusit*] „scherzte", von der Liebesdichtung. Diese Lyriker gelten ihm für Dichter dritten Ranges. — 10. *spirat*] betont: „nein, es atmet noch". — Man beachte den Tropus in *spirat.* Vgl. Cic. Brut, § 54: „videtur Laelii mens spirare etiam in scriptis". — 11. *commissi*] aufzulösen: welche das äolische Mädchen ... vertraute. — Ähnlich denkt Cicero, Orat. I, 4: „Nam in poetis non Homero soli locus est aut Archilocho aut Sophocli aut Pindaro, sed horum vel secundis vel etiam infra secundos."

non sola comptos arsit adulteri
crines et aurum vestibus inlitum
15 mirata regalesque cultus
et comites Helene Lacaena,

primusve Teucer tela Cydonio
direxit arcu, non semel Ilios
vexata, non pugnavit ingens
20 Idomeneus Sthenelusve solus

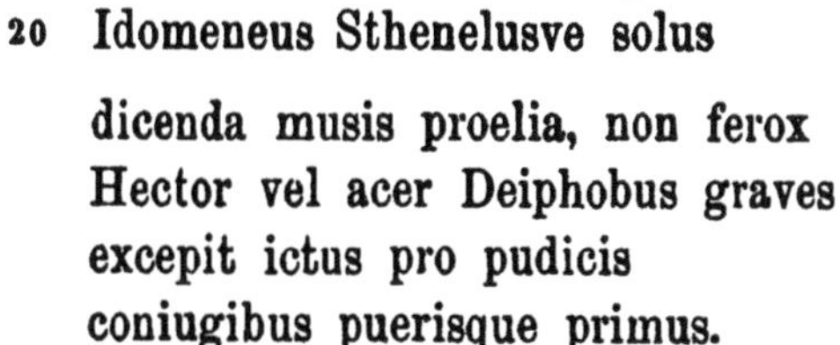

dicenda musis proelia, non ferox
Hector vel acer Deiphobus graves
excepit ictus pro pudicis
coniugibus puerisque primus.

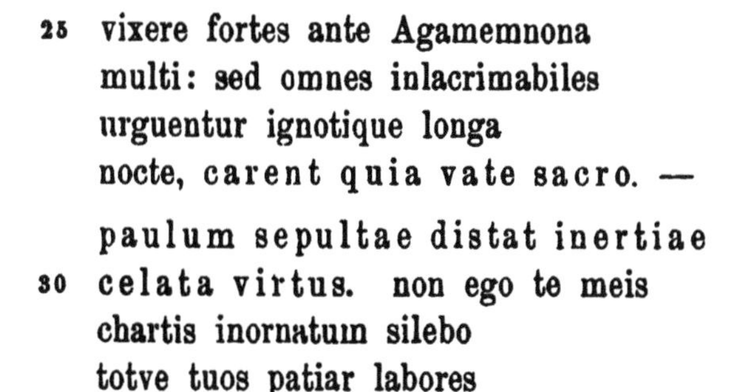

25 vixere fortes ante Agamemnona
multi: sed omnes inlacrimabiles
urguentur ignotique longa
nocte, carent quia vate sacro. —

paulum sepultae distat inertiae
30 celata virtus. non ego te meis
chartis inornatum silebo
totve tuos patiar labores

13—24. 13. *sola*] war Hel. die einzige, die. — *comptos* etc.] hängt von dem zusammengesetzten Ausdruck *arsit mirata* ab. Wir haben zwei Hauptglieder: 1) *comptos crines* und *aurum*, 2) *regales cultus et comites*. Die Schönheit und die Macht des Paris blendeten ihr Auge. — *adulteri*] gehört auch zu *aurum*. — 14. *illitum*] Wir ändern die Beziehung: „golddurchwirkt“. — 15. *cultus*] „Aufzug“. — 17. *primusve*] Die Negation ist im Deutschen zu wiederholen. — 19. *ingens*] das Lieblingswort Virgils. — 21. *dicenda musis*] „sangeswürdige“. — 23. *pudicis*] ist Epitheton perpetuum = *αἰδοῖος* im Homer, sonst könnte es nur auf Hektors Gemahlin gehen. — *ictus*] Plural: „Todeshieb“. — 24. *primus*] an betonter Stelle, ebenso *vixere*.

25—29½. 27. *urguentur*] „umfangen“. — 28. *carent*] = *quia nondum invenerunt praeconem facinorum*. — 29. *paullum*] hier = *nihil*, wie *immitis* geradezu = *crudelis*, *impiger* „rastlos ringend“. — *sepultae inertiae*] Dativ: „verscharrter Trägheit“. — *distat*] natürlich in dem Urteil der Nachwelt. — 30. *celata*] setzt böse Absicht voraus. Denke an das bekannte „Totschweigen“.

B. 30—52. 31. *inornatum*] „so dafs du keine Ehre hättest durch“. —

impune, Lolli, carpere lividas
obliviones. est animus tibi
35 rerumque prudens et secundis
temporibus dubiisque rectus,

vindex avarae fraudis et abstinens
ducentis ad se cuncta pecuniae,
consulque non unius anni,
40 sed quotiens bonus atque fidus

iudex honestum praetulit utili,
reiecit alto dona nocentium
voltu, per obstantes catervas
explicuit sua victor arma. —

45 non possidentem multa vocaveris
recte beatum; rectius occupat
nomen beati, qui deorum
muneribus sapienter uti

duramque callet pauperiem pati
50 peiusque leto flagitium timet,
non ille pro caris amicis
aut patria timidus perire.

---

33. *lividas obliviones*] „neidfahle V." mit deutlicher Assonanz. Subjekt zu *carpere*. Der Plural von Abstrakten bezeichnet oft eine Steigerung des Begriffs. — 36. *dubiisque*] „wie in gefährlichen". — *rectus*] „ungebeugt". — 39. *consul*] bezieht sich ebenfalls noch auf *animus*. Es empfiehlt sich aber aus *animus tibi est* jetzt ein einfaches „du" herauszunehmen. Natürlich ist er nicht wirklicher Konsul, sondern verdiente es nur immer zu sein. — 42. *reiecit*] Asyndeton, wie H. es liebt; *iudex* bleibt Subjekt. — 44. *explicuit arma*] Wir: „Panier entfaltete". — 45. *non possidentem*] Vgl. zu diesem stoischen Gedanken besonders II, 2. — 49. *pauperiem pati*] vgl. III, 2, 1. — 50. *peius*] Adjektiv „als etwas Schlechteres als". — *flagitium*] „das Brandmal der Schande"; Ehre verloren, alles verloren! — 51. *ille*] dient zur Verschärfung des Gegensatzes: *timet*. — 52. *non timidus*] „. . . aber nicht bangt".

Das ernste Gegenstück zu der vorhergehenden Ode.

Carm. IV, 10. Jugendschönheit vergeht. Darum baue auf sie nicht Berechnungen!

X.

O crudelis adhuc et Veneris muneribus potens,
insperata tuae cum veniet pluma superbiae
et quae nunc umeris involitant deciderint comae,
nunc et qui color est puniceae flore prior rosae
5 mutatus, Ligurine, in faciem verterit hispidam,
dices „heu“ quotiens te speculo videris alterum,
„quae mens est hodie, cur eadem non puero fuit,
vel cur his animis incolumes non redeunt genae?“

XI.

Est mihi nonum superantis annum
plenus Albani cadus; est in horto,
Phylli, nectendis apium coronis;
est hederae vis
5 multa, qua crines religata fulges;
ridet argento domus; ara castis

---

1. *Veneris muneribus potens*] Es schwebt Ilias III, 54 vor: *τά τε δῶρ' Ἀφροδίτης, ἥ τε κόμη τό τε εἶδος.* — 3. *involitant*] legt den Locken eine bewufste Bewegung bei. — *deciderint comae*] bleibt im Bilde vom Laube. — 4. *nunc et qui color*] = *et color qui nunc est.* — *prior*] Das Plus des Komparativs pflegen wir im Deutschen nicht zu beachten: die Purpurrosenfarbe. — 5. *Ligurine*] statt *te,* weil Ligurinus als Nomen appell. gefühlt wurde und so in schärfsten Gegensatz zu *fac. hispidam* trat. — 6. *speculo*] Abl. instr. „im Spiegel“. — *alterum te*] „dein Bild“, von *alter ego.* — 8. *his animis*] ist Dativ. — *incolumes*] „glatte“.

Nauck vergleicht: „Es liegt der heifse Sommer Auf deinen Wängelein; Es liegt der Winter, der kalte, In deinem Herzchen klein. Das wird bei dir sich ändern, du Vielgeliebte mein! Der Winter wird auf den Wangen, Der Sommer im Herzen sein.“ (H. Heine.)

Carm. IV, 11. Machet alles bereit zur Festfeier (1—16). Es gilt den Geburtstag meines Mäcenas (17—20). Du aber, Phyllis, lafs deinen Liebeskummer und singe mit mir zur Feier meine Lieder (21—36). Höhepunkt in der Mitte.

1—16. Die Verba stehen bedeutungsvoll voran. — 5. *crines*] zu *religata.* — *fulges*] ist vielleicht Futurum eines archaistischen *fulgere.* — 6. *ridet argento*] „es prangt im Silber-

vincta verbenis avet immolato
spargier agno;

cuncta festinat manus, huc et illuc
10 cursitant mixtae pueris puellae;
sordidum flammae trepidant rotantes
vertice fumum.

ut tamen noris, quibus advoceris
gaudiis: idus tibi sunt agendae,
15 qui dies mensem Veneris marinae
findit aprilem,

iure sollemnis mihi sanctiorque
paene natali proprio, quod ex hac
luce Maecenas meus adfluentes
20 ordinat annos. —

Telephum, quem tu petis, occupavit
non tuae sortis iuvenem puella
dives et lasciva tenetque grata
compede vinctum.

25 terret ambustus Phaethon avaras
spes, et exemplum grave praebet ales
Pegasus terrenum equitem gravatus
Bellerophonten,

semper ut te digna sequare et ultra
30 quam licet sperare nefas putando
disparem vites. age iam, meorum
finis amorum

---

schmuck". — 7. *vincta*] bezeichnet die Fülle des Schmuckes. — 8. *spargier*] ältere Form für *spargi*. — Konstr.: *rotantes vertice sordidum fum*. Der Dichter denkt an Il. I, 317: *κνίσση δ' οὐρανὸν ἶκεν ἑλισσομένη περὶ καπνῷ*. — 13. *noris*] nämlich Phyllis.

17—20. 19. *adfluentes*] „den Zufluſs der Jahre".

21—36. 21. *quem petis*] realistisch für: dessen Bild dich begleitet. — 22. *non tuae sortis*] zu *iuvenem*. — 23/4. *grata compede*] wiederholt aus I, 33, 14. — 25. *terret*] „sollte abschrecken von". — *avaras*] „zu ehrgeizigen". — 26. *grave*] „ernst". — 28. *Belleroph.*] „einen B.". — 30. *putando*] Der Abl. Gerund. steht wie

(non enim posthac alia calebo
femina), condisce modos, amanda
35 voce quos reddas: minuentur atrae
carmine curae.

XII.

Iam veris comites, quae mare temperant,
impellunt animae lintea Thraciae,
iam nec prata rigent nec fluvii strepunt
hiberna nive turgidi.

5 nidum ponit Ityn flebiliter gemens
infelix avis et Cecropiae domus
aeternum opprobrium, quod male barbaras
regum est ulta libidines.

dicunt in tenero gramine pinguium
10 custodes ovium carmina fistula

---

bei Livius statt des Part. Praes. — 35. *quos*] nachgestellt. — 35/6. *atrae curae*] hier von Phyllis' unglücklicher Liebe.

Carm. IV, 12. An den Dichter Virgil. Der Lenz ist da und Leben auf der Flur (1—12). Wir wollen ihn feiern, doch du mufst mitsteuern (13—16). Man darf die Gelegenheit zu einer fröhlichen Feier nicht unbenutzt vergehen lassen (17—28). (12. 4. 12).

1—12. 1. *animae Thraciae*] wie z. B. der Zephyr; dazu Apposition *ueris comites. temperant* „sänftigen". *animae* „Hauche". — 2. *impellunt*] „blähen". — 5. *Ityn*] Nachahmung des Naturlauts der Nachtigall. Itys war der Sage nach Sohn der Prokne, der Gattin des thrazischen Königs und Tochter des Kekropssohnes Pandion. Sie tötete im Verein mit ihrer Schwester Philomele, an der sich Tereus vergangen, diesen; zur Strafe dafür wurden sie zu Nachtigall und Schwalbe, Tereus zum Wiedehopf. — *flebiliter gemens*] für die schönen, wenn auch klagenden Töne der Nachtigall uns nicht ausreichend. — 6. *infelix avis*] Gemeint ist die Nachtigall (nahtigal, *luscinia, ἀηδών*). — 7. *opprobrium*] Apposition zu *infelix avis*. So wird Elektra von der Mutter *μίσημα*, Aegisthos von Elektra *βλάβη* genannt. — *quod*] erklärt *opprobrium*. — *male*] „unmäfsig strafte" kann hier wohl trotz der Stellung nicht zu *barbaras* gezogen werden, sondern gehört zum Verb. — *barbaras reg. libidines*] (Gelüst). Diese Enall. adi. läfst sich nachahmen: „barbarisches Königsgelüst". — *regum*] in Beziehung auf den König Tereus von Thrazien. — 9. *dicunt*] Zur Bedeutung vgl. III, 4, 1. — *tenero*] „spriefsend". — 10. *fistula*] s. zu III, 4, 1. — 11. *de-*

delectantque deum, cui pecus et nigri
colles Arcadiae placent.

adduxere sitim tempora, Vergili:
sed pressum Calibus ducere Liberum
15 si gestis, iuvenum nobilium cliens,
nardo vina mereberis.

nardi parvus onyx eliciet cadum,
qui nunc Sulpiciis accubat horreis,
spes donare novas largus amaraque
20 curarum eluere efficax.

ad quae si properas gaudia, cum tua
velox merce veni: non ego te meis
immunem meditor tinguere poculis,
plena dives ut in domo.

25 verum pone moras et studium lucri,
nigrorumque memor, dum licet, ignium

---

lectantque] „zur Freude des". — *nigri colles*] Auf den Hügeln Arkadiens wohnt Pan oder Faunus.

13—26. Die vorangegangene Frühlingsschilderung, besonders die Erwähnung Pans, ist eine launige Nachbildung Virgilischer Gedanken, wie sie in den Bucolica sich finden. — 13/4. *adduxere ... sed si gestis ... mereberis*] Durch die Aufeinanderfolge des Perf. und des Präs. erspart der Dichter die prosaische Periodenform. — 15. *iuv. nob. cliens*] Die Anrede steht im begründenden Sinne zum Folgenden. Schützling hoher Herren (viell. Augustus, Mäcenas u. s. w.). — 16. *mereberis*] „mufst du". — 17. *nardi*] Diese Anaphora ersetzt nur die logische Verbindung. *parvus* und *cadus* sind Gegensätze. Die Alten verwendeten eine unglaublich grofse Zahl gewürzhaltiger Kräuter und Mineralien, um ihren Weinen Würze und Bouquet zu verleihen. Sie wurden in Leinwandsäckchen in den Wein gethan. (Unsere „Waldmeisterbowle" der Jahreszeit nach.) — *Sulpicia horrea*] Warenmagazine am Aventin. — Konstr.: *largus* (auf *qui* bezogen) *donare spes novas efficaxque* („erprobt *(ax)* in der Wirkung") *eluere amara curarum.* — 22. *non ego*] *ego* ist nicht betont. — 23. *poculis*] Das Gefäfs steht für den Inhalt. — 25. *studium lucri*] „den leidigen Eifer ums Geld", hier scherzhaft, da Virgil nichts weniger als materielle Güter suchte. — 26. *ignium*] „Feuergluten". — *dum licet*] gehört zu beiden: *memor* und *misce*; wir ziehen es besser zum Hauptverb. — 27. *misce*] „geselle". — *stultitiam*] bezeichnet ein Leben, welches dem Augenblicke sein Recht gönnt und nicht immer nach philosophischen

misce stultitiam consiliis brevem:
dulce est desipere in loco.

XIII.

Audivere, Lyce, di mea vota, di
audivere, Lyce: fis anus; et tamen
vis formosa videri,
ludisque et bibis impudens,

5 et cantu tremulo pota Cupidinem
lentum sollicitas: ille virentis et
doctae psallere Chiae
pulchris excubat in genis.

importunus enim transvolat aridas
10 quercus et refugit te, quia luridi
dentes te, quia rugae
turpant et capitis nives.

nec Coae referunt iam tibi purpurae
nec cari lapides tempora, quae semel

Grundsätzen geregelt ist. *stulti* sind oft die „Nichtphilosophen“. — *consiliis*] „Geplane“; darin liegt ein dem *brevem* entgegengesetzter Begriff. Spielt er etwa auf die Äneis an? — 28. *desipere*] „tollen“. — *in loco*] wo *locus* die prägnante Bedeutung hat, vgl. II, 7, 28.

Ein scherzhaftes Gedicht aus der Jugendzeit des Horaz an seinen Jugendfreund voll heiteren Scherzes. Warum er es in das späte IV. Buch aufnahm, nachdem Virgil längst tot war, wer kann es wissen?

Carm. IV, 13. Liebe kannst du nicht mehr erwecken, so sehr du es auch versuchst (1–12); denn du bist alt (13–16). Einst ja warst du schön, jetzt eine erloschene Fackel (17—28). 12. 4. 12.

1—12. 1. *di audivere*] in chiastischer Stellung. — 2. *Lyce*] Achte auf die beabsichtigte Wiederholung und die vielen spitzen *i*-Vokale. — 6. *sollicitas*] Das Präsens hat oft die Bedeutung de conatu. — *ille excubat* etc.] ein wundervolles Bild aus Sophokles' Antig. 783: *ὃς ἐν μαλακαῖς παρειαῖς νεάνιδος ἐννυχεύεις*, welches dem Römer wegen seines aus dem Kriegsleben entlehnten Ausdrucks gefiel, vgl. I, 3, 31. — 9. *aridas*] „verdorrt“ bleibt in dem mit *virentis* eingeführten Bilde. — 12. *capitis nives*] eine uns geläufige Metapher, welche aber den Alten hart und weit hergeholt erschien.

13—16. 13. *referunt*] „rückgängig

15 notis condita fastis
inclusit volucris dies.

quo fugit Venus, heu, quove color? decens
quo motus? quid habes illius, illius
quae spirabat amores,
20 quae me surpuerat mihi,

felix post Cinaram notaque et artium
gratarum facies? sed Cinarae breves
annos fata dederunt,
servatura diu parem

25 cornicis vetulae temporibus Lycen,
possent ut iuvenes visere fervidi
multo non sine risu
dilapsam in cineres facem.

XIV.

Quae cura patrum quaeve Quiritium
plenis honorum muneribus tuas,

---

machen". — 15. *condita inclusit*] „verborgen und verschlossen hat".

17—28. 17. *quove*] „und wohin". — *color*] prägnant. — *decens motus*] „Anmut der Bewegung". — 18. *illius*] Repetitio; schiebe ein „ja" ein: „er, ja, er". — 20. *surpuerat*] = *surripuerat*. — 21. *notaque* etc.] ist Apposition zum Vokativ *felix*. — *artium gratarum*] Gen. qual. zu *facies*; *nota* „eine berühmte (Schönheit)". Über *artes* vgl. IV, 1, 15; *et* entspricht dem *que*. — 24. *servatura*] „nur um zu", eigentlich logisch dem *dederunt* gleichstehend. — 25. *cornicis*] „um ein Krähenalter zu schenken". — 26. *fervidi*] „im Feuer der Jugend". — 28. *dilapsam in cineres fac.*] mit Rücksicht auf das Bild in *fervidi*. Man denke auch daran, daſs die Geliebte selbst *flamma* heiſsen konnte. Das Gedicht schlieſst pointiert wie ein Sonett.

Carm. IV, 14. An Tiberius Nero. Wieder mehrte sich dein Ruhm, Augustus (1—8½); denn Drusus und vor allen Tiberius hat die wilden Alpenvölker besiegt mit deinen Mannen (8½—32). Du bist Sieger, wie hier, so überall auf der Welt (33—52).

A. 1—8½. 1. *quae cura*] frei: „wie können sorgend die". — 2. *plenis*] „entsprechend". — *honorum muneribus*] bilden einen Begriff. — 3. *virtutes*] „Heldenthaten". — *in aevum*

Auguste, virtutes in aevum
per titulos memoresque fastus
5 aeternet, o qua sol habitabiles
inlustrat oras, maxime principum?
quem legis expertes Latinae
Vindelici didicere nuper

quid Marte posses. milite nam tuo
10 Drusus Genaunos, implacidum genus,
Breunosque veloces et arces
Alpibus impositas tremendis

deiecit acer plus vice simplici:
maior Neronum mox grave proelium
15 commisit immanesque Raetos
auspiciis pepulit secundis,

spectandus in certamine Martio
devota morti pectora liberae
quantis fatigaret ruinis,
20 indomitas prope qualis undas

exercet auster Pleiadum choro
scindente nubes, impiger hostium

---

und *aeternet*] Pleonasmus: „für alle Ewigkeit kenntlich machen". — 4. *titulos*] Inschriften auf Statuen und Bauwerken. — *o qua sol.*] Konstr.: *o maxime principum (omnium), qua* ... — 7. *quem* ... *quid posses*] Prolepse für *qui quid posses.* — *legis Latinae expertes*] positiv: „noch Latium trotzend". — 9. *quid Marte posses*] Apposition und Erklärung zu *quem* „in seiner", vgl. IV, 4, 27.

B. 8½—34½. 9. *tuo*] steht an betonter Stelle, und *milite n. tuo* gehört auch zu *maior Neron.* — 10. *Genaun. impl. genus*] Wir sagen statt der Apposition lieber: „der Genaunen unfromme Art". Genaunen und Breunen sind Illyrier und bewohnen das Thal des Inn. — 12. *tremendis*] „entsetzlich". So erschien den Alten das Alpengebirge. — *impositas*] „getürmt". — *plus (quam) vice simpl.* — 17. *spectandus*] „ein Bild des Glanzes": davon hängt der indirekte Fragesatz ab: *quantis ruinis.* — 18. *morti liberae*] „dem Tode der Freien". — 19. *quantis ruinis fatigares*] mit welcher Vernichtung er Schlag auf Schlag zusetzte den ... — 20. *prope*] wäre nach unserem ästhetischen Gefühl besser weggeblieben, dient aber dazu, das Gleichnis glaublicher zu machen. — 21. *exercet*] „peitscht". — *Pleiadum*] Die Plejaden, das Siebengestirn, gingen am Ende des Oktober unter; damit begann die Sturmzeit. — 22. *impiger*] auf das Hauptsubjekt be-

vexare turmas et frementem
mittere equum medios per ignes.

25 sic tauriformis volvitur Aufidus,
qui regna Dauni praefluit Apuli,
cum saevit horrendamque cultis
diluviem meditatur agris,

ut barbarorum Claudius agmina
30 ferrata vasto diruit impetu
primosque et extremos metendo
stravit humum, sine clade victor,

te copias, te consilium et tuos
praebente divos. nam tibi quo die
35 portus Alexandrea supplex
et vacuam patefecit aulam,

fortuna lustro prospera tertio
belli secundos reddidit exitus,

---

zogen, ohne Milderung: nicht faul = rastlos. — 23. *vexare*] = *ad vexandum*. — *frementem*] „knirschend". — *mittere*] „sprengen". — 24. *ignes*] sprichwörtlich für „Krieg", „selbst mitten". — 25. *sic tauriformis*] ein zweiter Vergleich für die Gewalt des Tiberius. Der Vergleich selbst ist in den Grundzügen homerisch, Il. V. 87: *θῦνε γὰρ ἂμ πεδίον ποταμῷ πλήθοντι ἐοικὼς χειμάῤῥῳ . . . πολλὰ δ' ὑπ' αὐτοῦ ἔργα κατήριπε καλ' αἰζηῶν*. — *tauriformis*] Man dachte sich die Flufsgötter ihres Brüllens wegen mit Stierhäuptern. Kinkel sagt vom Rhein: „packt er das Eis mit lautem Siegsgebrülle". Übrigens ist dies eines der wenigen durch Komposition gebildeten Adjektiva bei Horaz. — 26. *qui regna ... praefluit*] epischer, in einem Hymnus von der Macht der Empfindung leicht mit fortgetragener Zusatz. — 30. *agmina ferrata*] „gepanzerte Scharen". — *diruit* „auseinandergesprengte". Denn die ersten Reihen der Feinde waren durch eiserne Ketten miteinander verbunden. — *impetu*] „Einhauen". — 31. *metendo*] „mähend". — 32. *stravit humum*] mit ihnen den Boden bedeckte. — *sine clade victor*] gehört als Apposition zu Claudius „in stetem Siegen".

32—35. 33. *te copias*] Nach dem Übergang zur Monarchie ging mit der *maiestas* auch die *fortuna* auf den Kaiser über. *Τύχη* im kaiserl. Schlafgemache. — 34. *quo die*] Die Eroberung Alexandrias fand am 1. Sextilis 30 v. Chr. statt. Dieser Tag hatte also für die Römer die Wichtigkeit des 18. Januar für die Preufsen, des 2. September für die Deutschen. — 35. *portus*] Alexandria hat drei Häfen. Obj. zu *patefecit*. — 36. *vacuam*] „still

laudemque et optatum peractis
40 imperiis decus adrogavit.

te Cantaber non ante domabilis
Medusque et Indus, te profugus Scythes
miratur, o tutela praesens
Italiae dominaeque Romae,

45 te, fontium qui celat origines
Nilusque et Ister, te rapidus Tigris,
te beluosus qui remotis
obstrepit Oceanus Britannis,

te non paventis funera Galliae
50 duraeque tellus audit Hiberiae,
te caede gaudentes Sygambri
compositis venerantur armis.

XV.

Phoebus volentem proelia me loqui
victas et urbes increpuit lyra,

---

geworden". — 39. *peractis*] „in Erfüllung der Gebote (des Augustus)". — 42. *profugus*] „nicht zu fassen". — 43. *praesens*] „hilfreich". — 46. *Nilusque*] *que* entspricht dem *et* vor *Ister*. — *fontium qui celat origines*] meint das Wunderland des oberen Nils. — 47. *beluosus*] μεγακήτης. Das Nichtinterpungieren vor dem Relativsatz ermöglicht eine freie Wortstellung. — 49. *non paventis funera*] „nimmer zagend vor dem Grabesgang". Bezieht sich auf den druidischen Unsterblichkeitsglauben der Gallier. — *Galliae*] Genetiv von *tellus* abhängig. — 50. *durae Hiberiae*] Man denke an Numantia! — *audit*] in der Bedeutung *oboedit*. — 51. *caede gaudentes*] „so mordfroh". — 52. *compositis armis*] „und bergen die Waffen".

Das Gedicht ist ein Hymnus wie das Parallelgedicht 4, mit dem es auch sonst in Form und Inhalt Ähnlichkeit hat; 4 geht auf Drusus und Rom, dieses auf Tiberius und Augustus.

Carm. IV, 15. An Augustus. Doch genug des kriegerischen Gesangs! Deine Friedensthaten will ich singen (1—3½). Du hast uns ehrenvollen Frieden gebracht (3½—16), und er wird von Dauer sein (17—20). Darum werden alle dich zunächst den Göttern ehren (21—32). 16. 16.

1—3½. 2. *increpuit lyra*] (Abl. instr.) ist zusammen zu nehmen: zu *loqui* versteht sich *lyra* von selbst; denn der Dichter sagt hier nichts anderes als III, 3, 69—72. — *loqui*] „singen". *increpuit lyra* „scheltend

ne parva Tyrrhenum per aequor
vela darem: tua, Caesar, aetas

5 fruges et agris rettulit uberes
et signa nostro restituit Iovi
derepta Parthorum superbis
postibus et vacuum duellis

Ianum Quirini clausit et ordinem
10 rectum evaganti frena licentiae
iniecit emovitque culpas
et veteres revocavit artes,

per quas Latinum nomen et Italae
crevere vires famaque et imperi
15 porrecta maiestas ad ortus
solis ab Hesperio cubili. —

custode rerum Caesare non furor
civilis aut vis exiget otium,

---

mit der Leier gerauscht". — *victas et*] für *et victas* „Städtezertrümmerung". — 3. *parva*] „winzige", „zu schwache". — *Tyrrhenum aequor*] für „offenes Meer" überhaupt, bildet zu *parva* einen Gegensatz. — 4. *darem*] Hier steht *dare* in seiner ursprünglichen Bedeutung: „stellen, richten". — Es fehlt ein Gedanke wie: So höre!

3½—16. 5. *fruges uberes*] „Erntesegen". Es beginnt ein malendes Polysyndeton. Augustus betrieb die Hebung der Landwirtschaft besonders wegen der Verheerungen durch die Malaria lebhaft. — *Georgika*] *et* wieder umgestellt, für *et fruges*. — 6. *nostro Iovi*] dem neben dem Juppitertempel auf dem Kapitol stehenden kleinen Tempel des Mars Ultor. — 7. *superbis*] „prahlend", eine gute Enallage des Adjektivs. Das geschah im J. 20 v. C. — 8. *vacuum duellis*] „kriegsentlastet", *Ianum Quirini* „Doppelpforte des Kriegsgottes" (geschlossen zur Zeit Numas, dann im J. 235, endlich im J. 29 u. 25 v. C. — Konstr.: *iniecit frena licentiae evaganti ordinem rectum.* Konstr. *evagari* wie *excedere modum.* — *culpas*] „alles böse Wesen". — 12. *artes*] die in III, 1—6 geschilderten Kardinaltugenden, die *pristina disciplina morum.* — *Latinum*] Es werden die drei Stationen der röm. Weltherrschaft angegeben. — 14. *crevere*] aoristisch. — *famaque*] asyndetisch, da *que* dem folgenden *et* entspricht. — 15. *porrecta (est)* ... *ad ortus*] weil sich Roms Blicke zunächst nach dem Orient richteten. Plural dichterisch statt des Sing. — 16. *solis*] steht ἀπὸ κοινοῦ, „Lager im Westen".

17—20. 17. *rerum*] allgemein für „des Staates". — *furor*] „Verblendung". — 18. *exiget*] „verjagen". —

non ira, quae procudit enses
20 et miseras inimicat urbes,

non qui profundum Danuvium bibunt
edicta rumpent Iulia, non Getae,
non Seres infidive Persae,
non Tanain prope flumen orti.

25 nosque et profestis lucibus et sacris
inter iocosi munera Liberi,
cum prole matronisque nostris
rite deos prius adprecati,

virtute functos more patrum duces
30 Lydis remixto carmine tibiis
Troiamque et Anchisen et almae
progeniem Veneris canemus.

---

20. *miseras*] proleptisch, vgl. Schillers „Aus der zarten Kinderschar, die sie blühend ihm gebar". — *inimicat*] Dies Verb hat Horaz selbst gebildet.

21—32. 21. *non qui prof.*] Als Vordersatz ist noch zu denken: *custode rer. Caesare.* — 22. *edicta Iulia*] nicht die Sittengesetze. — 24. *non Tanain prope flumen orti*] „nicht die, deren Wiege am Don stand". — 26. *inter*] zeitlich und örtlich. — 27. *cum prole*] die um einen Tisch versammelte Familie. — 28. *apprecati*] ist wie *remixto* von Horaz neu gebildet. — 29. *more patrum*] zu *canemus*: „morem apud maiores hunc epularum fuisse, ut deinceps qui accubarent canerent ad tibiam clarorum virorum laudes ac virtutes" (Cic., Tusc. IV, 2, 3). *virtute functos* „die der Tugend gewaltet". — 30. *carmine*] „Festgesang". — *Lydis tibiis*] ist Ablativ zu *remixto*. Die Lydische Tonart ist weicher als die Berecyntische. — 32. *progeniem Veneris*] geht zunächst nur auf Äneas. Da dieser aber für den Stammvater der *gens Iulia* galt, so schliefst der Dichter doch mit dem Lobe des Augustus.

Ein Parallelgedicht zu 5. Auch dieses zeugt von einer Versöhnung des Dichters mit dem Kaiser. Aber auch zu IV, 2 steht es in Beziehung.

CARMEN SAECULARE.

Phoebe silvarumque potens Diana,
lucidum caeli decus, o colendi
semper et culti, date quae precamur
tempore sacro,

5 quo Sibyllini monuere versus
virgines lectas puerosque castos
dis, quibus septem placuere colles,
dicere carmen.

alme Sol, curru nitido diem qui
10 promis et celas aliusque et idem
nasceris, possis nihil urbe Roma
visere maius!

rite maturos aperire partus
lenis, Ilithyia, tuere matres,
15 sive tu Lucina probas vocari
seu Genitalis:

Carmen saeculare. Es wurde am dritten Tage des Säkularfestes im palatinischen Tempel der Latoiden von einem Chore von siebenundzwanzig Mädchen und ebenso vielen Knaben gesungen und zwar bei einer Tagesfeier zu Ehren der Lichtgötter, der Kinder Letos, Apollo und Diana.

A. 1—8. 2. *decus*] geht auf Phöbus und Diana. — 3. *semper et*] Umstellung des *et*, welches zu *culti* gehört. — 5. *Sibyllini versus*] Auf deren Geheifs hatte Augustus das Säkularfest angeordnet. — 6. *lectas et castos*] gehören zu beiden Begriffen gemeinsam, sonst möchte man die Epitheta gern vertauschen. — 7. *placuere*] ein Perfekt wie Cic., Orat. I, 4: „qui res magnas ... concupiverunt“, die vom Verlangen ergriffen sind. — 8. *dicere*] = *ut dicerent*.

9—32. Diese Strophen werden abwechselnd von Knaben und Mädchen gesungen. — 9. *alme*] „hold“. — 10. *celas*] Der Tag ist als eine dem Juppiter dienende Gottheit aufgefafst. — 11. *possis*] Coni. optat. — 13. *rite*] zu *aperire*, abhängig von *lenis*. — 15. *probas*] mit dem Nom. c. Inf. = *te vocari*, nach griech. Vorbild. —

diva, producas subolem, patrumque
prosperes decreta super iugandis
feminis prolisque novae feraci
20 lege marita,

certus undenos deciens per annos
orbis ut cantus referatque ludos
ter die claro totiensque grata
nocte frequentes.

25 vosque veraces cecinisse, Parcae,
quod semel dictum est stabilisque rerum
terminus servet, bona iam peractis
iungite fata;

fertilis frugum pecorisque tellus
30 spicea donet Cererem corona,
nutriant fetus et aquae salubres
et Iovis aurae.

condito mitis placidusque telo
supplices audi pueros, Apollo;
35 siderum regina bicornis, audi
Luna, puellas.

Roma si vestrum est opus Iliaeque
litus Etruscum tenuere turmae,
iussa pars mutare Lares et urbem
40 sospite cursu,

---

18. *super*] = *de.* — 19. *prolisque*] Konstr.: *super lege marita (= maritali) feraci prolis novae.* — 21. *certus*] Das den Satz regierende *ut* ist weit zurückgestellt. — *undenos dec. per ann.*] Das *saeculum* betrug nach der Ansicht der Fünfzehn-Männer 110 Jahre. — 22. *orbis*] „Zeitkreis". — *referatque*] *que* sollte hinter *ludos* stehen. — 24. *frequentes*] Acc. Plur. zu *ludos.* — 25. *cecinisse*] hängt von *veraces* ab = *quae veraciter cecinistis.* — 26. *quod*] zu *dictum est* Nominativ, zu *servet* Accusativ. — 27. *servet*] Optativ. — 29. *fertilis*] ist wie *dives* und *pauper* mit dem Genetiv konstruiert. — 31. *fetus*] „das Entsprossene".

B. 33—36, und zwar gehören 33 u. 34 den Knaben, 35 u. 36 den Mädchen. — 33. *condito telo*] = *recondito.* — Verbinde *luna regina bicornis siderum.*

37–60. Wechselgesang der Knaben und Mädchen. — 37. *si*] in Gebeten so viel als *quando.* — 39. *iussa pars*] Apposition zu *turmae Iliae.* —

cui per ardentem sine fraude Troiam
castus Aeneas patriae superstes
liberum munivit iter, daturus
plura relictis:

45 di, probos mores docilis iuventae,
di, senectuti placidae quietem
Romulae genti date remque prolemque
et decus omne;

quaeque vos bobus veneratur albis
50 clarus Anchisae Venerisque sanguis,
impetret, bellante prior, iacentem
lenis in hostem.

iam mari terraque manus potentes
Medus Albanasque timet secures,
55 iam Scythae responsa petunt superbi
nuper et Indi.

iam Fides et Pax et Honos Pudorque
priscus et neglecta redire Virtus
audet adparetque beata pleno
60 Copia cornu.

augur et fulgente decorus arcu
Phoebus acceptusque novem Camenis,
qui salutari levat arte fessos
corporis artus,

65 si Palatinas videt aequus aras,
remque Romanam Latiumque felix

---

41. *sine fraude*] „ohne Fährlichkeit“ zu *munivit*. — 43. *daturus*] nach dem Willen des Schicksals. — 47. *remque prolemque*] Beabsichtigter Gleichklang. *rem* „Macht“. — 49. *quae*] Neutr. Plur. — 50. *clarus sanguis*] nämlich Augustus. — 51. *prior*] „überlegen“, kausaler Zusatz zu *impetret*. — 54. *secures*] prägnant für Amtsgewalt, vgl. III, 2, 19. — 54. *Albanas*] feierlicher für *Romanas*. — 55. *responsa* vom Senat.

61—76. Epodos. 61. *fulgente decorus arcu*] ἀργυρότοξος. — 62. *acceptusque*] drittes Glied zu *Phoebus*. — 63. *fessos*] „matten, kranken“. — 65. *si*] = *quando quidem*. — *aequus*]

alterum in lustrum meliusque semper
prorogat aevum.

quaeque Aventinum tenet Algidumque,
70 quindecim Diana preces virorum
curat et votis puerarum amicas
applicat aures.

haec Iovem sentire deosque cunctos
spem bonam certamque domum reporto,
75 doctus et Phoebi chorus et Dianae
dicere laudes.

---

wie III, 18, 4. — 69. *quaeque*] Der Relativsatz steht dem Beziehungsworte voran. — 71. *puerorum*] hier „Kinder". — *amicas*] proleptisch; darum adverbiell zu übersetzen. — 73. *haec Iovem sentire*] von *spem bonam reporto* abhängig. — 76. *dicere laudes*] von *doctus* abhängig, vgl. 4, 6 am Ende.

Q. HORATII FLACCI
EPODON
LIBER.

I.

Ibis Liburnis inter alta navium,
amice, propugnacula,
paratus omne Caesaris periculum
subire, Maecenas, tuo.
5 quid nos, quibus te vita si superstite
iucunda, si contra, gravis?
utrumne iussi persequemur otium,
non dulce, ni tecum simul,
an hunc laborem mente laturi decet
10 qua ferre non molles viros?

Das Buch der Epoden.

1. Du willst in die Seeschlacht (1–4). Ich will dir folgen (5—14), weil ich dich lieb habe und ohne selbstische Nebengedanken (15—34).

Mäcen war von Octavian aufgefordert worden, zu ihm nach Brundisium zu kommen. Mäcen wollte Horaz schonen und zuhause zurücklassen. Abfassungszeit: 31 v. Chr.

1—4. 1. *Liburnis*] „auf Lib.". Vgl. I, 37, 30 über die Liburner-Jachten. — Doppelte Anreden sind auch im Homer häufig. — 4. *tuo*] *(periculo).*

5—14. 5. *te superstite*] im konditionalen Sinne (vgl. für den Sinn II, 17, 7), entsprechend dem *si contra.* — 7. *utrumne*] Dem Sinne nach gleich *utrum.* — 8. *ni tecum* etc.] bezieht sich nur auf *non dulce* (ergänze *οὖσα*). — *an*] Die zweite der Doppelfragen enthält in der Regel die Annahme, für welche sich der Fragende entscheidet, also „oder nicht vielmehr". — 9. *laturi*] ergänze *sumus.* Die Coni. periphr. ist statt des Futurs gesetzt, um das Eintreten der Handlung als unmittelbar bevorstehend zu bezeichnen. — Konstr.: *qua (ratione)*

feremus, et te vel per Alpium iuga
inhospitalem et Caucasum,
vel Occidentis usque ad ultimum sinum
forti sequemur pectore. —
15 roges tuum labore quid iuvem meo
imbellis ac firmus parum?
comes minore sum futurus in metu,
qui maior absentis habet;
ut adsidens implumibus pullis avis
20 serpentium adlapsus timet
magis relictis, non ut adsit auxili
latura plus praesentibus.
libenter hoc et omne militabitur
bellum in tuae spem gratiae,
25 non ut iuvencis inligata pluribus
aratra nitantur meis
pecusve Calabris ante sidus fervidum
Lucana mutet pascuis,

---

ferre (hunc laborem) viros non molles decet. — 12. *inhosp. et*] Transpositio des *et.* Auch in der deutschen Dichtung haben wir diese Art geographischer Poesie, z. B. in der Antwort auf die Frage: Was ist des Deutschen Vaterland?

15—42. Die richtige Fassung der lyrischen Stimmung bringen die Verse 15—22; hier ist eine dreifache Abstufung. 15 u. 16 Entwickelung. 17 u. 18 Erfassung. 19—22 Klärung des zündenden poetischen Gedankens. 23 bis 34 enthalten den Epodus. Die Pointe des Gedichts enthalten v. 17 18 (Schweikert). Konstr.: *quia iuvem tuum (laborem) labore meo.* — 16. *imbellis ac* etc.] begründend aus dem Sinne des Mäcenas. *imbellis* scherzhaft tadelnd. — 18. *qui maior . . . habet*] umschreibt den eben ausgesprochenen Gedanken. — *habet*] „quält". — *ut*] übers. den Satz als Hauptsatz: so bangt der Vogel. — Der Vergleich lag jedem nahe, der Homer, Ilias II, 310 etc. kannte. — 19. *adsidens*] bezeichnender für das allgemeinere *habens* „im Besitz". — 21. *relictis*] Dativ, abhängig von *timet* = *si relictae sunt*, nämlich von ihm selbst, wenn er Futter holt. — Konstr.: *non latura plus auxili praesentibus, ut adsit*, steht konzessiv zum Vorhergehenden. *ut* = *licet.* — 24. *in spem*] kurz für einen Satz: *dummodo mihi spes sit.*

25—34. Auf *pluribus* (mehreren als früher) und *meis* (mir gehörigen) liegt der Ton. — 26. *nitantur*] „sich mühen". — Die Herden zogen im Sommer von Calabrien nach Lucanien. — 28. *mutet*] „eintauschen gegen". —

neque ut superni villa candens Tusculi
30 Circaea tangat moenia. —
satis superque me benignitas tua
ditavit: haud paravero
quod aut avarus ut Chremes terra premam,
discinctus aut perdam ut nepos.

II.

„Beatus ille qui procul negotiis,
ut prisca gens mortalium,
paterna rura bobus exercet suis
solutus omni fenore,
5 neque excitatur classico miles truci,
neque horret iratum mare,

---

30. *Circaea moenia*] nämlich Tusculum, welches von Telegonus, dem Sohne Circes, gegründet sein sollte. — 30. *tangat*] Es handelt sich um Schönheit und Gröſse des Landhauses. — 33. *quod*] „einen Schatz, um ihn". — *avarus*] gehört zu *premam*, wie *discinctus nepos* zu *perdam*. — *Chremes*] ward ein Nomen appellat. zur Bezeichnung der geizigen Alten. — 34. *perdam*] „durchbringen". — *nepos*] weil die Enkel beim Groſsvater in der Regel schlecht erzogen werden.

Für den Schluſs vergleiche man das Gedicht II, 18.

2. Ich preise den, welcher, den lästigen Geschäften der Stadt enthoben (1—8), die einfacheren und erfreulicheren des Landmannes ausüben (9—22) und dort seine Erholung genieſsen oder die Freuden der Jagd kosten kann (23—38). Wer vollends sich eine Gattin vom Lande wählt, wer mit den Erzeugnissen seiner Erde als Nahrung zufrieden ist, wer kein anderes Schauspiel begehrt, als den Zug seiner Herden zu schauen, genieſst ein reines Glück (39—66). So sprach der Wucherer Alfius voller Begeisterung — aber wie hätte diese Liebe von Dauer sein können, da sein Gewerbe ihn nicht zur Genügsamkeit erzogen hatte? (67—70.) Schiller, Braut von Mess. IV, 7: „Selig muſs ich ihn preisen, der in der Stille der ländlichen Flur Fern von des Lebens verworrenen Kreisen Kindlich liegt an der Brust der Natur."

A. Einleitung (1—8). 1. *beatus ille . . . negotiis*] Selig ist der Mann — „Geschäften". — *suis*] „eigenen". — 3. *exercet*] „er quält sie": γᾶν ἀποτρύεται in Sophocles Antigone. — 4. *fenore*] „Leihwesen". — 5. *neque excitatur*] Der Relativsatz wird fortgesetzt. — 5. *miles*] steht parallel zu *solutus omni fenore*. — *excitatur classico*] „wird aufgeschreckt", nämlich zur Schlacht. — 6. *horret*] „zu

forumque vitat et superba civium
potentiorum limina.
ergo aut adulta vitium propagine
10 altas maritat populos,
aut in reducta valle mugientium
prospectat errantes greges,
inutilesve falce ramos amputans
feliciores inserit,
15 aut pressa puris mella condit amphoris
aut tondet infirmas oves:
vel cum decorum mitibus pomis caput
Autumnus agris extulit,
ut gaudet insitiva decerpens pyra,
20 certantem et uvam purpurae,
qua muneretur te, Priape, et te, pater
Silvane, tutor finium!
libet iacere modo sub antiqua ilice,
modo in tenaci gramine:
25 labuntur altis interim ripis aquae,
queruntur in silvis aves,
fontesque lymphis obstrepunt manantibus,
somnos quod invitet leves.

---

bangen braucht". — *iratum*] ist betont. — 7. *superba*] schöne Enallage adi. für *superborum*. — *civium*] „Mitbürger", bildet mit *superba* eine ironische Verbindung. — Man vergleiche für das Bisherige Sat. I, 1.

B. 9—38. 10. *maritat*] Goethe: „Sah den emsigen Winzer die Rebe der Pappel verbinden" (Nauck). — 11. *in reducta valle*] gehört nicht zu *prospectat*. — 12. *errantes*] So heifst das sich zerstreuende, weidende Vieh. — 14. *feliciores*] „ertragreichere". — *puris amphoris*] zu *condit*. — 17. *vel*] Die Freuden sind also nicht auf den Sommer beschränkt. — 18. *Autumnus*] Der Herbst wird personifiziert. — 18. *agris*] Abl. — 20. *purpurae*] hängt von *certantem* ab, Compar. compend.; vgl. II, 6, 15. — 21. *Priape*] Gott der Gärten. — *ilice*] Unter den von Horaz erwähnten Bäumen fehlen uns viele, ohne die wir uns Italien jetzt nicht denken können. Aber das Landschaftsbild Italiens war ein ganz anderes damals als jetzt. — 24. *tenaci*] das Gras ist so hoch, dafs es wie mit Armen festzuhalten scheint. — 25. *altis ripis*] Abl. qual. — 26. *queruntur*] Von dem schmelzenden Gesang der Nachtigall. — 27. *lymphis*] Dativ. Das durchfliefsende Gewässer wird von

at cum tonantis annus hibernus Iovis
30 imbres nivesque comparat,
aut trudit acres hinc et hinc multa cane
apros in obstantes plagas,
aut amite levi rara tendit retia
turdis edacibus dolos,
35 pavidumque leporem et advenam laqueo gruem
iucunda captat praemia.
quis non malarum, quas amor curas habet,
haec inter obliviscitur?
quodsi pudica mulier in partem iuvet
40 domum atque dulces liberos,
Sabina qualis aut perusta solibus
pernicis uxor Apuli,
sacrum vetustis exstruat lignis focum
lassi sub adventnm viri,
45 claudensque textis cratibus laetum pecus
distenta siccet ubera,
et horna dulci vina promens dolio
dapes inemptas apparet:
non me Lucrina iuverint conchylia
50 magisve rhombus aut scari,
si quos Eois intonata fluctibus
hiems ad hoc vertat mare,

Quellen gespeist, so dafs es sich ausbreitet. — 29. *tonantis*] steht hier in Beziehung auf die Situation. — *Iovis*] Juppiter ist hier als Zeitgott gedacht wie in Sophokles Elektra v. 49. — 33. *levi*] mit langem *a; amite* mit kurzem *a*. Kein Wort des Tadels über den schnöden Fang der Vögel! — 34. *dolos*] zu *retia*. Die Auflösungen des Verses malen die Flinkheit der Hasen. — 37. *malarum*] ergänze *curarum*. — 38. *haec inter*] mit Anastrophe des *inter*.

39—66. 39. *in partem*] „an ihrem Teile". — 40. *dulces liberos*] Der Redner zeigt viel Gefühl und sieht alles in schönster Beleuchtung. Alfius ist überhaupt kein gemeiner Mensch; er ist nur zu sehr *urbis amator* und kann sich als solcher nicht entschliefsen, seine Schwärmerei zur That werden zu lassen. — 41. *qualis Sabina*] bezieht sich auf *mulier*. — 43. *sacrum*] aufzählendes Asyndeton. — *exstruat*] „erhöhe", eigentlich „ausbaue". — 51. *Eois fluctibus*] Er meint das syrische Meer. Dativ, abhängig von *intonata*. Das Unwetter donnert in die Fluten hinein. — 52. *hoc*] „unser",

non Afra avis descendat in ventrem meum,
non attagen Ionicus
55 iucundior, quam lecta de pinguissimis
oliva ramis arborum,
aut herba lapathi prata amantis et gravi
malvae salubres corpori,
vel agna festis caesa Terminalibus,
60 vel haedus ereptus lupo.
has inter epulas ut iuvat pastas oves
videre properantes domum,
videre fessos vomerem inversum boves
collo trahentes languido,
65 postosque vernas, ditis examen domus,
circum renidentes Lares."
haec ubi locutus faenerator Alfius,
iamiam futurus rusticus,
omnem redegit Idibus pecuniam,
70 quaerit Kalendis ponere.

III.

Parentis olim siquis impia manu
senile guttur fregerit,
edit cicutis alium nocentius.

---

näml. das tyrrhenische. — 53. *Afra avis*] „Perlhuhn". — 57. *gravi*] „schwerfällig", durch Überladung. — 59. *Terminalibus*] Die Terminalien wurden zu Ehren des Gottes Terminus im Februar gefeiert. — 63. *fessos . . . languido*] vgl. III, 6, 42. — 65. *postos*] „gelagert". — 66. *renidentes*] „erglänzend". Die Laren wurden mit Wachs überzogen. — 67. *Alfius*] eine historische Persönlichkeit. — 69. *redegit*] „zog ein", um sich ein Gut zu kaufen. — 70. *quaerit*] Das Asyndeton malt die Schnelligkeit der Aufeinanderfolge. — *ponere*] „ausleihen", auf Zinsen anzulegen, weil es ihm leid geworden.

Das Landleben ist schön, aber um es für die Dauer reizend zu finden, dazu gehört ein zufriedener Sinn. Man vergleiche zu dem Gedicht: Klopstocks Kamin.

3. Für Verbrecher mag Knoblauch geeignet sein (1—4). Er ist das ärgste Gift (5—18). Dafür strafe dich deine Geliebte durch Verweigerung des Kusses (15—22).

1—4. 1. *olim*] „einmal". Vgl. für diese Stelle II, 13, 5. — 3. *edit*] ar-

o dura messorum ilia!
5 quid hoc veneni saevit in praecordiis?
num viperinus his cruor
incoctus herbis me fefellit, an malas
Canidia tractavit dapes?
ut Argonautas praeter omnes candidum
10 Medea mirata est ducem,
ignota tauris inligaturum iuga
perunxit hoc Iasonem,
hoc delibutis ulta donis paelicem
serpente fugit alite.
15 nec tantus umquam siderum insedit vapor
siticulosae Apuliae,
nec munus umeris efficacis Herculis
inarsit aestuosius.
at si quid umquam tale concupiveris,
20 iocose Maecenas, precor,
manum puella savio opponat tuo,
extrema et in sponda cubet.

---

chaistischer Konjunktiv für *edat*. — 4. *messorum*] Knoblauch war der Schnitter Speise.

5—18. 5. *quid veneni hoc*] „als was für ein Gift wütet dies". — 7. *fefellit*] zu übersetzen wie λανθάνειν. — 8. *Canidia*] eine Zauberin. — 9. *ut*] „als". — *praeter omnes Argonautas*] gehört zu *miratus est*. Vgl. IV, 14, 15. — 11. *tauris*] gehört zu *ignota* und *inligaturum*; bis dahin waren sie ἀδμής. — 12. *hoc*] *(alio)*. — 13. *hoc delibutis donis*] Dieser Abl. absol. enthält den Hauptgedanken. — *pelicem*] Kreusa, die Tochter des Königs von Korinth, welche Jason zu heiraten gedachte. — 14. *serpente*] „Drachen". — 15. *siderum vapor*] „Gluthitze". — 17. *munus*] das Geschenk Dejaniras (und des Nessus). — *umeris*] Dativ.

19—22. 19. *tale*] erhält durch das Folgende seine Erklärung. — 20. *iocose*] wichtig für die Auffassung des Gedichtes. — *precor*] gehört zu *opponat* und *cubet*. — 22. *extrema*] *parte)*.

Man vergleiche für die scherzhafte Übertreibung I, 16, für die lyrische Pointe II, 12.

4. Dein grofsthuerisches Wesen ist mir in der Seele verhafst (1—10). Auch das Volk äufsert offen seinen Unwillen über deine Erhebung zum Militärtribunen (11—20). — Wahrscheinlich hat der Dichter keine bestimmte Persön-

IV.

Lupis et agnis quanta sortito obtigit
tecum mihi discordia est,
Hibericis peruste funibus latus
et crura dura compede.
5 licet superbus ambules pecunia,
fortuna non mutat genus.
videsne, sacram metiente te viam
cum bis trium ulnarum toga,
ut ora vertat huc et huc euntium
10 liberrima indignatio?
„sectus flagellis hic triumviralibus
praeconis ad fastidium
arat Falerni mille fundi iugera,
et Appiam mannis terit,
15 sedilibusque magnus in primis eques
Othone contempto sedet?
quid attinet tot ora navium gravi
rostrata duci pondere
contra latrones atque servilem manum,
20 hoc hoc tribuno militum?"

---

lichkeit im Auge, sondern einen Typus, wie II, 14.

1—10. 1. *sortito*] = *sorte (naturae).* — Vor *tecum* ergänze *tanta.* — 3. *peruste*] „der du dir den Rücken mit iberischen Stöcken hast wund gerben lassen". — *latus* und *crura*] griech. Accusative. Aus den angeführten Strafen ist zu ersehen, dafs der Angeredete ein früherer Sklave war. — 6. *genus*] „die Art", Charakter. — 8. *cum*] „im Schmucke". — *bis trium ulnarum*] von der Weite, da die Länge der Toga bestimmt war. — 9. *huc et huc*] gehören zu *euntium.* — *ora vertat*] nämlich *in te.* — 10. *liberrima*] „freimütig gezeigter".

11—20. Gedanken der *indignantes* ebenso wenig besonders angedeutet, wie in Schillers Taucher: „Und würfst du die Krone" u. s. w. — 11. *triumviralibus*] Die *triumviri capitales* vollstreckten die Strafen. Der Herold rief während der Exekution die Verbrechen aus. — 13. *arat*] darf pflügen. — 14. *mannis*] „Zeltern". — 15. *magnus eques sedet*] „macht sich breit als Ritter". — 16. *Othone*] Gemeint ist das Gesetz Othos, nach dem nur Ritter auf den ersten vierzehn Sitzreihen im Theater sitzen sollten. — 17. *ora rostrata navium*] = πρόςωπα νεῶν. — *gravi pondere*] Abl. qual. — 19. *latrones*] Sext. Pompejus hatte

V.

„At o deorum quidquid in caelo regit
terras et humanum genus,
quid iste fert tumultus? et quid omnium
voltus in unum me truces?
5 per liberos te, si vocata partubus
Lucina veris adfuit,
per hoc inane purpurae decus precor,
per improbaturum haec Iovem,
quid ut noverca me intueris aut uti
10 petita ferro belua?“
ut haec trementi questus ore constitit
insignibus raptis puer,
impube corpus, quale posset impia
mollire Thracum pectora,
15 Canidia, brevibus implicata viperis

Seeräuber und Sklaven auf seine Flotte genommen.

5. Was wollt ihr von mir (1—10)? So jammerte vergebens der Knabe, aber die Weiber lassen sich dadurch in den Vorbereitungen des Opfers desselben nicht stören (11—46). Dann spricht die Hexe Canidia die Zauberformel, um durch diese und das Opfer sich die Liebe des alten Varus wiederzuerwerben (47—82). Der Knabe aber unterläſst nicht, da er den Tod vor Augen sieht, die gräſslichsten Flüche gegen die Peinigerinnen auszustoſsen (83—102).

Es gilt in diesem Gedichte ein Weib, die Canidia, welche es mit Horaz verdorben hat, zu schmähen, zugleich aber auch die damals noch üblichen lächerlichen und verwerflichen Zaubereien, namentlich der Weiber, mit grellen Farben zu malen. Das Verfahren, das mit dem Knaben vorgenommen wird, scheint ein alter Brauch der Magiker (vgl. sat. I, 8 und ep. 17).

A. 1—10. 1. *at*] versetzt uns mitten in die Sache hinein. — *quidquid deorum*] „bei allen Göttern, welche“. — 3. *omnium*] der vier nachher aufgezählten Weiber. Man glaubte durch das Mark und die Leber eines am Hungertode verstorbenen Knaben einen besonders wirksamen Liebestrank herstellen zu können. — 5. *si*] „wenn wirklich“. — 6. *Lucina*] Geburtsgöttin. — *veris partubus*] „bei wahren Kindesnöten“. — 7. *inane*] Der Purpurstreifen an der *toga praetexta* des Knaben hätte ihm nützen sollen. — 10. *petita*] „auf welches der Mordstrahl sich senkt“. *peti* ist das Passiv zu *aggredi*.

B. 11—46. 11. *trementi*] „bebend“. — 12. *insignibus raptis*] „ohne“ etc.; *insignia* sind *toga praetexta* und *bulla*. — 13. *posset*] „hätte kön-

crines et incomptum caput
iubet sepulcris caprificos erutas,
iubet cupressus funebres
et uncta turpis ova ranae sanguine
20 plumamque nocturnae strigis
herbasque, quas Iolcos atque Hiberia
mittit venenorum ferax
et ossa ab ore rapta ieiunae canis
flammis aduri Colchicis
25 at expedita Sagana, per totam domum
spargens Avernales aquas,
horret capillis, ut marinus asperis
echinus aut currens aper.
abacta nulla Veia conscientia
30 ligonibus duris humum
exhauriebat, ingemens laboribus,
quo posset infossus puer
longo die bis terque mutatae dapis
inemori spectaculo,
35 cum promineret ore, quantum exstant aqua
suspensa mento corpora;
exsecta uti medulla et aridum iecur
amoris esset poculum,
interminato cum semel fixae cibo
40 intabuissent pupulae.
non defuisse masculae libidinis
Ariminensem Foliam
et otiosa credidit Neapolis
et omne vicinum oppidum,

---

nen". — 19. Konstr.: *et ova (uncta sanguine turpis ranae) et plumam strigis.* — 21. *Hiberia*] im Pontus. — 22. *ven. ferax*] „die Mutter der Gifte". — 23. *ieiunae*] „vor Hunger rasend". — 31. *ingemens laboribus*] Vgl. Tac., Germ. 46: „ingemere agris". — 32. *quo*] „damit durch diese" (Grube). — 33. *mutatae dapis*] damit der Knabe immer hungriger werde. — 34. *spectaculo*] Dativ, abh. von *inemori*. — 36. *corpora suspensa mento*] Umschreibung für die „Schwimmenden". — 40. *pupulae*] („des Knaben"). — 41. *masculae libidinis*] Gen. qualitatis, vielleicht „das Mannweib". —

45 quae sidera excantata voce Thessala
lunamque caelo deripit.
hic inresectum saeva dente livido
Canidia rodens pollicem,
quid dixit aut quid tacuit? „o rebus meis
50 non infideles arbitrae,
Nox et Diana quae silentium regis
arcana cum fiunt sacra,
nunc nunc adeste, nunc in hostiles domos
iram atque numen vertite.
55 formidolosis dum latent silvis ferae
dulci sopore languidae,
senem, quod omnes rideant, adulterum
latrent Suburanae canes
nardo perunctum, quale non perfectius
60 meae laborarint manus. —
quid accidit? cur dira barbarae minus
venena Medeae valent,
quibus superbam fugit ulta paelicem,
magni Creontis filiam,
65 cum palla, tabo munus imbutum, novam
incendio nuptam abstulit?
atqui nec herba nec latens in asperis
radix fefellit me locis.
indormit unctis omnium cubilibus
70 oblivione paelicum. —
a a, solutus ambulat veneficae
scientioris carmine. —

---

45. *quae*] „und sie". — *excantata*] „weggezaubert".

C. 47—82. 47. *hic inres.* etc.] Diese verschränkten Worte malen gewissermafsen das wunderliche Benehmen der Hexe. — *quid tacuit*] Manches nämlich konnte aus dem Mienenspiel und den Gebärden entnommen werden. — 51. *Diana*] = *Hecate.* — 57. *quod omnes rideant*] „zum allgemeinen Gespötte". — 58. *Suburanae*] „der Subura", einer Gegend in Rom, wo diese Weiber wohnten. — 61. *quid accidit*] „was ist denn passiert?" — *minus*] „zu wenig". — 66. *incendio abstulit*] „verbrannte". — 69. *unctis cubilibus*] Dativ, abhängig von *indormit.* — 70. *oblivione*] „mit der Kraft

non usitatis, Vare, potionibus,
o multa fleturum caput,
75 ad me recurres nec vocata mens tua
Marsis redibit vocibus.
maius parabo, maius infundam tibi
fastidienti poculum,
priusque caelum sidet inferius mari
80 tellure porrecta super
quam non amore sic meo flagres, uti
bitumen atris ignibus." —
sub haec puer iam non, ut ante, mollibus
lenire verbis impias,
85 sed dubius unde rumperet silentium,
misit Thyesteas preces.
„venena maga non fas nefasque, non valent
convertere humanam vicem.
diris agam vos: dira detestatio
90 nulla expiatur victima.
quin, ubi perire iussus exspiravero,
nocturnus occurram furor,
petamque voltus umbra curvis unguibus,
quae vis deorum est Manium,
95 et inquietis adsidens praecordiis
pavore somnos auferam.
vos turba vicatim hinc et hinc saxis petens
contundet obscaenas anus.
post insepulta membra different lupi
100 et Esquilinae alites,

---

zu vergessen". — 73. *non usitatis*] eben dem, den sie jetzt den Knaben bereiten will. — 76. *redibit*] zu deinen jetzigen Geliebten, die dich mit Marser-Formel rufen werden. — 78. *fastidienti*] *(me)*.

D. 83—102. 84. *lenire*] Impf. de conatu. — 85. *unde*] „womit". — *rumperet*] „stören sollte". Der Knabe will den Erfolg absichtlich durch unheilige Worte stören. — 86. *preces*] „Flüche". — 88. *vicem*] „Vergeltung". — 92. *furor*] „Gespenst". — 93. *umbra*] Apposition. — 97. *vos*] *(obscaenas anus)*. — *saxis petens*] „unter Steinwürfen". — 99. *differrent*] „wegschleppen". — 100. *Esquilinae*] weil dort die Begräbnis-

neque hoc parentes, heu mihi superstites,
effugerit spectaculum."

VI.

Quid immerentes hospites vexas canis
ignavus adversum lupos?
quin huc inanes, si potes, vertis minas
et me remorsurum petis?
5 nam qualis aut Molossus aut fulvus Lacon,
amica vis pastoribus,
agam per altas aure sublata nives,
quaecumque praecedet fera.
tum cum timenda voce complesti nemus,
10 proiectum odoraris cibum.
cave, cave: namque in malos asperrimus
parata tollo cornua,
qualis Lycambae spretus infido gener,
aut acer hostis Bupalo:
15 an si quis atro dente me petiverit,
inultus ut flebo puer?

---

stätten lagen. — 101. *heu*] Er klagte über sich, dafs er früher sterben müsse als die Eltern, die es als ältere doch eher müfsten.

6. Du bist ein böswilliger, feiger Ankläger! Greife mich an: ich gedenke es dir heimzahlen zu können.

1—16. 1. *canis ignavus*] ὤν konzessiv zum Verbum; *lupos* bezeichnet das Gegenteil zu *immerentes hospites* und gleich = schädliche, schlechte Menschen. — 3. *quin vertis*] = *verte*. — *si potes*] = *si audes*. — 4. *remorsurum*] bleibt im Bilde. — Molosser und die Löwenhunde der Lakonier waren besonders geschätzt. — 6. *amica vis*] Umschreibung für *amicus*. — 9. *complesti nemus*] als ob du wunder wie mutig wärst. — 10. *odoraris*] „wittern nach". — *proiectum*] während du es dir hättest erjagen müssen. — 12. *cornua*] enthält einen neuen Vergleich. — 13. *Lycambae*] gehört zunächst zu *spretus* = *a Lycambe;* ist aber auch zu *tollo* zu ergänzen, ebenso *Bupalo* zu *acer* und *tollo*. Lycambes wurde durch bissige Jamben des Archilochus, dem er die schon verlobte Tochter weigerte, zum Erhängen veranlafst. Bupalus soll sich denselben Tod gegeben haben, weil er die boshaften Verse des Hipponax, durch die er in seiner ganzen körperlichen Häfslichkeit blosgestellt war, nicht mehr ertragen konnte. — 16. *ut flebo puer*] = *flebo ut puer*.

VII.

Quo, quo scelesti ruitis aut cur dexteris
aptantur enses conditi?
parumne campis atque Neptuno super
fusum est Latini sanguinis,
5 non ut superbas invidae Carthaginis
Romanus arces ureret,
intactus aut Britannus ut descenderet
sacra catenatus via,
sed ut secundum vota Parthorum sua
10 urbs haec periret dextera?
neque hic lupis mos nec fuit leonibus
umquam nisi in dispar feris.
furorne caecos an rapit vis acrior
an culpa? responsum date
15 tacent, et albus ora pallor inficit
mentesque perculsae stupent.
sic est: acerba fata Romanos agunt
scelusque fraternae necis,
ut immerentis fluxit in terram Remi
20 sacer nepotibus cruor.

---

7. Eure verruchten Kämpfe nehmen kein Ende und führen zu eurem Untergange (1—10). Das ist der Fluch des Blutes des Remus, der auf euch lastet (11—20).

1—10. 1. *quo ... ruitis?*] als im J. 41 v. C. der Krieg gegen L. Antonius in Perusia ausbrach. — 2. *conditi*] die ihr „schon" geborgen hattet. — 3. *campis*] dazu gehört auch *super*. — *Neptuno*] Metonymie. -- 5. *invidae*] „Nebenbuhlerin". — 7. *intactus*] = *nondum domitus*. — *descenderet*] nämlich in *forum* beim Triumphzuge, da die *Via sacra* erst vom *forum* an zum Kapitol stieg.

11—20. 12. *feris*] im konzessiven Sinne bedeutsam nachgestellt. — *dispar*] Neutr. Sing. — 13. *vis acrior*] nicht als *furor*, sondern als daſs ihr derselben widerstehen könntet. Der Dichter warnt vor einem neuen Bürgerkriege. — 19. *ut*] „seitdem".

Der Dichter hat sich politisch offenbar noch nicht entschieden.

8. Du kannst noch fragen, warum ich dir gegenüber gleichgültig bin? (1—10.) Weil Alter und Häſslichkeit weder durch Adel noch durch Reichtum noch durch Gelehrsamkeit Liebe erzwingt (11—20).

VIII.

Rogare longo putidam te saeculo,
vires quid enervet meas,
cum sit tibi dens ater et rugis vetus
frontem senectus exaret
5 hietque turpis inter aridas natis
podex velut crudae bovis?
sed incitat me pectus et mammae putres,
equina quales ubera,
venterque mollis et femur tumentibus
10 exile suris additum.
esto beata, funus atque imagines
ducant triumphales tuum,
nec sit marita, quae rotundioribus
onusta bacis ambulet.
15 quid quod libelli stoici inter sericos
iacere pulvillos amant?
inliterati num minus nervi rigent?
minusve languet fascinum?
quod ut superbo provoces ab inguine,
20 ore adlaborandum est tibi.

IX.

Quando repostum Caecubum ad festas dapes
victore laetus Caesare,

1—10. 1. *rogare te*] Acc. c. Inf. in der unwilligen Frage. — 7. *sed incitat*] ironisch.

11—20. Konstr.: *atque imagines triumphales (eorum maiorum, qui triumphos egerunt) funus tuum ducant.*

9. Laſst uns den Sieg Oktavians bei Aktium feiern, wie wir den über Sext. Pompejus gefeiert haben (1—10). Einer schändlichen Weiberherrschaft ist damit ein Ende gemacht (11—20). und der rühmlichste Triumph erworben worden (21—26), denn der Feind ist so gut wie vernichtet (27—32). Darum ein freudiges Gelage (33—38)!

1—10. 1. *Caecubum ad festas dapes repos(i)tum.* — 2. *victore l. Caesare*] „durch den Sieg des C. er-

tecum sub alta (sic Iovi gratum) domo,
beate Maecenas, bibam
5 sonante mixtum tibiis carmen lyra,
hac Dorium, illis barbarum:
ut nuper, actus cum freto Neptunius
dux fugit ustis navibus,
minatus urbi vincla, quae detraxerat
10 servis amicus perfidis. —
Romanus eheu (posteri negabitis)
emancipatus feminae
fert vallum et arma miles et spadonibus
servire rugosis potest,
15 interque signa turpe militaria
sol adspicit conopium.
at hoc frementes verterunt bis mille equos
Galli canentes Caesarem,
hostiliumque navium portu latent
20 puppes sinistrorum citae. —
io Triumphe, tu moraris aureos
currus et intactas boves,
io Triumphe, nec Iugurthino parem

---

freut". — 3. *sic Iovi gratum*] Diese Parenthese gehört zum ganzen Gedanken, also am meisten zu *bibam*. — *alta domo*] Mäc. besafs ein hohes Haus auf dem Esquilin. — 5. *mixtum tibiis*] „im Verein mit der". — 6. *hac Dorium, illis barbarum*] Die dorische Tonart war ernst und feierlich; die barbarische (lydische) weich und einschmeichelnd. — 7. *Neptunius dux*] So heifst Pompejus, weil sein Element die See war und weil er sich einen Sohn Neptuns nennen liefs. — 8. *ustis navibus*] passivisch aufzulösen; das geschah in der Schlacht bei Naulochos im Jahre 36 v. C.

11—20. 11. *Romanus*] geht besonders auf Antonius. — 12. Auf *emancipatus feminae* liegt der Nachdruck. — 14. *potest*] = *audet*. — *servire*] voll zu übersetzen wie in I, 29, 6. — 15. *turpe*] (das Lager) „verunzierend, schändend". — 16. *hoc frementes*] gehört zusammen! — 18. *Galli*] sind die Galater unter Deiotarus, welche zu Oktavian übergingen. — *canentes*] „zujubelnd". — 20. *puppes navium*] für *naves fugientes*. — *sinistrorsum citae latent*] „wenden sich links (näml. von Aktium nach Ägypten) und verstecken sich in einem Hafen" (näml. Ägyptens). Vgl. I, 37, 23 u. 24.

21—26. 21. *tu*] bezieht sich auf den Gott des Triumphes. — *moraris*] „hältst zurück mit". — 23. *nec ... nec*] Sinn: weder Marius noch Africa-

bello reportasti ducem
25 neque Africanum cui super Carthaginem
virtus sepulcrum condidit.
terra marique victus hostis punico
lugubre mutavit sagum,
aut ille centum nobilem Cretam urbibus
30 ventis iturus non suis,
exercitatas aut petit Syrtes noto,
aut fertur incerto mari. —
capaciores adfer huc, puer, scyphos
et Chia vina aut Lesbia,
35 vel quod fluentem nauseam coerceat
metire nobis Caecubum:
curam metumque Caesaris rerum iuvat
dulci Lyaeo solvere.

X.

Mala soluta navis exit alite
ferens olentem Maevium.

---

nus *(minor)* verdienten so sehr ihren Triumph als Oktavian. — 25. *neque Africanum*] sc. *parem reportasti.* — 26. *virtus*] „seine Tapferkeit“. — *condidit*] etwa „gewölbt hat“, denn die Ruinen Karthagos sind ein Denkmal.

27—32. 27. *punico (sago).* — 30. *non suis*] = *adversis.*

33—38. 35. *nauseam*] deren Qualen man spürt, wenn man an Antonius' Seefahrten denkt. Denn H. hat nicht an der Seeschlacht teilgenommen. — 37. *curamque*] „bange Sorge um“. — 38. *Lyaeo*] metonymisch für *vino.*

Das Gedicht enthält eine zusammenhängende Darstellung männlichen und patriotischen Schmerzes über ein nationales Unglück. Auf *Quando repostum Caecubum tecum bibam?* giebt erst *Nunc est bibendum* I, 37 die Antwort.

10. Peitscht mir, ihr Winde, das Schiff, auf welchem der unflätige Mävius nach Griechenland fährt! Denn kommt er um, so erfreut er wenigstens — Tiere.

Mävius war ein schlechter und böswilliger Dichter, auch ein Feind Virgils.

1. *mala*] gehört zu *alite* (I, 15), beides zu *soluta;* wir: zur bösen Stunde wurde das Schiff gelöst, welches jetzt

ut horridis utrumque verberes latus,
auster, memento, fluctibus.
5 niger rudentis Eurus inverso mari
fractosque remos differat,
insurgat Aquilo, quantus altis montibus
frangit trementes ilices,
nec sidus atra nocte amicum appareat,
10 qua tristis Orion cadit,
quietiore nec feratur aequore
quam Graia victorum manus,
cum Pallas usto vertit iram ab Ilio
in impiam Aiacis ratem. —
15 o quantus instat navitis sudor tuis
tibique pallor luteus
et illa non virilis eiulatio,
preces et aversum ad Iovem,
Ionius udo cum remugiens sinus
20 noto carinam ruperit!
opima quodsi praeda curvo litore
porrecta mergos iuverit,
libidinosus immolabitur caper
et agna Tempestatibus.

---

ausläuft. — 3. *latus*] näml. *navis*. — 4. *memento*] = *cura*. — 5. *niger*] durch die heraufgeführten Sturmwolken. — *inverso mari*] Dativ, von *differat* abhängig. — 7. *quantus*] abgekürzte Vergleichung: *tantus*, *quantus adest, cum frangit* = οἷος. — 10. *tristis*] „düster". — 12. *Graia vict. man.*] Enall. für *manus Graiorum victorum*. — 14. *Aiacis*] des Oileus Sohn. — *luteus*] nicht von *lutum*. — 18. *et preces ad aversum Iovem*] also „unnütze". — 19. *udo Noto*] zu *remugiens*. — 21. *opima* („fette") *praeda*] Umschreibung für Mävius, der dadurch gar nicht einmal als Person betrachtet wird. — *curvo litore*] Abl. des Ortes zu *porrecta*. — 23. *immolabitur*] nämlich *a me*.

Man vergleiche das Gegenstück I, 1, 3.

11. Dafs ich jetzt nicht dichte, daran ist meine Verliebtheit schuld — mein stetes Leid (1—4). Wie furchtbar verzehrte mich vor drei Jahren unglückliche Liebe zu Inachia (5—22). Wie unwürdig leide ich jetzt an der Liebe zum Lyciscus und werde fortleiden — bis ich wieder liebe und leide (23—28). Vorbild des H. war

XI.

Petti, nihil me sicut antea iuvat
scribere versiculos amore percussum gravi,
amore qui me praeter omnes expetit
mollibus in pueris aut in puellis urere.
5 hic tertius december, ex quo destiti
Inachia furere, silvis honorem decutit.
heu me, per urbem, nam pudet tanti mali,
fabula quanta fui, conviviorum ut paenitet
in quis amantem et languor et silentium
10 arguit et latere petitus imo spiritus.
„contrane lucrum nil valere candidum
pauperis ingenium" querebar applorans tibi,
simul calentis inverecundus deus
fervidiore mero arcana promorat loco.
15 „quodsi meis inaestuet praecordiis
libera bilis, ut haec ingrata ventis dividat
fomenta, vulnus nil malum levantia,
desinet imparibus certare summotus pudor."
ubi haec severus te palam laudaveram,
20 iussus abire domum ferebar incerto pede

Archiloch., Fragm. 22 u. 85: *οὔ μοι ἰάμβων οὐδὲ τερπωλέων μέλει, ἀλλά μ' ὁ λυσιμελής, ὦ 'ταῖρε, δάμναται πόθος.* Beachte den asynartetischen Bau, der sich in Hiatus und syllaba anceps zeigt: 4+2+16+2+4.

1—4. 1. *nihil*] „durchaus nicht". — 2. *percussum*] enthält den Grund. — In *gravi* liegt ein „zu". — 4. *urere*] Infin. des Zwecks, abhängig von *expetit.*

5—22. 5. *tertius dec.*] prädikativ. — 9. *Inachia*] Abl. instr., wir „für die Inachia". — *honorem*] den „Schmuck" der Blätter. — 7. *nam pudet*] begründet das *heu.* — 8. *conviviorum et*] ≐ *etiam conviv.* — 9. *amantem*] nämlich *me.* — Konstr.: *et spiritus petitus imo pectore arguit.* — 11. *contrane*] Acc. c. Inf. zur Bezeichnung eines unwilligen Ausrufs. — 13. *simul*] „so oft". — *calentis (vino)* zu *arcana.* — 14. *loco*] von „ihrem" (rechten Orte). — 15. *quodsi*] „aber wenn". — 16. *ingrata fomenta*] Oxymoron; das klagende Aussprechen der Liebe. — 17. *volnus*] von der Liebe. — 18. *desinet summotus pudor*] zusammengezogen aus: *summovebitur pudor meus et desinam.* — *imparibus*] Dativ. — Seine Nebenbuhler sind ihm moralisch nicht gleich. — 19. *te palam*] = *coram te.* — 20. *iussus*] erhielt ich (von

ad non amicos heu mihi postis et heu
limina dura, quibus lumbos et infregi latus. —
nunc gloriantis quamlibet mulierculam
vincere mollitie amor Lycisci me tenet;
25 unde expedire non amicorum queant
libera consilia nec contumeliae graves,
sed alius ardor aut puellae candidae
aut teretis pueri longam renodantis comam.

XII.

Quid tibi vis, mulier nigris dignissima barris?
munera quid mihi quidve tabellas
mittis nec firmo iuveni nec naris obesae?
namque sagacius unus odoror,
5 polypus an gravis hirsutis cubet hircus in alis,
quam canis acer ubi lateat sus.
qui sudor vietis et quam malus undique membris
crescit odor, cum pene soluto
indomitam properat rabiem sedare neque illi
10 iam manet umida creta colorque
stercore fucatus crocodili iamque subando
tenta cubilia tectaque rumpit;
vel mea cum saevis agitat fastidia verbis:
„Inachia langues minus ac me;
15 Inachiam ter nocte potes, mihi semper ad unum
mollis opus. pereat male, quae te
Lesbia quaerenti taurum monstravit inertem,
cum mihi Cous adesset Amyntas,
cuius in indomito constantior inguine nervus
20 quam nova collibus arbor inhaeret.

---

dir) den Rat. — 21. *ad non amicos*] nämlich Inachia.

12. Das Gedicht zerfällt in zwei gleiche Teile:

A. 1—13. 3. Konstr.: *iuveni nec firmo nec naris obesae.* — *firmus*] „gefestigt, stark genug". — 4. *sagacius*] *unus*] *unus* dient zur Verstärkung des Komparativs. — 13. *fastidia*] „Ekel". — *cum saevis verbis*] *cum agitat* steht parallel dem *cum properat* 8/9.

B. 14—26. 20. *nova arbor*] „die

muricibus Tyriis iteratae vellera lanae
cui properabantur? tibi nempe,
ne foret aequalis inter conviva, magis quem
diligeret mulier sua quam te.
25 o ego non felix, quam tu fugis, ut pavet acres
agna lupos capreaeque leones."

XIII.

Horrida tempestas caelum contraxit, et imbres
nivesque deducunt Iovem; nunc mare nunc siluae
Threicio aquilone sonant. rapiamus, amici,
occasionem de die, dumque virent genua
5 et decet, obducta solvatur fronte senectus.
tu vina Torquato move consule pressa meo.
cetera mitte loqui: deus haec fortasse benigna
reducet in sedem vice. nunc et Achaemenio
perfundi nardo iuvat et fide Cyllenea
10 levare diris pectora sollicitudinibus,
nobilis ut grandi cecinit Centaurus alumno;
„invicte, mortalis dea nate puer Thetide,

---

junge Rebe". — 22. *properabantur*] „eiligst bereitet". — 24. *quam te*] „als ich dich".

13. Das schwere Wetter, welches über unseren Häuptern dahinbraust, wollen wir durch die Freuden des Weins erträglicher machen (1—8). Lafst uns das „Jetzt" geniefsen (8½ bis 11), wie es der Centaur Chiron einst Achilles geraten (12—18).

1—8. 1. *imbres nivesque ded. Iov.*] d. h. im Ungewitter scheint Juppiter herabzusteigen. — 3. *rapiamus*] „darum". — 4. *de die*] partitiv; eigentlich aus dem Tage, „noch bei Tage". — *genua*] Man denke an das Homerische γούνατα λύειν. — 5. *senectus*] „das Greisenhafte". — *obducta*] „umzogen, umdüstert". — 6. *tu*] Es wird einer der Freunde, vielleicht der Symposiarch, angeredet. — *meo*] weil unter dessen Konsulat Horaz geboren war. — 7. *mitte*] = *omitte*. — *haec*] diese unsere (traurigen) Verhältnisse. — 8. *in suam sedem*] „in Ordnung".

8½—11. 9. *Cyllenea*] von Cyllene in Arkadien, wo der Erfinder der Leier, Merkur, geboren war. — 11. *grandi*] vom Alter „gereift". — *cecinit*] „pries".

12—18. 12. *mortalis dea*] mit Absicht zusammengestellt, die Anrede förmlich, wie stets bei Homer. —

te manet Assaraci tellus, quam frigida parvi
findunt Scamandri flumina, lubricus et Simois:
15 unde tibi reditum certo subtemine Parcae
rupere, nec mater domum caerula te revehet.
illic omne malum vino cantuque levato,
deformis aegrimoniae dulcibus adloquiis."

XIV.

Mollis inertia cur tantam diffuderit imis
oblivionem sensibus,
pocula Lethaeos ut si ducentia somnos
arente fauce traxerim,
5 candide Maecenas, occidis saepe rogando:
deus, deus nam me vetat
inceptos, olim promissum carmen, iambos
ad umbilicum adducere. —
non aliter Samio dicunt arsisse Bathyllo
10 Anacreonta Teium,
qui persaepe cava testudine flevit amorem
non elaboratum ad pedem.

---

13. *Assaraci*] Ass. war der Sohn des Tros, eines alten Königs von Troja. — 14. *parvi*] Der Skamander heifst zwar bei Homer *μέγας*; aber erstens ist dies kein besonderes, dem Gedächtnis sich tief einprägendes Epitheton und zweitens war der Skamander Achilles gegenüber im Kampf ohnmächtig. Oder erschien er Horaz, der auf seinem Feldzuge dort geweilt hat, „klein", namentlich nachdem er die thrakischen Ströme kennen gelernt hatte? — *flumina*] ῥέεθρα. — 15. *certa subst.*] Abl. qual. zu *Parcae*. — 18. *deformis*] ist Genetiv. — *adloquiis*] „Linderungen".

Man vergleiche das Gedicht mit I, 9 und I, 7, mit dem ersteren besonders des Inhalts, mit dem letzteren der Anordnung wegen.

14. Mein Versprechen, die Jambensammlung zu senden, läfst mich die Liebe nicht halten (1—8) — eine Liebe, wie sie mein Vorbild Anakreon, wie auch du sie erfahren hast — nur dafs ich unglücklicher bin (9—16).

1—8. 1. *imis sensibus*] Abl. loc. „tief innerlich". — 2. *oblivionem*] meines Versprechens. — 4. *traxerim*] „verschlungen hätte". — 5. *occidis*] nämlich *me* wie *examinas* 2, 17 „quälst du mich", indem du ohne Unterlafs fragst, vgl II, 17. — 8. *ad umbilicum*] *umb.* heifst das Ende des Stabes, um den das Buch gerollt wurde.

9—16. 11. *cava testudine*] Abl. instr. Wir „zur". — 12. *ad pedem non elaboratum*] eigentl.: mit nicht arsgearbeiteten Versfüfsen, d. h. ohne

ureris ipse miser. quodsi non pulchrior ignis
accendit obsessam Ilion,
15 gaude sorte tua: me libertina, neque uno
contenta, Phryne macerat.

XV.

Nox erat et caelo fulgebat luna sereno
inter minora sidera,
cum tu magnorum numen laesura deorum,
in verba iurabas mea,
5 artius atque hedera procera astringitur ilex,
lentis adhaerens bracchiis,
dum pecori lupus et nautis infestus Orion
turbaret hibernum mare,
intonsosque agitaret Apollinis aura capillos,
10 fore hunc amorem mutuum.
o dolitura mea multum virtute Neaera:
nam si quid in Flacco virist,

---

künstlerische Vollendung der Versform. — 13. *miser*] von der Gewalt der Leidenschaft. — *quodsi non pulchrior*] übersetze und verstehe so: *quodsi non pulchrior fuit ignis* (die Flamme, nämlich Helena) *qui Ilion accendit quam tuus*, d. h. wenn dein Mädchen ebenso edel ist wie das, welches an dem Brande Ilions schuld war. Helena wird von Homer wie von Horaz als ein edles Weib geschildert (vgl. I, 15). — 15. *libertina nec*] eine L. und zwar eine; schon in *libertina* liegt etwas Verächtliches.

15. Mit heiligen Schwüren hast du mir Treue versprochen (1—10). Wenn ich auch fernerhin daran zweifeln mufs, wirst du meine Liebe verlieren (11—16). Aber auch mein bevorzugter Rival wird einstens deine Untreue zu erfahren haben (17—24).

1—10. 1. *nox ... sidera*] stimmungsvoller, feierlicher Einleitungsaccord. — 3. *laesura*] die du schon — im Begriff standest. — 4. *in verba mea*] auf die von mir gesprochene Formel hin, d. h. mir nach Wunsch oder blofs „mir nach". — *iurabas*] Beachte das Imperf. — Konstr.: *artius adh. lent. bracch. atque procera ilex astr. hedera.* Vgl. I, 36, 20. — 5. *atque*] nach einem Komparativ statt *quam*. — 6. *bracchiis*] Neäras. — 7. *pecori lupus*] ergänze aus den folgenden, spezielleren Erwähnungen das allgemeinere: *infestus esset*. — 9. *intonsos*] „das Gelock".

11—16. 11. *multum*] adverbiell zu *dolitura*. — 12. *virist*] = *virtutis*

non feret adsiduas potiori te dare noctes,
et quaeret iratus parem,
15 nec semel offensae cedet constantia formae,
si certus intrarit dolor. —
et tu, quicumque es felicior atque meo nunc
superbus incedis malo,
sis pecore et multa dives tellure licebit,
20 tibique Pactolus fluat,
nec te Pythagorae fallant arcana renati,
formaque vincas Nirea,
eheu, translatos alio maerebis amores:
ast ego vicissim risero.

XVI.

Altera iam teritur bellis civilibus aetas,
suis et ipsa Roma viribus ruit:

---

est. Zwischen Flaccus (der Schlaffe) und *vir* wird eine Art Gegensatz empfunden. — 13. *feret*] für *perferet.* — *potiori*] einem Bevorzugteren. — 14. *parem*] eine seinem Charakter entsprechende. — Konstr.: *et constantia* (die Dauer) *formae* (Genet.) *(suae) non semel (= saepe) offensae* (durch Sehnsucht nach mir) *cedet, si certus dolor* (Kummer um mich) *intrarit (animum tuum).*

17—24. 18. *incedis*] „dich spreizest". — 19. *sis licebit*] sonst *licet sis.* — 20. *Pactolus*] ein Goldfluſs. — 21. *renati*] vgl. I, 28, 10. Es kann hier wie dort kein Zweifel sein, daſs der Dichter ironisch spricht. Er glaubte damals nicht an ein Leben nach dem Tode. — 22. *Nirea*] Ilias II, 673: *Νιρεύς, ὃς κάλλιστος ἀνὴρ ὑπὸ Ἴλιον ἦλθε.* — 23. *eheu*] gehört zu *translatos* und ist aus dem Sinne des jetzigen Liebhabers. Die Interjektionen sind in den Epoden viel häufiger als in den Oden. — *alio*] = *in alium.* — 24. *ast ego ... risero*] „dann wird an mir das Lachen sein".

Der Dichter liebte Neära noch, als er so schrieb. Vgl. I, 5 u. II, 8. Dieses Gedicht sieht modernen Liebesliedern ähnlicher als die meisten andern.

16. Rom geht durch die Bürgerkriege zugrunde (1—14). Darum müssen wir auswandern (15—24), und zwar auf Nimmerwiederkehren (25—40). Laſst uns zu den Inseln der Seligen fahren, wo uns so Herrliches erwartet (41—66).

Das waren die Gedanken des Dichters, als er vom Ausbruch des Perusinischen Krieges hörte.

A. 1—14. 1. *altera aetas*] die zweite Generation, nämlich von der Zeit Sullas an. — 2. *et suis ipsa*] in

quam neque finitimi valuerunt perdere Marsi,
minacis aut Etrusca Porsenae manus,
5 aemula nec virtus Capuae, nec Spartacus acer
novisque rebus infidelis Allobrox,
nec fera caerulea domuit Germania pube
parentibusque abominatus Hannibal,
impia perdemus devoti sanguinis aetas,
10 ferisque rursus occupabitur solum.
barbarus heu cineres insistet victor et urbem
eques sonante verberabit ungula,
quaeque carent ventis et solibus ossa Quirini
(nefas videre) dissipabit insolens.
15 forte quid expediat communiter aut melior pars
malis carere quaeritis laboribus?
nulla sit hac potior sententia, Phocaeorum
velut profugit exsecrata civitas
agros atque Lares patrios habitandaque fana
20 apris reliquit et rapacibus lupis,
ire, pedes quocumque ferent, quocumque per undas
notus vocabit aut protervus Africus.
sic placet, an melius quis habet suadere? secunda
ratem occupare quid moramur alite?
25 sed iuremus in haec: simul imis saxa renarint
vadis levata, ne redire sit nefas;

Prosa *ipsius*. — 3. *valuerunt*] mit dem Inf, in Prosa *ad*. — 5. *aemula virtus Capuae*] mit Enallage für das gewöhnlichere *virtus aemulae Capuae*. — 6. *novis rebus*] Abl. zu *infidelis* „unzuverlässig“. — *Allobrox*] für Gallus. — 9. *impia aetas*] Apposition zum Subjekt in *perdemus*. — 13. *ossa Quirini*] Man zeigte zu Rom das Grab des Quirinus (Romulus). — 11. *cineres insistet*] vgl. Hom. Il. IV, 177. — 14. *insolens*] an betonter Stelle ist wie *victor* und *eques* Apposition zu *Barbarus*.

B. 15—24. 15/6. Konstr.: *forte quaeritis communiter aut melior pars* (sc. *quaerit*) *quid expediat* (behilflich sei) *carere malis laboribus? (malis laboribus* von *expediat* abhängig, *carere* tritt hinzu, das Ziel der Thätigkeit bezeichnend = *ὥστε*) statt eines *si forte quaeritis* oder *ac ne forte quaeratis*. Dazu bildet der folgende Satz den Nachsatz. — 17. *nulla sit hac p.*] ist Übersetzung des Homerischen: *ἡμῖν δ' οὔτις τοῦδε νόος καὶ μῆτις ἀμείνων* Il. XV, 509. Davon hängt *ire* v. 21 ab. — 19. *habitanda* zu *reliquit*.

25—40. 26. *levata*] „in die Höhe gehoben“. — *ne redire sit nefas*] Das

neu conversa domum pigeat dare lintea, quando
Padus Matina laverit cacumina,
in mare seu celsus procurrerit Appenninus,
30 novaque monstra iunxerit libidine
mirus amor, iuvet ut tigres subsidere cervis,
adulteretur et columba miluo,
credula nec ravos timeant armenta leones,
ametque salsa levis hircus aequora. —
35 haec et quae poterunt reditus abscindere dulces
eamus omnis exsecrata civitas,
aut pars indocili melior grege; mollis et exspes
inominata perprimat cubilia.
vos quibus est virtus, muliebrem tollite luctum,
40 Etrusca praeter et volate litora.
nos manet Oceanus circumvagus: arva, beata
petamus arva, divites et insulas,
reddit ubi Cererem tellus inarata quotannis
et imputata floret usque vinea,
45 germinat et numquam fallentis termes olivae,
suamque pulla ficus ornat arborem,
mella cava manant ex ilice, montibus altis
levis crepante lympha desilit pede.
illic iniussae veniunt ad mulctra capellae
50 refertque tenta grex amicus ubera;
nec vespertinus circumgemit ursus ovile,

---

aber wird nie eintreten, also ist es immer *nefas*. — 30. *iunxerit*] für *iungendo effecerit*. — 34. *levis hircus*] „ein glatter“, weil der *hircus* doch nie glatt ist; glatt geworden durch den langen Aufenthalt im Wasser. — 35. *haec et quae*] abhängig von *exsecrata*. — 36. *omnis civitas aut pars*] sind Appositionen zu dem Subjekt in *eamus*. — 38. *perprimat*] nämlich *grex*. — *virtus* und *muliebrem* stehen absichtlich nebeneinander. Im folgenden Verse achte auf die Transpositio des *et* und die Anastrophe bei *praeter*.

C. 40—66. 41. *circumvagus*] ἀψόῤῥοος. — 42. *divites et*] für *et divites*. — 45. *germinat* etc.] Eigentlich enthält *numquam fallentis* den Hauptbegriff. — 46. *suamque*] Stier übersetzt: „Wo stets der Mutterstamm die braune Feige schmückt“. — 50. *amicus*] „die befreundete Herde“. Die Angst vor der Gegenwart trieb zum Idyll. Zur Natur sollte die Menschheit zurückkehren. — 51. *vespertinus*] durch

nec intumescit alta viperis humus.
pluraque felices mirabimur, ut neque largis
aquosus Eurus arva radat imbribus,
55 pinguia nec siccis urantur semina glaebis,
utrumque rege temperante caelitum.
non huc Argoo contendit remige pinus,
neque impudica Colchis intulit pedem;
non huc Sidonii torserunt cornua nautae,
60 laboriosa nec cohors Ulixei,
nulla nocent pecori contagia, nullius astri
gregem aestuosa torret impotentia.
Iuppiter illa piae secrevit litora genti,
ut inquinavit aere tempus aureum;
65 aere, dehinc ferro duravit saecula, quorum
piis secunda, vate me, datur fuga.

XVII.

Iamiam efficaci do manus scientiae,
supplex et oro regna per Proserpinae,

---

das Adverb zu übersetzen. — 52. *alta*] proleptisch, also adverbiell zu übers. — 53. *ut*] „wie". — 55. *siccis glebis*] „in den ausgedörrten", Abl. instr. — 56. *temperante*] „richtig ordnet". — 57. *pinus*] „Fichte" für Schiff. — *Argoo remige*] Abl. instr. — 60. *laboriosa*] Wir können die Enallage hier kaum billigen, da *labor.* doch nur von Ulixes gesagt werden konnte: *πολλὰ δ' ὅγ' ἐν πόντῳ πάθεν ἄλγεα ὃν κατὰ θυμόν.* — 61. *astri*] Es ist der Hundsstern gemeint. — 64. *ut*] temporal, „seitdem". — 65. *inquinavit aere*] Kurz für: *inquinavit, ut aeneum fieret.* — *duravit*] „härtete", aber auch „machte zu leidensvollen". — *quorum*] von *fuga* abhängig.

Das Gedicht ist voller Übertreibungen und voll jugendlicher Breite; es hat eine gewisse Ähnlichkeit mit der Teukerode I, 7.

17. Canidia! Hab Erbarmen mit mir und lafs ab von deinen Zaubermitteln. Du hast mich zu heftig büfsen lassen (1—26). Ich glaube ja an deine Kunst und widerrufe alle früheren Schmähungen (27—52). — So bat der Dichter ironisch die viel von ihm geschmähte Zauberin Canidia; sie aber antwortete: Ich kenne kein Erbarmen mit dir; meine Freude ist die Rache (53—81). Vielleicht ist nicht Horaz der Sprecher, sondern der senex adulter der 5. Epode, Varus.

1—26. 1. *do manus*] „ich gebe mich gebunden in die Hand jemandes", eigentlich: ich gebe die Hände gebun-

per et Dianae non movenda numina,
per atque libros carminum valentium
5 refixa caelo devocare sidera,
Canidia, parce vocibus tandem sacris
citumque retro solve, solve turbinem!
movit nepotem Telephus Nereium
in quem superbus ordinarat agmina
10 Mysorum et in quem tela acuta torserat.
unxere matres Iliae addictum feris
alitibus atque canibus homicidam Hectorem,
postquam relictis moenibus rex procidit
heu pervicacis ad pedes Achillei.
15 saetosa duris exuere pellibus
laboriosi remiges Ulixei
volente Circa membra: tum mens et sonus
relapsus atque notus in voltus honor.
dedi satis superque poenarum tibi,
20 amata nautis multum et institoribus.
fugit iuventas et verecundus color,
reliquit ossa pelle amicta lurida,
tuis capillus albus est odoribus;
nullum a labore me reclinat otium,
25 urguet diem nox et dies noctem neque est

---

den hin. — 3. *non movenda*] „nicht zu erregende, heilige". — 4. *per atque*] Transpositio des *atque*. — 6. *vocibus sacris*] „Zaubersprüche". — 7. *citumque retro*] übersetze durch das Verbum finitum. — *turbinem*] „den Kreisel" oder die „Drehscheibe". Man band auf dieser einen Wendehals fest, in welchem kleinen Vogel man wegen seiner schnellen Kopfdrehungen eine magische Kraft vermutete, und fing dann an, eine Scheibe unter gewissen Zauberformeln in kreisende Bewegung nach einer und derselben Seite zu setzen; denn durch entgegengesetzte Drehung, glaubte man, werde der Zauber wieder aufgehoben (Schütz). — 8. *Telephus*] war von Achilles verwundet, aber nachher auch geheilt worden. — 11. *feris alitibus*] γύπεσσι. — *homicidam*] ἀνδροφόνον. — 14. *ad pedes Achillei*] „Ach. zu Füfsen". — *heu*] gehört zu *pervicacis*, weil er Hektor unermüdlich um die Stadt verfolgte. — 16. *laboriosi*] gehört zu *Ulixei*. — Konstr. *tum mens et sonus atque notus honor relapsus est in voltus*. — 22. *amicta*] Acc. Plur. zu *ossa*. — 23. *odoribus*] „Zaubersalben". — 25. *nequest*] *est* = *li-*

levare tenta spiritu praecordia.
ergo negatum vincor ut credam miser,
Sabella pectus increpare carmina
caputque Marsa dissilire nenia.
30 quid amplius vis? o mare, o terra, ardeo
quantum neque atro delibutus Hercules
Nessi cruore nec Sicana fervida
furens in Aetna flamma: tu, donec cinis
iniuriosis aridus ventis ferar,
35 cales, venenis officina Colchicis?
quae finis aut quod me manet stipendium?
effare: iussas cum fide poenas luam,
paratus expiare, seu poposceris
centum iuvencos, sive mendaci lyra
40 voles sonari „tu pudica, tu proba“,
perambulabis astra sidus aureum.
infamis Helenae Castor offensus vicem
fraterque magni Castoris, victi prece,
adempta vati reddidere lumina:
45 et tu (potes nam) solve me dementia,

---

cet. — 26. *levare* etc.] Die gespannte Brust durch [ruhiges] Atmen zu erleichtern.

27—52. 27. *vincor ut credam*] „bin ich besiegt und glaube“. — *negatum* zu *credam* = *quod adhuc credidi.* — 28 *Sabella carmina*] Subjekt. — *Sabella, Marsa*] Beide Völkerschaften waren ihres Aberglaubens wegen berüchtigt. — Verbinde *Sicana flamma furens in fervida Aetna.* — 33. *tu*] adversatives Asyndeton. — 35. *cales venenis*] Abl. causae. — *officina*] Abstr. pro Concr. — 36. *stipendium*] „Bufse“. — 37. *cum fide*] „getreulich“, gehört zu *luam.* — 39. *mendaci*] kann hier nicht „lügnerisch“ heifsen, sondern seiner Etymologie gemäfs (verwandt mit *μάντις, μανία*) „begeistert, verzückt“. Konstruktion: *paratus expiare, si vel centum iuvencos poposceris, vel si mendaci lyra voles.* — 40. *sonari*] eigentlich: dafs von der Leier getönt werde. — 41. *sidus aureum*] abgekürzter Vergleich — Der Dichter Stesichoros hatte in der Ἰλίου ἅλωσις Helena, die Schwester des Castor und Pollux, beleidigt. Dafür wurde er des Augenlichts beraubt, erhielt es aber wieder, als er in einer Palinodie die Schmähungen widerrufen hatte. — 42. *vice*] durch das „Los“, welches seiner Schwester in der Dichtung geworden war. — 45. *et tu*] Nachsatz: so löse auch du. — *potes nam*] = Hom.:

o nec paternis obsoleta sordibus
neque in sepulcris pauperum prudens anus
novendiales dissipare pulveres:
tibi hospitale pectus et purae manus,
50 tuusque venter Pactumeius, et tuo
cruore rubros obstetrix pannos lavit,
utcumque fortis exsilis puerpera.
„quid obseratis auribus fundis preces?
non saxa nudis surdiora navitis
55 Neptunus alto tundit hibernus salo.
inultus ut tu riseris Cotyttiá
volgata, sacrum liberi Cupidinis,
et Esquilini pontifex venefici
impune ut urbem nomine impleris meo?
60 quid proderat ditasse Paelignas anus
velociusve miscuisse toxicum?
sed tardiora fata te votis manent;
ingrata misero vita ducenda est in hoc,
novis ut usque suppetas laboribus.
65 optat quietem Pelopis infidi pater
egens benignae Tantalus semper dapis,
optat Prometheus obligatus aliti,
optat supremo collocare Sisyphus
in monte saxum: sed vetant leges Iovis.
70 voles modo altis desilire turribus,

δύνασαι γάρ. — 46. *sordibus*] bildlich. — *paternis*] für *patris.* — 47. *prudens anus*] „noch eine Alte, welche versteht". — 48. *nov. pulveres*] d. h. die Asche nach neun Tagen (seit dem Tode); denn am neunten Tage wurden die Leichen verbrannt. Die frische Asche diente zu Zaubereien. — 50. *venter*] „Sprofs".

53—81. 53. *auribus (meis) obseratis*] konzessiv. — Konstr.: *Neptunus hibernus* (Adverb der Zeit) *non tundit saxa surdiora nudis* (Dativ) *navitis* (welche sich vom Schiffbruch auf sie retten wollen). *surdiora* enthält den Hauptbegriff. — 56. *ut riseris*] unwillige Frage: Du solltest . . .? — 56. *Cotyttia*] ein Fest der thrazischen Göttin Cotytto. — 58. *pontifex*] Horaz hatte den Zauberspruch in einer Satire (I, 8) beschrieben. — 60. *quid proderat*] ergänze: *nisi te punivissem.* — 62. *votis*] zu *trrdiora.* — 63. *in hoc (consilium) ut infidus*] gegen den Myrtilos. — 65. *quietem*] gehört zu den beiden *optat.* — *aliti*] einem Adler. —

modo ense pectus Norico recludere,
frustraque vincla gutturi nectes tuo
fastidiosa tristis aegrimonia.
vectabor umeris tunc ego inimicis eques,
75 meaeque terra cedet insolentiae.
an quae movere cereas imagines,
ut ipse nosti curiosus, et polo
deripere lunam vocibus possim meis,
possim crematos excitare mortuos
80 desiderique temperare pocula,
plorem artis in te nil agentis exitus?“

---

71. *recludere*] = *aperire.* — 74. *inimicis*] „verhafsten“. — 75. *meae insolentiae*] = *mihi insolenti.* — 76. *quae possim*] „die ich kann“. — *cereas imagines*] Wachsbilder wurden bei Liebesbeschwörungen angewandt. — *exitus* steht mit Absicht am Ende.

Druck von Friedrich Andreas Perthes in Gotha.

Lightning Source UK Ltd.
Milton Keynes UK
UKHW021653021218
333216UK00012B/1564/P